D0260764

Gemeentelijke Hoofdbibliotheek
Beveren

Veilige haven

Van Danielle Steel zijn verschenen:

Hartslag*
Geen groter liefde*
Door liefde gedreven*
Juwelen*
Palomino*
Kinderzegen*
Spoorloos verdwenen*
Ongeluk*
Het geschenk*
De ring van de hartstocht*
Gravin Zoya*
Prijs der liefde*
Kaleidoscoop*
Souvenir van een liefde*
Vaders en kinderen*
Ster*
Bliksem*
Het einde van een zomer*
Vijf dagen in Parijs*
Vleugels*
Stille eer*
Boze opzet*
De ranch*
Bericht uit Vietnam*
De volmaakte vreemdeling*
De geest*
De lange weg naar huis*
Een zonnestraal*
De kloon en ik*
Liefde*
De reis*
Het geluk tegemoet*
Spiegelbeeld*
Bitterzoet*
Oma Danina*
De bruiloft*
Onweerstaanbare krachten*
De reis*
Hoop*
De vliegenier*
Sprong in het diepe*
Thuiskomst*
De belofte*
De kus*
Voor nu en altijd*
De overwinning*
De Villa*
Zonsondergang in St.Tropez
Vervulde wensen
Verleiding
Beschermengel
Als de cirkel rond is
Veilige haven

*In POEMA-POCKET verschenen

Danielle Steel

Veilige haven

SIJTHOFF

Oorspronkelijke titel: *Safe Harbour*
Vertaling: Pauline Moody en Mariëlla Snel
Omslagontwerp: Karel van Laar

ISBN 90 245 5085 8 (gebonden)
ISBN 90 245 5314 8 (paperback)
NUR 342

www.boekenwereld.com

Voor mijn ongelooflijke, heerlijke kinderen: Beatrix, Trevor, Todd, Sam, Victoria, Vanessa, Maxx, Zara en Nick, bij wie ik me veilig, gelukkig en geborgen voel, en van wie ik zoveel houd. Mogen jullie altijd een veilige haven voor elkaar zijn.

En aan de engelen van 'Yo! Angel!': Randy, Bob, Jill, Cody, Paul, Tony, Younes, Jane en John.

Alle liefs van
d.s.

De hand van God

Altijd met een gevoel
van schroom,
opwinding,
vrees,
komt de dag
dat wij op weg gaan
naar Gods verloren zielen,
vergeten, koud,
gebroken, smerig,
en soms,
heel zelden schoon,
gloednieuw op straat
nog met schoon haar
in vlechten,
of fris geschoren kaken,
maar al een maand later
zien we de schade van dagen,
dezelfde gezichten niet meer
helemaal hetzelfde,
de kleren
onherstelbaar,
de zielen
al wat gehavend
net als hun bloes
hun schoenen
en ogen...
ik ga naar de kerk
en bid voor hen
voordat we gaan,
als matadors
die de arena betreden,
zonder te weten wat de nacht
zal brengen,
warmte of wanhoop,
gevaar of de dood
voor hen of ons,
stille gebeden
vanuit mijn hart,
en dan eindelijk
gaan we,
rondom ons klinkt gelach
als klokken,
we zien de gezichten,
de lichamen,
de ogen kijken naar ons,
ze kennen ons nu,
ze komen aanrennen,
en wij stappen uit,
telkens weer,
slepen zware tassen
achter ons aan,
kopen voor hen
nog één dag,
nog één nacht in de regen,
nog één uur... in de kou.
ik heb voor je gebeden...
waar was je?
ik wist dat je zou komen!
hun hemd plakt
aan hun lijf
in de regen,
hun verdriet en vreugde
mengen zich met de onze.
wij zijn de wagens,
geladen met hoop
niet te meten hoeveel,
hun handen raken de onze,
hun ogen graven diep

in de onze,
god zegen u,
zingen de stemmen zacht
en ze lopen weg,
één been, één arm,
één oog,
één tijd,
één leven dat ze even
met ons delen
op straat,
maar wij lopen door
en zij blijven
voorgoed in ons geheugen
gegrift,
het meisje met korsten
op haar hele gezicht,
de jongen met één been
in de stromende regen,
zijn moeder zou huilen
als ze hem zag,
de man die snikkend
zijn hoofd boog,
te zwak om de tas
van ons aan te nemen,
en dan de anderen
voor wie we bang zijn,
die sluipend komen
kijken,
en nog niet weten of
ze zullen toeslaan of meedoen,
of ze zullen aanvallen
of bedanken,
ze kijken ons aan,
hun handen raken de mijne,
hun levens verweven
met het onze,
net als de anderen,
onherroepelijk,
onmetelijk,
en uiteindelijk
is vertrouwen
onze enige band,
hun enige hoop,
ons enige schild
bij elk treffen
telkens weer.
de nacht gaat door,
gezichten eindeloos,
de schijnbare hopeloosheid
even onderbroken
door een moment
dat hoop gloort
en een zak met warme kleren
en etenswaren,
een zaklamp, een slaapzak,
een pak kaarten
en ook wat pleisters,
een teken van herkregen waardigheid,
hun menselijkheid
niet anders dan de onze,
en dan eindelijk
een gezicht met ogen
zo verwoest en verwoestend
dat je hart stilstaat,
het breekt de tijd
in kleine stukjes
tot wij ook
zo kapot zijn
of ook zo heel
zodat er tussen ons
geen verschil meer is,
we zijn één
en de ogen zoeken de mijne,
zal hij toelaten dat ik hem
een der onzen noem

of doet hij
die ene stap
en doodt hij mij
omdat de hoop voor hem
te ver vervlogen is
om hem te grijpen.
waarom doe je dit voor ons?
omdat ik jullie liefheb, wil
ik zeggen,
maar zelden zijn de woorden
er
wanneer ik hem de tas geef
en mijn hart erbij,
mijn eigen hoop en geloof
zo dun verdeeld over zovelen
en altijd het ergste gezicht
op het allerlaatst,
na een paar blije gezichten,
en sommige die zo
op sterven na dood zijn
dat ze niet meer kunnen
spreken,
maar deze laatste,
altijd voor mij,
die neem ik met me mee
naar huis in mijn hart,
met zijn doornenkroon
op zijn hoofd,
zijn geteisterd gezicht,
hij is de allervuilste
en de griezeligste,
hij staat me aan te staren,
zonder te wijken,
zijn ogen boren zich in de
mijne,
soms ontstoken
maar tevens dreigend
en vol wanhoop.

ik zie hem komen,
recht op me af,
en ik wil wegrennen
maar ik kan het niet,
doe het niet,
durf niet.
ik proef angst,
dan de ontmoeting
oog in oog staan we
en proeven elkaars
doodsangst
als tranen
die zich mengen op één gezicht,
en dan weet ik,
herinner ik me,
als dit uitgerekend
mijn laatste kans was
om God aan te raken,
mijn hand uit te steken
en door Hem te worden aangeraakt,
op mijn beurt,
als dit mijn enige kans was
om mijn waarde
en mijn liefde voor Hem te
bewijzen,
zou ik dan vluchten?
ik blijf staan
wetend dat Hij
in vele gedaanten komt,
met vele gezichten,
met vieze geuren
en misschien zelfs
boze ogen.
ik reik de tas aan,
niet meer dapper,
alleen nog ademend,
en herinner me waarom

ik ben gekomen in deze
donkere nacht
en voor wie...
we staan als gelijken
tegenover elkaar
met de dood tussen ons in,
dan eindelijk neemt hij de tas aan
en fluistert God zegen u

en loopt door,
en weer weet ik
op weg naar huis
zwijgend na mijn overwinning,
dat we wederom
zijn aangeraakt
door de hand van God.

Toevlucht

eens kapot
nu hernieuwd
de gedachte
aan jou
een plaats
waar ik
mijn toevlucht vind,
jouw naden,
mijn littekens,
erfenis
van hen
die van ons hielden,
onze overwinningen
en nederlagen
langzaam
naar elkaar toe komend,
onze verhalen
versmeltend
tot één verhaal,
gekoesterd
door de winterzon,
de scherven
van mij
niet langer
gebroken,
en eindelijk
ben ik weer
heel
een pot
met eeuwenoud
craquelé,
de mysteriën
van het leven
behoeven

geen antwoorden meer,
en jij,
geliefde vriend,
hand in hand
herstellen we
samen,
en het leven
begint opnieuw,
een lied
van liefde
en vreugde
zonder
einde.

I

Het was zo'n koude, mistige dag die in noordelijk Californië voor zomer doorgaat; de wind striemde het lange, gebogen strand, en zweepte een wolk fijn zand in de lucht. Een klein meisje met een rode short en een witte sweater liep langzaam langs het strand, met haar hoofd in de wind, terwijl haar hond bij de rand van het water aan het zeewier snuffelde. Het meisje had kort, krullend rood haar, honingkleurige ogen met bruine vlekjes erin en een sproetig gezicht. Mensen die iets van kinderen afwisten, zouden haar leeftijd schatten ergens tussen tien en twaalf jaar. Ze was sierlijk en klein, met dunne beentjes. En de hond was een chocoladebruine labrador. Ze liepen langzaam van het omheinde strandhuisjescomplex naar het openbare strand aan de andere kant. Er was die dag bijna niemand op het strand, want het was te koud. Maar zij vond dat niet erg, en de hond blafte af en toe naar de kleine wervelingen van zand die door de wind werden opgewaaid, en sprong dan weer naar de rand van het water. Hij sprong woedend blaffend achteruit toen hij een krab zag, en het meisje begon te lachen. Het was duidelijk dat het kind en de hond goede maatjes waren. Uit de manier waarop ze hier samen liepen, zou je kunnen afleiden dat ze een afgezonderd leven leidden, alsof je kon voelen dat ze hier al vaak zo gelopen hadden. Ze liepen een heel eind naast elkaar. Op sommige dagen was het warm en zonnig op het strand, wat je in juli ook zou verwachten, maar niet altijd. Wanneer de mist op kwam zetten, leek het meteen winters koud. Je kon de mist zien komen aanrollen over de golven; hij trok zich niets aan van de Golden Gate Bridge maar ging er dwars doorheen. Soms kon je de brug vanaf het strand zien. Safe Harbour lag vijfendertig minuten rijden ten noorden van

San Francisco, en meer dan de helft ervan werd gevormd door een omheind woningencomplex, waarvan de huizen vlak achter het duin stonden, langs het hele strand. Een slagboom en een bewaker in een hokje hielden ongewenste bezoekers buiten. Het strand zelf was alleen toegankelijk vanuit de huizen die erlangs stonden. Aan de andere kant was een openbaar gedeelte met een rij eenvoudige, bijna schuurachtige huisjes die ook toegang hadden tot het strand. Op warme, zonnige dagen was het er stampvol; dan was elke centimeter bezet. Maar meestal waren er weinig mensen, zelfs op het openbare strand, en aan de privé-kant zag je bijna nooit iemand.
Het kind had juist het stuk strand bereikt waar de eenvoudige huisjes stonden, toen ze een man op een opvouwbaar krukje achter een schildersezel zag zitten; hij was bezig een aquarel te maken. Ze bleef stilstaan en bekeek hem van een flinke afstand, terwijl de hond tegen het duin op rende om een interessante geur te volgen die hij op de wind leek te hebben ontdekt. Het meisje ging ver van de schilder op het zand zitten en keek naar wat hij deed. Ze zat zo ver van hem af dat hij niet merkte dat ze er was. Ze vond het gewoon leuk om naar hem te kijken; hij had iets stevigs en vertrouwds over zich, met de wind die door zijn korte, donkere haar woei. Ze vond het leuk om naar mensen te kijken; dat deed ze soms ook bij vissers: ze bleef bij hen uit de buurt, maar nam alles wat ze deden in zich op. Ze bleef zo een hele tijd zitten, terwijl de schilder aan het werk was. En ze zag dat er op zijn schilderij boten voorkwamen die er niet echt waren. Het duurde behoorlijk lang voor de hond terugkwam en naast haar in het zand ging zitten. Ze streelde hem zonder naar hem te kijken; ze keek uit over zee, en ook af en toe naar de schilder. Na een tijdje stond ze op en kwam een stukje dichterbij. Ze ging wat opzij achter hem staan, zodat hij zich nog steeds niet bewust was van haar aanwezigheid, maar zij de vorderingen van zijn werk goed kon volgen. Ze vond de kleuren die hij gebruikte mooi, en ook de zonsondergang die hij had geschilderd, vond ze mooi. De hond was intussen moe en stond bij haar alsof hij op een commando wachtte. Het duurde weer even voor ze nog wat naderbij kwam en zo dichtbij kwam staan dat de schilder haar eindelijk opmerkte. Hij keek

verschrikt op toen de hond langs hem sprong en een hoop zand deed opstuiven. Toen keek de man pas om en zag hij het kind. Hij zei niets en ging door met werken, en toen hij een halfuur later weer omkeek terwijl hij wat water door zijn verf mengde, zag hij tot zijn verbazing dat ze nog steeds op dezelfde plek naar hem stond te kijken.
Ze zeiden niets tegen elkaar, maar ze bleef naar hem kijken en ging uiteindelijk op het zand zitten. Dat was warmer dan wanneer je rechtop stond in de wind. De schilder had net als zij een sweater aan, en hij droeg verder een spijkerbroek en een paar oude, versleten gympen. Hij had een lichtelijk verweerd gezicht, diep gebruind, en ze zag terwijl hij aan het werk was dat hij mooie handen had. Hij was ongeveer even oud als haar vader, ergens in de veertig. En toen hij zich omdraaide om te zien of ze er nog was, keken ze elkaar aan, maar zonder te lachen. Hij had in lange tijd niet met een kind gepraat.
'Vind jij het leuk om te tekenen?' Hij kon zich geen andere reden voorstellen waarom ze hier nog zou zijn, behalve dat ze zelf graag schilder zou willen worden. Anders zou ze er niets aan hebben gevonden. In werkelijkheid vond ze het gewoon prettig om in stilte dicht bij iemand te zijn, zelfs als dat een vreemde was. Zo leek het toch een beetje of ze een vriend had.
'Soms.' Ze was voorzichtig. Hij was toch een vreemde, en ze kende de regels. Haar moeder had altijd gezegd dat ze niet met vreemden moest praten.
'Wat teken jij graag?' vroeg hij terwijl hij een penseel schoonspoelde en daarnaar keek terwijl hij praatte. Hij had een knap, gebeeldhouwd gezicht en een kloofje in zijn kin. Hij had iets kalms en krachtigs over zich, met brede schouders en sterke benen. En hoewel hij op dat schilderskrukje zat, kon je zien dat hij lang was.
'Ik vind het leuk om mijn hond te tekenen. Hoe kunt u boten tekenen als die er niet zijn?'
Nu glimlachte hij toen hij naar haar keek, en ze keken elkaar weer aan. 'Die stel ik me voor. Wil jij het ook eens proberen?' Hij stak haar een schetsblok en een potlood toe, want het was duidelijk dat ze niet van plan was weg te gaan. Ze aarzelde, maar stond toen op, kwam naar hem toe en nam het schets-

blok en het potlood aan. 'Mag ik mijn hond tekenen?' Haar gezichtje stond ernstig toen ze dit vroeg. Ze voelde zich vereerd dat hij haar het schetsblok had aangeboden.
'Natuurlijk. Je mag alles tekenen wat je wilt.' Ze zeiden niet hoe ze heetten, maar zaten gewoon een tijd naast elkaar te werken. Ze zat met een ingespannen snoetje op de tekening te zwoegen. 'Hoe heet-ie?' vroeg de schilder toen de labrador hen voorbijrende, achter de meeuwen aan.
'Mousse,' zei ze, zonder haar ogen van haar tekening af te wenden.
'Hij heeft niet de kleur van appelmoes. Maar het is een goede naam,' zei hij, terwijl hij iets in zijn eigen werk corrigeerde, en even meesmuilend naar zijn aquarel keek.
'Het is ook een toetje. Het is Frans, en het smaakt naar chocola.'
'Zo moet het er maar mee door,' zei hij. Nu keek hij weer tevreden. Hij had het wel gehad voor vandaag. Het was over vieren en hij had hier sinds het middaguur gezeten. 'Spreek jij Frans?' vroeg hij, meer om maar iets te zeggen dan uit belangstelling, en tot zijn verbazing knikte ze. Het was jaren geleden dat hij tegen een kind van haar leeftijd had gesproken, en hij wist niet goed wat hij tegen haar moest zeggen. Maar ze was erg volhardend geweest in haar stilzwijgende aanwezigheid. En hij zag nu dat ze, afgezien van dat rode haar, een beetje op zijn dochter leek. Vanessa had op die leeftijd lang, steil blond haar gehad, maar er was een zekere gelijkenis in haar houding en optreden. Als hij zijn ogen een beetje dichtkneep, kon hij haar bijna zien.
'Mijn moeder is Frans,' zei ze ter verklaring terwijl ze haar eigen werk bekeek. Ze was weer op dezelfde moeilijkheid gestuit die ze altijd tegenkwam wanneer ze Mousse tekende: de achterpoten wilden niet goed lukken.
'Laat eens kijken,' zei hij en hij stak zijn hand uit naar het schetsblok, want hij zag wel dat ze een probleem had.
'Ik krijg de achterkant nooit goed,' zei ze en ze overhandigde hem het schetsblok. Ze leken wel leraar en leerling; de tekening schiep een onmiddellijke band tussen hen. En het was vreemd, maar ze leek zich op haar gemak te voelen bij hem.

'Ik zal het je laten zien... Mag ik?' Hij vroeg haar om toestemming voor hij iets aan haar tekening verbeterde, en ze knikte. Met voorzichtige potloodlijnen corrigeerde hij het probleem. Het was trouwens al een heel geloofwaardig portret van de hond, nog voor hij het verbeterde. 'Je hebt het prima gedaan,' merkte hij op terwijl hij haar het blad met de tekening teruggaf en zijn schetsblok en potlood opborg.
'Bedankt voor het verbeteren. Ik weet nooit hoe ik dat stuk goed moet krijgen.'
'De volgende keer weet je het,' zei hij, en hij begon zijn verftubes weg te bergen. Het begon kouder te worden, maar dat schenen ze geen van beiden te merken.
'Gaat u nu al naar huis?' Ze keek teleurgesteld, en toen hij in de cognackleurige ogen keek kreeg hij de indruk dat ze eenzaam was, en dat raakte hem. Iets aan haar fascineerde hem.
'Het begint al laat te worden.' En de mist boven de golven werd dichter. 'Woon je hier, of ben je hier alleen op bezoek?' Geen van beiden wist hoe de ander heette, maar dat scheen er niet toe te doen.
'Ik ben hier de hele zomer.' Haar stem klonk niet opgewonden, en ze lachte weinig. Onwillekeurig vroeg hij zich af hoe haar leven eruitzag. Ze was zijn middag binnengeslopen, en nu was er een vreemde, ondefinieerbare band tussen hen ontstaan.
'In het omheinde gedeelte?' Hij nam aan dat ze van de noordkant van het strand was gekomen, en ze knikte.
'Woont u hier?' vroeg ze, en hij bewoog met zijn hoofd in de richting van een van de huisjes achter hen. 'Bent u schilder?'
'Zo kun je het noemen. En jij bent er ook een,' zei hij met een glimlach en een blik naar het portret van Mousse dat ze in haar hand hield. Geen van beiden leek weg te willen gaan, maar ze wisten dat het moest. Zij moest thuis zijn voor haar moeder thuiskwam, anders zwaaide er wat. Ze was ontsnapt terwijl de oppas urenlang aan de telefoon met haar vriendje zat te kletsen. Het kind wist dat het de tiener die op haar paste, niets kon schelen als ze wegliep. Meestal merkte ze het niet eens, tot de moeder van het kind thuiskwam en vroeg waar ze was.
'Mijn vader tekende vroeger ook.' Hij hoorde dat ze 'vroeger' zei, maar wist niet of dat betekende dat haar vader nu niet meer

tekende, of dat hij bij hen weg was gegaan. Hij vermoedde dat het laatste het geval was. Ze was waarschijnlijk een kind uit een gebroken gezin, dat behoefte had aan mannelijke aandacht. Hij kende dat verschijnsel goed.
'Is hij ook schilder?'
'Nee, ingenieur. En hij heeft ook dingen uitgevonden.' Toen zuchtte ze en keek hem treurig aan. 'Ik denk dat ik nu maar naar huis moet gaan.' En alsof hij op zijn wachtwoord reageerde, verscheen Mousse weer en ging naast haar staan.
'Misschien zie ik je nog wel eens.' Het was begin juli en de zomer zou nog wel even duren. Maar hij had haar nooit eerder gezien, en hij vermoedde dat ze niet zo vaak helemaal hierheen kwam. Het was een flink eind lopen voor haar.
'Bedankt omdat ik ook wat mocht tekenen,' zei ze beleefd, en ditmaal danste er een lachje in haar ogen. De weemoed die hij daar zag, raakte hem diep.
'Ik vond het leuk,' zei hij naar waarheid, en hij stak haar zijn hand toe, met een ongemakkelijk gevoel. 'Ik heet trouwens Matthew Bowles.'
Ze gaf hem plechtig een hand, en hij was onder de indruk van haar beheerste houding en goede manieren. Ze was een opmerkelijk kind, en hij was blij dat hij haar had ontmoet. 'Ik ben Pip Mackenzie.'
'Dat is een interessante naam. Pip? Is dat ergens een afkorting van?'
'Ja. Vreselijk,' giechelde ze. Nu leek ze weer meer een kind van haar leeftijd. 'Van Phillippa. Ik ben naar mijn grootvader genoemd. Erg hè?' Ze trok haar gezicht in plooien van walging over haar eigen naam, zodat hij moest glimlachen. Ze was onweerstaanbaar, vooral met die rode krullen en die sproeten; hij vond het allemaal prachtig. Hij wist eigenlijk niet of hij nog wel van kinderen hield. Meestal bleef hij uit hun buurt. Maar dit kind was anders. Ze had iets betoverends over zich.
'Ik vind het juist een mooie naam. Phillippa. Misschien zul je hem later mooi gaan vinden.'
'Vast niet. Het is een stomme naam. Ik vind Pip leuker.'
'Dan onthoud ik die voor als ik je nog eens zie,' zei hij met een glimlach.

Ze leken te aarzelen, alsof ze geen zin hadden om afscheid te nemen.
'Ik kom hier terug wanneer mijn moeder naar de stad gaat. Donderdag misschien.' Op grond van wat ze zei, kreeg hij duidelijk de indruk dat ze ongemerkt was weggeglipt of stiekem was weggelopen, maar ze had wel de hond bij zich. Opeens voelde hij zich, zonder aanwijsbare reden, verantwoordelijk voor haar.
Nu klapte hij zijn krukje dicht en raapte de afgesleten, gedeukte doos op waar hij zijn verf in bewaarde. Hij nam de opgevouwen ezel onder zijn arm, en zo stonden ze nog even naar elkaar te kijken.
'Nog een keer bedankt, meneer Bowles.'
'Matt. En jij bedankt voor je bezoek. Dag Pip,' zei hij bijna bedroefd.
'Dag,' zei ze. Ze zwaaide naar hem en danste toen weg als een blad op de wind, wuifde nog eens en rende weg over het strand met Mousse achter haar aan.
Hij bleef haar een tijd staan nakijken, terwijl hij zich afvroeg of hij haar ooit weer zou zien, en of dat ertoe deed. Ze was tenslotte maar een kind. Toen boog hij zijn hoofd tegen de wind, en liep het duin op naar zijn kleine, door weer en wind geteisterde huisje. Hij sloot de deur nooit af, en toen hij naar binnen ging en zijn spullen in de keuken zette, voelde hij een pijn die hij in jaren niet had gevoeld en waar hij niet blij mee was. Dat was het vervelende met kinderen, zei hij tegen zichzelf terwijl hij zich een glas wijn inschonk. Ze kropen regelrecht in je ziel, als een splinter onder een vingernagel, en wanneer je ze weghaalde, deed het helse pijn. Maar misschien was het het waard. Er was iets uitzonderlijks aan haar, en terwijl hij aan het meisje op het strand dacht, gingen zijn ogen naar het portret dat hij jaren geleden had geschilderd van een meisje dat opvallend veel op haar leek. Het was zijn dochter Vanessa, toen die ongeveer even oud was. Nu ging hij naar zijn woonkamer, plofte neer in een oude, gehavende leren leunstoel en keek naar buiten waar de mist over de oceaan hing. Terwijl hij naar de mist staarde, zag hij voor zijn geestesoog niets dan het meisje met het rode krulhaar en de sproeten, en de fascinerende cognackleurige ogen.

2

Ophélie Mackenzie nam de laatste bocht van de slingerende weg en reed langzaam met de stationcar door het dorp Safe Harbour. Het dorp bestond uit twee restaurants, een boekhandel, een winkel in surfartikelen, een levensmiddelenzaak en een galerie. Ze had een vermoeiende middag in de stad achter de rug. Ze vond het vreselijk om twee keer per week naar de praatgroep te gaan, maar ze moest toegeven dat ze er veel aan had. Ze ging er sinds mei heen, en had nog twee maanden voor de boeg. Ze had er zelfs mee ingestemd ook tijdens de zomer bijeenkomsten bij te wonen, en daarom had ze Pip bij de dochter van hun buren achtergelaten. Amy was zestien en vond het leuk om op te passen, dat beweerde ze tenminste, en ze had het geld nodig als aanvulling op haar zakgeld. Ophélie kon haar hulp goed gebruiken, en Pip leek haar wel aardig te vinden. Het was voor alle betrokkenen een prettige regeling, hoewel Ophélie het vreselijk vond twee keer per week naar de stad te rijden, ook al kostte dat haar niet meer dan een halfuur, of hoogstens veertig minuten. Het was een gemakkelijke route om te forenzen, afgezien van het laatste stuk tussen de snelweg en het strand: vijftien kilometer met haarspeldbochten. Ze vond het ontspannend over de slingerende weg langs de kliffen te rijden, met uitzicht op de oceaan. Maar deze middag was ze moe. Het was soms doodvermoeiend om naar de anderen te luisteren, en aan haar eigen problemen was sinds oktober niet veel verbeterd. Eigenlijk leek het eerder moeilijker te worden. Maar ze had tenminste de steun van de groep, ze had iemand om tegen te praten. En wanneer ze er behoefte aan had, kon ze zich bij hen laten gaan, en toegeven hoe ellendig ze zich voelde. Ze hield er niet van Pip met haar pro-

blemen te belasten. Het leek niet goed om dat een kind van elf aan te doen.
Ophélie reed door het dorp en sloeg kort daarna linksaf de doodlopende weg in die naar het omheinde gedeelte van Safe Harbour leidde. De meeste mensen zagen het weggetje over het hoofd. Ze sloeg nu reflexmatig links af, op de automatische piloot. Het was een goede beslissing geweest, de juiste plek om de zomer door te brengen. Ze had behoefte aan de rust die hier te vinden was. De afzondering. De stilte. Het lange, schijnbaar eindeloze strand met het witte zand, dat soms bijna winters aandeed, maar dan weer warm en zonnig was.
Ze stoorde zich niet aan de mist en de koude dagen. Soms pasten die beter bij haar stemming dan de stralende zon en de blauwe luchten waar de andere bewoners van het strandcomplex naar verlangden. Op sommige dagen kwam ze zelfs het huis niet uit. Ze bleef in bed liggen, of ging in een hoekje in de woonkamer zitten. Dan deed ze alsof ze een boek las, maar eigenlijk dacht ze alleen maar na, ging ze in gedachten terug naar een andere tijd, een andere plaats, toen alles anders was. Vóór oktober. Het was intussen negen maanden geleden, maar het leek een heel leven.
Ophélie reed langzaam door het toegangshek. De man in het bewakingshokje wuifde naar haar, en ze knikte. Ze zuchtte even terwijl ze naar het huis reed, voorzichtig over de snelheidsdrempels. Er waren kinderen op fietsjes op de weg, verscheidene honden en er liepen een paar mensen. Het was zo'n soort gemeenschap waar de mensen elkaar kenden, maar toch op zichzelf bleven. Zij waren er nu al een maand, maar ze had nog met niemand kennisgemaakt – en dat wilde ze ook niet. En toen ze de oprit inreed en de motor afzette, bleef ze even stil zitten. Ze was te moe om in actie te komen, met Pip te praten of eten te koken, maar ze wist dat het toch moest. Dat hoorde er allemaal bij, bij de eindeloze lusteloosheid waardoor het onmogelijk leek om meer te doen dan haar haren te kammen of een paar telefoontjes te plegen.
Op dit moment had ze in elk geval het gevoel dat haar leven voorbij was. Ze voelde zich honderd jaar oud, hoewel ze tweeënveertig was en eruitzag als dertig. Ze had lang, blond,

zacht, krullend haar, en haar ogen hadden dezelfde roestige cognackleur als die van haar dochter. En ze was even klein en fijngebouwd als Pip. Toen ze op school zat, had ze aan ballet gedaan. Ze had geprobeerd Pip op jeugdige leeftijd in ballet te interesseren, maar Pip had het vreselijk gevonden. Ze had het moeilijk en saai gevonden, ze had een hekel aan de oefeningen, aan de barre en aan de andere meisjes die zo naar volmaaktheid streefden. Ze gaf niets om uitgedraaid zijn, om sprongen of *pliés*. Ophélie had de pogingen haar te overtuigen uiteindelijk maar opgegeven, en had Pip laten doen wat ze zelf wilde. Die nam een jaar paardrijles, volgde een cursus pottenbakken op school en zat verder het liefst te tekenen. Pip deed de meeste dingen in haar eentje en vond het best om alleen gelaten te worden; dan kon ze lezen, tekenen, dromen of met Mousse spelen. In sommige opzichten leek ze veel op haar moeder, die als kind ook altijd alleen was geweest. Ophélie wist eigenlijk niet of het wel gezond was om Pip zich zo te laten afzonderen. Maar Pip leek gelukkig zo, en ze kon zichzelf altijd amuseren, zelfs nu haar moeder zo weinig aandacht voor haar had. Dat leek Pip, althans voor een oppervlakkige toeschouwer, niet erg te vinden, hoewel haar moeder zich vaak schuldig voelde omdat ze de laatste tijd zo weinig contact met elkaar schenen te hebben. Ze had het er vaak over gehad in de groep. Maar Ophélie voelde zich niet in staat de ban van haar eigen lethargie te doorbreken. Niets zou voortaan meer hetzelfde zijn.

Ophélie stopte haar autosleutels in haar tas, stapte uit de auto en gooide het portier dicht zonder het af te sluiten. Dat was niet nodig. En toen ze het huis binnenliep, zag ze alleen Amy die ijverig bezig was de afwasmachine in te laden. Ze leek het heel druk te hebben, maar dat was altijd zo wanneer Ophélie thuiskwam. Het betekende dat ze de hele middag niets had gedaan en dat gauw op het laatste moment moest inhalen. Er was ook weinig te doen; het was een licht, vrolijk, goed onderhouden huis, met schoon uitziende moderne meubelen, blankhouten vloeren en een glazen wand over de hele lengte van het huis, waardoor je een schitterend uitzicht had op de oceaan. Er was een lang, smal terras buiten, waarop tuinmeubelen stonden. Het

huis was precies wat ze nodig hadden. Rustig, gemakkelijk schoon te houden en gezellig.
'Hallo, Amy. Waar is Pip?' vroeg Ophélie. Ze keek vermoeid uit haar ogen. Je kon bijna niet horen dat ze van Franse oorsprong was; haar Engels was niet alleen vloeiend, maar ook bijna accentloos. Alleen wanneer ze erg moe was, of erg van streek, kwamen er wel eens woorden uit waarmee ze zich verried.
'Weet ik niet.' Aan Amy's gezicht was niets te zien toen Ophélie haar opnam. Ze hadden dit gesprek eerder gehad. Amy scheen nooit te weten waar Pip was. En Ophélie kreeg meteen het vermoeden dat ze zoals meestal via haar mobieltje met haar vriend had zitten praten. Dat was het enige waarover Ophélie zich bijna elke keer dat Amy bij haar oppaste, kon beklagen. Ze verwachtte van haar dat ze wist waar Pip was, vooral omdat het huis zo dicht bij de oceaan was. Ophélie werd altijd panisch bij de gedachte dat er iets met haar zou kunnen gebeuren. 'Volgens mij zit ze in haar kamer te lezen. Daar was ze toen ik haar het laatst zag,' probeerde Amy. De waarheid was dat Pip niet meer in haar kamer was geweest sinds ze er die morgen uit was gekomen. Haar moeder ging kijken en zag natuurlijk niemand. Op datzelfde moment rende Pip over het strand huiswaarts, terwijl Mousse naast haar bokkensprongen maakte.
'Is ze naar het strand gegaan?' vroeg Ophélie toen ze met een zenuwachtige uitdrukking op haar gezicht in de keuken terugkwam. Sinds oktober raakte ze van een kleinigheid al overstuur, wat voor die tijd niets voor haar was. Maar nu was alles anders. Amy had de vaatwasser aangezet en maakte aanstalten om weg te gaan, zonder zich erom te bekommeren waar haar pupil was. Ze had het zelfvertrouwen en het vertrouwen van de jeugd. Ophélie wist wel beter. Zij had de pijnlijke les geleerd dat het leven niet te vertrouwen was.
'Ik geloof van niet. Of anders heeft ze het niet tegen me gezegd.' De zestienjarige zag er ontspannen en onbezorgd uit. Maar Ophélie keek bezorgd, ondanks het feit dat deze woonomgeving veilig heette te zijn, en ook veilig leek te zijn. Het maakte haar alleen woedend en bang dat Amy toeliet dat Pip ervandoor ging zonder dat er iemand op haar lette. Als ze zich be-

zeerde, of als er iets misging, of als ze op de weg door een auto werd aangereden, zou niemand het weten. Ze had Pip opgedragen tegen Amy te zeggen als ze ergens heen ging, maar noch het kind noch de tiener trokken zich iets van haar instructies aan. 'Tot donderdag!' riep Amy terwijl ze de deur uit ging. Ophélie schopte haar sandalen uit, liep naar buiten op het terras, keek met een zorgelijk gefronst voorhoofd het strand af en zag haar. Pip kwam naar huis toe rennen en ze had iets in haar hand wat wapperde in de wind. Het leek een vel papier, en met een gevoel van opluchting liep Ophélie vanaf het terras het duin op en vervolgens naar beneden, haar tegemoet. Tegenwoordig kreeg ze altijd de ergst mogelijke scenario's voor ogen, in plaats van de meer gewone verklaringen. Het was intussen bijna vijf uur, en het werd al kouder.

Ophélie zwaaide naar haar dochter, die buiten adem naast haar tot stilstand kwam, breed lachend, terwijl Mousse blaffend in cirkels om hen heen rende. Pip zag wel dat haar moeder bezorgd keek.

'Waar heb jij gezeten?' vroeg Ophélie vlug met gefronst voorhoofd, want ze was nog boos op Amy. Dat meisje was hopeloos. Maar Ophélie had nog niemand anders kunnen vinden om in haar plaats op te passen. En ze had iemand nodig die bij Pip bleef wanneer zij naar de stad moest.

'Ik ben met Moussy gaan wandelen. We zijn helemaal daarheen gelopen,' ze wees in de richting van het openbare strand, 'en het duurde langer om terug te komen dan ik dacht. Hij zat de meeuwen achterna.' Ophélie glimlachte naar haar en kon zich eindelijk ontspannen; het was toch zo'n lief kind. Alleen door naar haar te kijken werd Ophélie soms herinnerd aan haar eigen jeugd in Parijs, en de zomers in Bretagne. Het klimaat was daar niet veel anders dan hier. Ze had haar zomers daar heerlijk gevonden, en ze had Pip erheen meegenomen toen ze nog klein was, zodat ze het kon zien.

'Wat heb je daar?' Ze keek naar het papier en zag dat het een tekening was.

'Ik heb een portret van Mousse gemaakt. Ik weet nu hoe ik de achterpoten moet tekenen.' Maar ze zei er niet bij hoe ze dat had geleerd. Ze wist dat haar moeder het niet zou goedkeuren dat ze alleen over het strand was gelopen en met een vreemde man had gepraat, ook al had hij haar tekening verbeterd en was er niets ergs gebeurd. Haar moeder had Pip streng verboden met vreemden te praten. Ze was zich er sterk van bewust hoe mooi het kind was, ook al had Pip daar zelf nog geen flauw idee van.

'Ik kan me niet voorstellen dat hij stil heeft gezeten voor zijn portret,' zei Ophélie met een glimlach en een geamuseerde blik. Wanneer ze glimlachte, was het gemakkelijk te zien hoe knap ze was wanneer ze gelukkig was. Ze was echt mooi, met fijn gebeeldhouwde gelaatstrekken, een volmaakt gebit, een mooie glimlach en ogen die dansten wanneer ze lachte. Maar sinds oktober lachte ze zelden, bijna nooit. En 's avonds praatten ze nauwelijks tegen elkaar. Ze gingen allebei op in hun eigen wereld. Hoeveel ze ook van haar kind hield, Ophélie kon geen onderwerpen meer bedenken om over te praten. Het kostte te veel inspanning, meer dan ze kon opbrengen. Alles was haar nu te veel, soms was ademhalen al te zwaar, en praten helemaal. Ze trok zich avond aan avond terug in haar slaapkamer en lag in het donker op bed. Pip ging naar haar eigen kamer en deed de deur dicht, en als ze gezelschap wilde hebben, nam ze de hond mee. Hij was haar trouwe kameraad.

'Ik heb een paar schelpen voor je gevonden,' zei Pip, en ze haalde twee mooie schelpen uit de zak van haar sweater en gaf ze aan haar moeder. 'Ik heb ook een zanddollar gevonden, maar die was kapot.'

'Dat zijn ze bijna altijd,' zei Ophélie. Met de schelpen in haar hand liepen ze samen terug naar het huis. Ze had Pip geen kus gegeven om haar te begroeten; dat had ze vergeten. Maar daar was Pip intussen aan gewend. Het leek wel of elke vorm van menselijke aanraking of contact te pijnlijk was voor haar moeder. Ze had zich teruggetrokken achter een muur, en de moeder die Pip de afgelopen elf jaar had gekend, was verdwenen. De vrouw die haar plaats had ingenomen, was weliswaar uiterlijk hetzelfde, maar in werkelijkheid broos en gebroken. Iemand had in een donkere nacht Ophélie weggenomen, en haar vervangen door een robot. Haar stem klonk hetzelfde, ze voelde en rook hetzelfde en ze zag er hetzelfde uit, er was zo te zien niets aan haar veranderd, maar toch was alles bij haar veranderd. Alles wat van binnen zat, wat van binnen werkte, was onherstelbaar veranderd, dat wisten ze allebei. Pip had geen andere keus dan dit te accepteren. En dat had ze zonder morren gedaan.

Voor een kind van haar leeftijd was Pip in de afgelopen jaren wijs geworden, verstandiger dan de meeste meisjes van haar leeftijd. En ze had een intuïtief gevoel voor mensen ontwikkeld, vooral voor haar moeder.

'Heb je honger?' vroeg Ophélie met een zorgelijke uitdrukking op haar gezicht. Eten koken was een bezoeking geworden, een ritueel dat ze verfoeide. En het opeten ervan was nog erger. Ze had nooit trek, al in maanden niet gehad. Ze waren allebei vermagerd nadat ze negen maanden geen hap door hun keel hadden kunnen krijgen.

'Nog niet. Zal ik vanavond pizza maken?' bood Pip aan. Het was een van de gerechten die ze allebei niet graag aten, al scheen Ophélie niet op te merken hoe weinig Pip de laatste tijd at.

'Misschien,' zei Ophélie vaag. 'Ik kan ook iets maken, als je dat wilt.' Ze hadden al vier avonden achter elkaar pizza gehad. Er lagen stapels pizza's in de vriezer. Maar alle andere dingen leken te veel moeite voor het weinige dat het opleverde. Als ze er toch niet van aten, waren pizza's tenminste gemakkelijk om op tafel te zetten.

'Ik heb eigenlijk geen honger,' zei Pip vaag. Ze hadden elke avond hetzelfde gesprek. En soms braadde Ophélie desondanks een kip en maakte ze een salade, maar ook daarvan werd niet gegeten, het was te veel moeite. Pip leefde van pindakaas en pizza. En Ophélie at bijna niets, wat ook duidelijk aan haar te zien was.

Nu ging Ophélie in haar kamer op bed liggen, en Pip ging naar haar kamer en zette het portret van Mousse tegen de lamp op haar nachtkastje. Het papier van het schetsblok was stijf genoeg om te blijven staan, en terwijl Pip ernaar keek, dacht ze aan Matthew. Ze wilde hem donderdag graag terugzien. Ze vond hem aardig. En de tekening zag er veel beter uit door wat hij aan de achterpoten had veranderd. Mousse zag er op de tekening uit als een echte hond, en niet half als een hond en half

als een konijn, zoals op de portretten die ze eerder van hem had gemaakt. Matthew was duidelijk een schilder die er wat van kon.
Het was donker buiten toen Pip de slaapkamer van haar moeder binnenging. Ze wilde aanbieden om het avondeten te maken, maar Ophélie sliep. Ze lag zo stil dat Pip zich even zorgen maakte, maar toen ze dichterbij kwam, kon ze zien dat ze ademde. Ze dekte haar toe met een deken die aan het voeteneind van het bed lag. Haar moeder had het altijd koud, waarschijnlijk doordat ze was afgevallen, of misschien alleen omdat ze zo bedroefd was. Ze sliep nu ook veel.
Pip liep de kamer weer uit en ging naar de keuken. Ze opende de koelkast. Ze was deze avond niet in de stemming voor pizza; ze at er gewoonlijk toch maar één punt van. In plaats hiervan smeerde ze een boterham met pindakaas, die ze opat terwijl ze de tv aanzette. Ze bleef er een tijdje stil naar zitten kijken, terwijl Mousse aan haar voeten lag te slapen. Hij was uitgeput van het rennen op het strand en snurkte zacht. Hij werd pas wakker toen Pip de tv en het licht in de woonkamer uitdeed. Toen liep ze zachtjes naar haar slaapkamer. Ze poetste haar tanden en trok haar pyjama aan, en een paar minuten later stapte ze in bed en draaide het licht uit. Ze bleef een tijdje stil in bed liggen terwijl ze weer aan Matthew Bowles dacht en probeerde er niet aan te denken hoe hun leven sinds oktober was veranderd. Een paar minuten later viel ze in slaap. Ophélie werd pas de volgende morgen weer wakker.

3

De woensdag beloofde zo'n stralende, zonnige, warme dag te worden die in Safe Harbour maar zelden voorkomt en die iedereen naar buiten lokt om dankbaar urenlang in de zon te liggen bakken. Het was al warm en windstil toen Pip opstond en in pyjama naar de keuken liep. Ophélie zat aan de keukentafel met een dampende kop thee voor zich. Ze zag er doodmoe uit. Zelfs als ze wel geslapen had, werd ze nooit uitgerust wakker. Als ze wakker werd, duurde het altijd maar een ogenblik voor de slopersbal van de werkelijkheid haar weer trof. Er was altijd één zalig ogenblik van vergetelheid, maar even zeker kwam daarna het afgrijselijke moment dat ze het zich weer herinnerde. En tussen deze twee ogenblikken zat een onheilspellend stuk tijd waarin ze een instinctief gevoel had dat er iets vreselijks was gebeurd. Tegen de tijd dat ze opstond, was ze alweer uitgeput door de zweepslagwerking van het wakker worden. De ochtenden waren nooit gemakkelijk.

'Heb je goed geslapen?' vroeg Pip beleefd terwijl ze een glas sinaasappelsap voor zichzelf inschonk en een boterham in de broodrooster duwde. Ze roosterde geen boterham voor haar moeder, omdat ze wist dat die hem toch niet zou opeten. Pip zag haar tegenwoordig zelden eten, en ontbijten deed ze helemaal nooit.

Ophélie gaf niet eens antwoord op de vraag. Ze wisten allebei dat dit zinloos was. 'Het spijt me dat ik gisteravond in slaap ben gevallen. Ik had nog willen opstaan. Heb je wel iets gegeten?' Ze keek bezorgd. Ze wist hoe weinig ze voor het kind deed, maar scheen er niets aan te kunnen verhelpen. Ze voelde zich te lamgeslagen om iets voor haar dochter te doen, behalve zich daar schuldig over te voelen. Pip knikte. Ze vond het

niet erg om iets voor zichzelf klaar te maken. Dat gebeurde vaak, of eigenlijk bijna altijd. Alleen eten voor de televisie was beter dan samen zwijgend aan tafel zitten. Ze hadden al maanden niets meer tegen elkaar te zeggen. Het was de afgelopen winter gemakkelijker geweest, want toen had ze huiswerk en een excuus om snel van tafel te gaan.
De geroosterde boterham sprong met een luide klap uit de broodrooster. Pip pakte hem, smeerde er boter op en at hem op zonder ook maar een bordje te pakken. Ze had geen bord nodig, en ze wist dat als ze kruimels morste, Mousse ervoor zou zorgen dat die verdwenen. De hond als stofzuiger. Pip liep naar buiten, het terras op en ging in de zon op een ligstoel zitten, en even later kwam Ophélie ook naar buiten.
'Andrea heeft gezegd dat ze vandaag hier zou komen met de baby.' Pip keek blij bij dit vooruitzicht. Ze was dol op de baby. William, het zoontje van Andrea, was drie maanden oud. Hij vormde een symbool van de onafhankelijkheid en de moed van zijn moeder. Op haar vierenveertigste had ze besloten dat de kans klein was dat ze de prins op het witte paard nog zou ontmoeten, en nog zou trouwen. Ze was zwanger geworden door kunstmatige inseminatie met sperma van een donor en de baby was in april geboren, een prachtige, levendige, donkerharige, mollige jongensbaby met lachende blauwe oogjes en een heerlijk giechelig lachje. Ophélie was zijn peettante, zoals Andrea Pips peettante was.
De twee vrouwen waren bevriend geraakt toen Ophélie achttien jaar geleden met haar man in Californië was komen wonen. Ze hadden daarvoor twee jaar in Cambridge, Massachusetts gewoond, waar Ted natuurkunde doceerde aan Harvard. Het was voor iedereen altijd duidelijk geweest dat hij een genie was. Briljant, rustig, onhandig, soms bijna zwijgzaam, maar ook zachtaardig, teder en in het begin liefdevol. Door de tijd en de beproevingen van het leven was hij op den duur harder geworden, verbitterd zelfs. Ze hadden moeilijke jaren gehad waarin niets ging zoals hij wilde, en er bijna letterlijk geen geld was geweest. Maar de laatste vijf jaren had het hem meegezeten. Twee van zijn uitvindingen hadden een fortuin opgeleverd, en alles was gemakkelijk geworden. Maar

hij had zich afgesloten; zijn hart en geest waren niet langer bereikbaar.
Hij hield van Ophélie en van zijn gezin, dat wisten ze, of zeiden ze te weten, maar hij liet het niet meer blijken. Hij was helemaal opgegaan in zijn voortdurende strijd om nieuwe dingen te ontwerpen, uit te vinden, om nieuwe oplossingen voor problemen te zoeken. En uiteindelijk had hij miljoenen verdiend met de verkoop van de rechten op zijn octrooien op het gebied van de energietechnologie. Hij had niet alleen wereldfaam verworven, maar werd door iedereen vereerd en gerespecteerd. Hij had uiteindelijk de pot met goud aan het eind van de regenboog gevonden, maar daarbij was hij vergeten dat er een regenboog bestond. Zijn hele wereld draaide om zijn werk, en zijn vrouw en kinderen werden nagenoeg vergeten. Hij had alle kenmerken van een genie. Toch had Ophélie er nooit aan getwijfeld dat ze van hem hield. Ondanks zijn problemen en eigenaardigheden was er niemand zoals hij, en er had altijd een krachtige band tussen hen bestaan. En, zoals Ophélie op een dag geduldig tegen Andrea zei: 'Ik denk dat mevrouw Beethoven het ook niet gemakkelijk heeft gehad.' Zijn stekelige karakter was de aard van het beestje, het hoorde erbij. Ze had hem zijn eigenaardige trekjes of teruggetrokken persoonlijkheid nooit verweten, maar wel miste ze vaak de beginjaren, toen hun verhouding nog warm en gezelliger was. Dat was, zoals ze allebei wisten, veranderd door Chad. De problemen van hun zoon hadden de vader onomkeerbaar veranderd. En naarmate hij afstand nam van de jongen, trok hij zich ook terug van diens moeder, alsof het op de een of andere manier haar schuld was. Hun enige zoon was als klein kind al moeilijk, en na onafzienbare ellende en eindeloos van het kastje naar de muur te zijn gestuurd, werd op zijn veertiende de diagnose manisch-depressieve stoornis gesteld. Maar toen had Ted zich al, om er zelf niet aan onderdoor te gaan, volledig van hem teruggetrokken, zodat de jongen uitsluitend het probleem van zijn moeder was geworden. Ted had zijn toevlucht gezocht en gevonden in ontkenning.
'Hoe laat komt Andrea?' vroeg Pip toen ze haar geroosterde boterham op had.

'Zodra ze klaar is met de verzorging van de baby. Ze zei ergens in de ochtend.' Ophélie was blij dat ze zou komen. De baby zorgde op een prettige manier voor afleiding, vooral voor Pip, die dol op hem was. En ondanks haar leeftijd en gebrek aan ervaring was Andrea een vrij soepele moeder. Ze vond het nooit erg dat Pip overal met hem rondsjouwde, hem optilde, hem kuste of zijn teentjes kietelde wanneer zijn moeder hem de borst gaf. En de baby was ook gek op haar. Zijn zonnige aard bracht een straaltje zonneschijn in hun leven, dat zelfs Ophélie verwarmde wanneer ze hem zag.

Tot ieders verbazing had Andrea een jaar sabbatverlof genomen van haar succesvolle advocatenpraktijk om thuis te blijven bij de baby. Ze vond het heerlijk bij hem te zijn. Ze zei dat William krijgen het beste was wat ze ooit had gedaan, en dat ze er nooit een seconde spijt van had. Iedereen had tegen haar gezegd dat het, als ze een kind kreeg, uitgesloten was dat ze ooit een man zou vinden, maar dat scheen haar niets te kunnen schelen. Ze was tevreden met haar zoontje, en vanaf het eerste ogenblik was ze in extase geweest over hem. Ophélie was bij de bevalling geweest, en ze waren allebei tot tranen geroerd geweest toen hij geboren werd. De bevalling was vlot en gemakkelijk verlopen; het was buiten haar eigen bevallingen de eerste die Ophélie had meegemaakt. De dokter had de baby zelfs aan haar overhandigd zodat zij hem een paar minuten nadat hij geboren was aan Andrea kon geven, en de twee vrouwen hadden zich voorgoed verbonden gevoeld nadat ze samen de geboorte van William hadden beleefd. Het was een heel bijzondere gebeurtenis geweest, heel aangrijpend, een herinnering die ze beiden koesterden. Het was een bepalend moment in hun vriendschap.

Moeder en dochter zaten een tijdlang in de zon zonder zich verplicht te voelen iets te zeggen. Na enige tijd ging Ophélie weer naar binnen om de telefoon aan te nemen. Het was Andrea, ze had de baby zojuist de borst gegeven en zei dat ze nu op weg ging naar het strand. Ophélie ging douchen en Pip trok een badpak aan en zei tegen haar moeder dat ze met Mousse naar het strand ging. Daar was ze nog aan het pootjebaden toen Andrea drie kwartier later arriveerde. Zoals altijd kwam ze als een wervelwind het huis binnenstormen. Een paar minuten na haar aankomst lag de woonkamer vol met luiertassen, dekentjes, speeltjes en een schommelstoeltje. Toen ze er waren, ging Ophélie op de top van het duin staan en zwaaide naar Pip om duidelijk te maken dat ze binnen moest komen. Even later zat ze met de baby te spelen, terwijl Mousse opgewonden naar hen blafte. Zo ging het altijd als Andrea op bezoek kwam. En het duurde nog twee uur voor ze de baby weer de borst gaf en alles weer een beetje tot rust kwam. Pip had inmiddels een broodje gegeten en was weer naar het strand gegaan. En Andrea zat rustig op de bank van een glas sinaasappelsap te nippen, en Ophélie glimlachte naar haar.

'Hij is beeldschoon... wat bof je toch met hem,' zei Ophélie afgunstig. Het had iets vredigs en vreugdevols, een baby in hun midden te hebben. Bij een baby dacht je aan dingen die nog moesten beginnen, niet aan dingen waar een eind aan kwam, aan hoop in plaats van teleurstelling, verlies en verdriet. Van de ene dag op de andere was Andrea's leven het tegendeel geworden van haar eigen leven. Ophélie had nu meestal het gevoel dat haar leven voorbij was.

'Hoe gaat het nu met je? Hoe voelt het om hier buiten te zijn?' Andrea maakte zich voortdurend zorgen om haar, en dat was al negen maanden zo. Ze strekte haar lange benen behaaglijk uit terwijl ze tegen de bank leunde met de baby aan haar borst; ze deed geen moeite om zich te bedekken. Ze was trots op haar nieuwe rol in het leven. Ze was een knappe vrouw, met indringende, zwarte ogen en lang, donker haar dat ze in een vlecht droeg. Haar zakelijke houding en nette mantelpakjes voor in de rechtszaal waren plotseling verdwenen. Ze had een roze haltertopje aan op een witte short, en ze was op blote voeten. Ze was een kop groter dan Ophélie. Als ze hoge hakken droeg, was ze ruim een meter tachtig lang, en was ze een indrukwekkende vrouw. En ondanks haar lengte straalde ze ook duidelijk iets sensueels uit.

'Al wat beter,' antwoordde Ophélie op haar vraag, niet geheel naar waarheid, hoewel het in sommige opzichten wel klopte. Ze was nu tenminste in een huis waar ze geen tastbare herinneringen had, behalve wat ze in haar hoofd had meegebracht.

'Soms denk ik dat ik depressief word van die groep, en soms denk ik dat het helpt. Meestal weet ik niet of het helpt of niet.'
'Waarschijnlijk is het allebei waar. Zoals bij de meeste dingen in het leven zitten er meer kanten aan. Je komt in elk geval in aanraking met mensen die hetzelfde doormaken. Anderen begrijpen waarschijnlijk niet alles van wat jullie voelen.' Het was een hele troost te horen dat Andrea dat toegaf. Ophélie vond het vreselijk als mensen zeiden dat ze begrepen wat ze voelde, terwijl dat niet zo was. Hoe konden ze het ook begrijpen? Andrea wist dat tenminste.
'Misschien niet. Ik hoop dat jij het nooit hoeft te begrijpen.' Ophélie glimlachte treurig terwijl Andrea de baby van de ene borst verplaatste naar de andere. Hij dronk nog steeds gretig, maar ze wist dat hij over een paar minuten verzadigd zou zijn en in slaap zou vallen. 'Ik voel me erg ongelukkig over Pip. Ik schijn geen contact met haar te kunnen krijgen. Het is net of ik ergens in de ruimte zweef.' En hoe ze ook haar best deed om op aarde terug te komen, hoe graag ze dat ook wilde, het lukte niet.
'Toch lijkt ze het wel goed te maken. Je zult haar toch af en toe wel kunnen bereiken. Ze is een stevige meid, en ze heeft veel meegemaakt, dat hebben jullie allebei.' Chad had de afgelopen jaren de nodige spanning in het gezin gegeven. En Ted had natuurlijk eigenaardige trekjes. Ondanks dat was Pip een opmerkelijk evenwichtig kind, en tot oktober was Ophélie ook heel evenwichtig geweest. Zij was de lijm geweest die het gezin bij elkaar had gehouden, ondanks talloze traumatische gebeurtenissen en bijna-tragedies. Pas sinds oktober was ze op de knieën gedwongen. En Andrea was ervan overtuigd dat ze wel weer op de been zou komen. Zij wilde doen wat ze kon om haar in de tussentijd te helpen.
De twee vrouwen waren al bijna twintig jaar vriendinnen. Ze hadden elkaar leren kennen via wederzijdse vrienden en hadden elkaar meteen aardig gevonden, hoewel ze totaal verschillende karakters hadden, maar dat was een van de redenen waarom ze zich tot elkaar aangetrokken voelden. Terwijl Ophélie stil en zachtaardig was, had Andrea het hart op de tong en was ze assertief en soms bijna mannelijk in de standpunten die ze

innam. Ze was beslist heteroseksueel, soms op het randje van promiscue, en ze had zich nog nooit door een man de wet laten voorschrijven. Ophélie was op en top vrouwelijk, nog erg Europees wat betreft waarden en standpunten, en ze had zich gedurende hun huwelijk altijd onderworpen aan haar man, zonder zich daardoor de mindere te voelen. Andrea had haar altijd aangemoedigd zich onafhankelijker op te stellen en zich meer als een Amerikaanse te gedragen. Ze deelden de hartstocht voor beeldende kunst, muziek en toneel en waren een paar keer samen naar New York gevlogen om de première van een toneelstuk bij te wonen. Andrea was zelfs een keer met haar meegegaan naar Frankrijk. En ze had het heel goed kunnen vinden met Ted. Het was zo'n zelden voorkomende driehoeksrelatie waarin elk van de drie even veel op beide anderen gesteld was. Zij had natuurkunde gestudeerd aan het MIT, maar was later in Stanford rechten gaan studeren, en zo was ze in Californië terechtgekomen, waar ze uiteindelijk ook was gebleven. Ze moest er niet aan denken terug te gaan naar de besneeuwde winters in Boston, waar ze vandaan kwam en waar ze op school had gezeten. Ze was maar drie jaar eerder in Californië gekomen dan Ophélie en Ted, en ze was net als zij vastbesloten er te blijven en er een leven op te bouwen. Ted vond het prachtig dat ze iets van natuurkunde wist, en kon uren met haar praten over zijn nieuwste plannen. Zij begreep veel meer van waar hij mee bezig was dan Ophélie ooit had begrepen, en ze vond het fijn dat haar vriendin zo onderlegd was. Zelfs Ted, hoe moeilijk hij ook was, moest toegeven dat hij onder de indruk was van Andrea's uitgebreide kennis van zijn terrein.
Ze vertegenwoordigde grote bedrijven bij processen tegen de federale overheid, en trad alleen op als eiser, wat goed paste bij haar ietwat tegendraadse persoonlijkheid. Die kant van haar maakte het ook mogelijk dat ze af en toe met Ted in de clinch ging, en daarom bewonderde hij haar ook. In sommige opzichten wist ze hem beter te hanteren dan zijn eigen vrouw. Maar dat kon Andrea zich permitteren; zij had niets te verliezen. Ophélie had nog niet de helft van de dingen tegen hem durven zeggen die Andrea rustig zei. Maar Andrea hoefde ook niet met hem samen te leven. Ted gedroeg zich als het genie in huis,

en eiste respect van iedereen, behalve natuurlijk van Chad, die had gezegd dat hij zijn vader had gehaat sinds zijn tiende jaar. Hij had een hekel aan zijn dominerende optreden, en aan zijn idee dat hij superieur was en bepaalde rechten kon opeisen omdat hij zo intelligent was. Chad was even intelligent geweest, alleen waren er in zijn hoofd een paar draadjes verkeerd verbonden, zodat er veel mis ging, en er in elk geval een paar belangrijke dingen niet klopten.

Ted had nooit kunnen accepteren dat zijn zoon niet helemaal volmaakt was, en ondanks Ophélies pogingen de situatie te verzachten, schaamde Ted zich voor hem. En dat had Chad heel goed door. Het had tot een aantal afschuwelijke scènes tussen vader en zoon geleid. Dat wist Andrea ook. Alleen Pip had zich erbuiten kunnen houden, zodat de conflicten die hun gezin op den duur bijna hadden ontwricht, haar niet hadden geraakt. Als klein kind al was Pip een elfje geworden dat erboven zweefde, dat hen om beurten zacht aanraakte en probeerde vrede te stichten. Dat vond Andrea erg goed van haar. Ze was een magisch kind dat alles wat ze aanraakte leek te zegenen, zoals ze ook nu deed bij Ophélie. Dit was de reden dat Pip zo tolerant en begrijpend reageerde op het feit dat haar moeder nu niet in staat was haar iets te geven, zelfs geen maaltijden. Ze vergaf het haar allemaal, veel meer dan Ted of Chad gedaan zouden hebben. Geen van hen beiden zou in staat zijn geweest Ophélies zwakheden te verdragen, ook al waren ze er zelf de oorzaak van. Ze zouden haar toch de schuld hebben gegeven, zeker Ted. Niet dat Ophélie het zo zou hebben gezien, dat had ze nooit gedaan. Ze had hem altijd op een voetstuk geplaatst, wat hij ook deed, en hem verontschuldigd. Of hij het nu inzag of niet, zij was de volmaakte echtgenote voor hem. Toegewijd, hartstochtelijk, geduldig, begrijpend, lankmoedig. Ze had zonder mankeren achter hem gestaan, zelfs in de magere, bange jaren waarin ze zonder geld hadden gezeten.

'Wat doe je hier eigenlijk om je te amuseren?' vroeg Andrea haar onomwonden, terwijl de baby in slaap viel.

'Niet veel. Lezen. Slapen. Langs het strand lopen.'

'Oftewel, ontsnappen,' zei Andrea, die zoals altijd meteen doordrong tot de kern. Je kon haar onmogelijk voor de gek houden.

'Is dat zo vreselijk? Misschien is dat juist waar ik nu behoefte aan heb.'
'Misschien. Maar binnenkort is het een jaar geleden. Je moet ooit terugkomen in de wereld, Ophélie. Je kunt je niet eeuwig verstoppen.' Zelfs de naam van de gemeenschap waar ze voor de zomer een huis had gehuurd was een symbool van wat ze zocht. Safe Harbour: een veilige haven. Veilig voor de stormen die haar vanaf oktober hadden geteisterd, maar ook al lang voor die tijd.
'Waarom niet?' Ophélie zei het met een wanhopige blik, en haar vriendin voelde met haar mee, wat ze al bijna een jaar deed. Het lot had haar wel erg zwaar getroffen.
'Het is niet goed voor je om je te verstoppen, en voor Pip is het ook niet goed. Ze heeft het nodig dat je er bent, vroeg of laat. Je kunt je niet voor onbepaalde tijd terugtrekken. Dat is gewoon niet goed. Je moet weer met je leven beginnen. Je moet er eens uit, mensen ontmoeten, misschien zelfs weer met een man uitgaan. Je kunt niet eeuwig alleen blijven.' Andrea vond dat ze een baan moest zoeken, maar dat had ze nog niet tegen haar durven zeggen. Ophélie was trouwens nog niet in een toestand om aan het werk te kunnen gaan. Of om weer te gaan leven.
'Ik moet er niet aan denken.' Ophélie keek ontzet. Ze kon zich niet samen met een andere man dan Ted zien. Voor haar gevoel was ze nog steeds met hem getrouwd, en zou ze dat altijd zijn. Ze kon zich niet voorstellen dat ze haar leven met een ander zou willen delen. Niemand anders zou zich in haar ogen ooit met Ted kunnen meten, hoe moeilijk het ook was geweest om met hem te leven.
'Er zijn andere dingen die je eerst zou kunnen doen om weer op de been te komen. Je haar kammen zou al heel wat zijn, tenminste zo af en toe.' Wanneer Andrea bij haar op bezoek kwam, zag ze er nu meestal slonzig uit, en soms had ze zich dagenlang niet eens behoorlijk aangekleed. Ze douchte, trok dan een spijkerbroek en een oude trui aan en haalde even een hand door haar haren in plaats van ze te kammen, behalve wanneer ze ergens heen ging, bijvoorbeeld naar de praatgroep. Maar ze ging zelden nog ergens heen. Ze had geen reden om weg te gaan, be-

halve wanneer ze Pip met de auto naar school bracht. Maar daarvoor kamde ze haar haar ook niet. Andrea vond dat het nu welletjes was, het was tijd om orde op zaken te stellen. Het was haar idee geweest dat ze de zomer in Safe Harbour zouden doorbrengen, en ze had zelfs het huis voor hen gevonden via een makelaar die ze kende. Ze was blij dat ze dat had gedaan, want ze kon zien dat het een verstandig besluit was geweest, alleen door naar Pip te kijken, en zelfs door naar haar moeder te kijken. Ophélie zag er gezonder uit dan ze er bijna een jaar had uitgezien. En ze had ditmaal haar haren gekamd, in elk geval leek het erop. Ondanks zichzelf zag ze er gebruind en knap uit.
'Wat ga je doen wanneer je terug bent in de stad? Je kunt je niet weer de hele winter in huis opsluiten.'
'Dat kan ik best,' lachte Ophélie ongegeneerd. 'Ik kan nu alles doen wat ik maar wil.' En ze wisten allebei dat dit waar was. Ted had haar een reusachtig fortuin nagelaten, al kon je dat nergens aan zien. Het vormde een ironisch contrast met de armoedige toestand die ze in hun begintijd hadden gekend. Op een gegeven moment hadden ze in een tweekamerflat gewoond in een troosteloze buurt. De kinderen sliepen samen in de slaapkamer, en Ted en Ophélie hadden op een bedbank in de woonkamer geslapen. Ted had de garage als laboratorium ingericht. En vreemd genoeg was dat hun gelukkigste tijd geweest, ondanks de ontberingen en geldzorgen. Alles was veel gecompliceerder geworden toen Ted eenmaal de top van zijn arbeidsterrein had bereikt. Het succes had voor hem veel meer spanning opgeleverd.
'Ik ga je flink achter de vodden zitten als je straks thuis weer als een kluizenaar gaat leven,' dreigde Andrea. 'Ik zal je dwingen om met William en mij mee te gaan naar het park. Misschien moeten we naar New York gaan om de opening van het operaseizoen bij te wonen in de Met.' Ze waren allebei dol op opera en waren er al verscheidene keren heen geweest. 'Als het moet, sleep ik je er aan je haren mee naartoe,' zei ze dreigend, terwijl de baby bewoog en toen weer stil ging liggen, terwijl hij pruttelende geluidjes maakte. Beide vrouwen keken glimlachend naar de kleine, en zijn moeder liet hem aan haar borst

slapen; daar lag hij het liefste en daar had zij hem het liefste.
'Je bent ertoe in staat,' zei Ophélie als antwoord op haar dreigement, en een paar minuten later kwam Pip binnen met Mousse. Ze had een verzameling stenen en schelpen in haar handen die ze voorzichtig op de salontafel neerlegde, met zo te zien een halve emmer vol zand. Maar Ophélie zei niets toen Pip trots naar de schelpen wees.
'Die zijn voor jou, Andrea. Je mag ze mee naar huis nemen.'
'Heel fijn. Mag ik dat zand ook meenemen?' plaagde ze. 'Wat heb je uitgespookt? Heb je hier al kinderen leren kennen?' Andrea maakte zich ook zorgen over Pip.
Pip haalde achteloos haar schouders op. Ze had eigenlijk met niemand kennisgemaakt. Ze zag zelden andere mensen op het strand, en haar moeder zonderde zich zo af dat ze ook geen gezinnen hadden leren kennen.
'Ik zal hier vaker moeten komen om de boel een beetje op te porren. Er zijn hier vast wel kinderen op vakantie. Die moeten we voor je zien te vinden.'
'Ik heb het best naar mijn zin,' zei Pip, zoals altijd. Ze klaagde nooit. Dat was zinloos. Ze wist dat er toch niets door zou veranderen. Haar moeder was niet in staat meer te doen dan ze op dit moment deed. Zo was het nu eenmaal. Misschien zou het wel weer eens beter worden, maar kennelijk nu nog niet. En dat accepteerde Pip. Ze was zo verstandig dat ze veel ouder leek dan ze was. De afgelopen negen maanden hadden haar gedwongen volwassen te worden.
Andrea bleef tot laat in de middag, en ging kort voor het avondeten weg. Ze wilde thuis zijn voor de mist opkwam. Maar tegen de tijd dat ze wegging, hadden ze gelachen en gepraat, en Pip had met de baby gespeeld en hem gekieteld. Ze zaten op het terras, zich koesterend in de zon, en over het geheel genomen was het een heerlijke, gezellige middag geweest. Maar zodra Andrea en de baby weg waren, leek het huis meteen weer treurig en leeg. Haar aanwezigheid was zo krachtig voelbaar dat alles na haar vertrek nog erger leek te zijn dan voor haar komst. Pip hield van haar levenskracht. Het was altijd spannend om in haar buurt te zijn. Ook voor Ophélie. Zij kon zelf niet meer goed op gang komen, maar Andrea had genoeg vaart voor hen allemaal.

'Zal ik een film voor je huren?' stelde Ophélie behulpzaam voor. Ze had in geen maanden zoiets bedacht, maar het bezoek van Andrea had haar ook meer energie gegeven.
'Hoeft niet, mam. Ik kijk wel televisie,' zei Pip zacht.
'Zeker weten?' Ze knikte, waarop het gebruikelijke dubben begon over wat ze zouden eten, maar dit keer bood Ophélie aan hamburgers te maken met een slaatje erbij. De hamburgers waren meer doorbakken dan Pip lekker vond, maar daar zei ze niets van. Ze wilde haar niet ontmoedigen, en het was beter dan de diepvriespizza waar ze geen van beiden van aten. Pip at haar hele hamburger op, terwijl haar moeder er met lange tanden van at, maar zij at wel alle salade op en toch tenminste de helft van de hamburger. De toestand was duidelijk verbeterd dankzij Andrea's goede invloed.
Toen Pip die avond naar bed ging, had ze wel gewild dat haar moeder haar kwam instoppen. Het was in haar huidige toestand te veel gevraagd, maar het was al fijn om eraan te denken. Ze herinnerde zich dat haar vader haar altijd instopte toen ze klein was, al had hij het later niet meer gedaan. Niemand had het gedaan. Hij was zelden thuis en haar moeder had meestal haar handen vol aan Chad. Er gebeurde altijd wel iets dramatisch. En nu er geen drama's meer waren, leek ook Ophélie er niet meer te zijn. Pip ging zelf maar naar bed. Er kwam niemand om haar welterusten te wensen, of een avondgebed uit te spreken, een liedje te zingen of haar in te stoppen. Ze was hieraan gewend. Maar het zou toch fijn geweest zijn, in een ander leven, een andere wereld dan die waarin zij leefde. Haar moeder was die avond meteen na het eten naar bed gegaan, terwijl zij nog tv zat te kijken. Mousse likte haar gezicht toen ze in bed lag; toen geeuwde hij zelf en ging naast haar op de vloer liggen, terwijl zij een hand uitstak en zijn oor streelde.
Pip dommelde in slaap met een glimlach op haar gezicht. Ze wist dat haar moeder de volgende dag weer naar de stad ging, en dat betekende dat ze langs het strand kon lopen en weer bij Matthew Bowles op bezoek kon gaan. Bij de gedachte hieraan glimlachte ze, terwijl ze bijna onmiddellijk in slaap viel en over Andrea en de baby droomde.

4

Toen het donderdag licht werd, was het weer mistig, en Pip sliep nog half toen haar moeder naar de stad vertrok. Ophélie had die dag voorafgaand aan haar praatgroep een afspraak met een advocaat en moest al voor negenen weg. Amy maakte een ontbijt voor Pip en begon toen weer zoals altijd te bellen, terwijl Pip naar tekenfilmpjes op de televisie keek. Het was bijna lunchtijd toen ze besloot langs het strand te gaan wandelen. Ze had de hele ochtend al willen gaan, maar was bang te vroeg te komen en hem mis te lopen. Ze dacht dat de kans groter was dat Matthew er 's middags zou zijn.

'Waar ga je heen?' vroeg Amy, die zich voor de verandering verantwoordelijk voelde, toen ze Pip van het terras in het zand zag stappen, en Pip draaide zich om en keek haar onschuldig aan.

'Gewoon met Mousse op het strand lopen.'

'Wil je dat ik meega?'

'Nee, ik red me wel. Bedankt,' zei Pip, en Amy ging verder met haar gesprek, met het gevoel dat ze haar plicht jegens Ophélie had gedaan. Even later renden kind en hond met grote sprongen over het strand.

Ze had al een hele tijd gerend toen ze hem eindelijk zag. Hij zat op dezelfde plek op zijn vouwkrukje te werken achter zijn ezel. Hij hoorde Mousse in de verte blaffen en draaide zich om zodat hij haar kon zien. De vorige dag had hij haar gemist, tot zijn verbazing, en hij was opgelucht toen haar bruine gezichtje lachend naar hem opkeek.

'Hallo,' zei ze, alsof ze een oude vriend begroette.

'Hoi. Hoe gaat het met Mousse en met jou?'

'Best hoor. Ik had wel eerder willen komen, maar ik was bang dat u er niet zou zijn als ik te vroeg kwam.'

'Ik zit hier sinds tien uur.' Net als Pip was hij bang geweest dat ze elkaar zouden mislopen. Hij had zich net zo op de ontmoeting verheugd als zij, hoewel ze geen van tweeën echt hadden beloofd dat ze er zouden zijn. Ze wilden er gewoon zijn, en dat was het beste.
'U hebt er nog een boot bij gemaakt,' zei Pip nadat ze de aquarel aandachtig had bekeken. 'Dat is leuk. Het is een mooi bootje.' Het was een rood vissersbootje in de verte, dicht bij de ondergaande zon, en het gaf de schildering iets pittigs. Ze vond het instinctief mooi en dat streelde hem. 'Hoe kunt u zo goed boten schilderen die er niet zijn?' vroeg ze vol bewondering terwijl Mousse verdween in het helmgras op het duin.
'Ik heb heel wat boten gezien.' Hij gaf haar een warme glimlach. Ze vond hem aardig. Heel erg aardig zelfs, en ze was ervan overtuigd dat hij haar vriend was. 'Ik heb een kleine zeilboot, die ligt in de lagune. Die moet ik je een keer laten zien.' Hij was klein en oud, maar het was een dierbare bezitting. Het was een oude, houten boot waarmee hij in zijn eentje de zee opging wanneer hij de kans kreeg. Hij had van zeilen gehouden sinds hij zo oud was als Pip. 'Wat heb je gisteren gedaan?' Hij vond het leuk om te horen wat ze zoal deed, en om naar haar te kijken. Meer dan ooit wilde hij een tekening van haar maken, maar hij vond het ook leuk met haar te praten; dat kwam niet zo vaak voor.
'Mijn peettante was op bezoek, met haar baby. Die is drie maanden oud. Hij heet William en het is een schatje. Ik mag hem vasthouden en hij giechelt veel. Hij heeft geen vader,' zei ze alsof het de gewoonste zaak van de wereld was.
'Dat is jammer,' zei Matthew voorzichtig. Hij nam even pauze van zijn werk om van haar te genieten. 'Hoe komt dat zo?'
'Ze is niet getrouwd. Ze heeft hem gekregen bij een bank of zo. Ik weet het niet precies. Het klinkt ingewikkeld. Mijn moeder zegt dat het er niet toe doet. Hij heeft gewoon geen vader, dat is alles.'
Hij snapte beter dan zij hoe het ongeveer zat en was geïntrigeerd. Het klonk hem hoogst modern in de oren. Hij geloofde nog in het traditionele huwelijk en in moeders en vaders, hoewel hij heel goed besefte dat het leven niet altijd zo liep. Maar

een gezin vormde over het algemeen een goed begin. Weer vroeg hij zich af wat er met Pips vader was gebeurd, als er tenminste iets was gebeurd. Hij had niet het gevoel dat ze bij hem woonde, maar hij durfde het niet te vragen. Hij wilde haar niet onnodig van streek maken of zich bemoeien met iets wat hem niet aanging. Hun ontluikende vriendschap leek af te hangen van een zekere mate van discretie en fijngevoeligheid, wat zowel in haar als in zijn aard lag.
'Wil je vandaag weer tekenen?' vroeg hij terwijl hij naar haar keek. Ze leek wel een elfje zoals ze over het strand huppelde. Ze leek zo licht en lenig, en soms raakten haar voeten het zand nauwelijks.
'Ja, graag,' zei ze, beleefd als altijd, en hij reikte haar een schetsblok en een potlood aan.
'Wat ga je vandaag tekenen? Mousse weer? Nu je weet hoe de achterpoten moeten, is het vast gemakkelijker,' zei hij praktisch, en ze keek nadenkend op naar zijn werk.
'Denkt u dat ik een boot zou kunnen tekenen?' Het leek haar erg moeilijk.
'Ik zou niet weten waarom niet. Wil je proberen die van mij na te tekenen? Of heb je liever een zeilboot? Ik kan er een voor je tekenen als voorbeeld, als je wilt.'
'Ik kan de boten op uw schilderij natekenen, als u het goed vindt.' Ze wilde hem geen last bezorgen, en dat was kenmerkend voor haar. Ze was gewend ervoor op te passen dat ze geen onrust of problemen veroorzaakte. Ze was altijd voorzichtig omgegaan met haar vader, en daar had ze veel plezier van gehad. Hij werd nooit zo boos op haar als op Chad. Maar toen ze eenmaal in een groter huis woonden, besteedde hij bijna helemaal geen aandacht meer aan haar. Toen ging hij naar een kantoor, en hij kwam laat thuis en ging ook veel op reis. Hij had zelfs geleerd in zijn eigen vliegtuig te vliegen. Hij had haar een paar keer mee de lucht in genomen toen hij het pas had, en ze had zelfs de hond mee mogen nemen, nadat Chad daarvoor toestemming had gegeven. En Mousse had zich voorbeeldig gedragen.
'Kun je het zo goed zien, van onderaf?' vroeg Matthew, en ze knikte vanaf de plaats waar ze zat, aan zijn voeten. Hij had een

broodje meegenomen naar het strand en dat pakte hij nu uit. Hij had besloten tussen de middag op het strand te eten, voor het geval dat ze om die tijd zou komen. Hij had haar niet willen mislopen, en nu bood hij haar de helft van zijn broodje aan, vanaf zijn zitplaats op zijn krukje. 'Heb je honger?'

'Nee, dank u, meneer Bowles. En ja, ik kan het heel goed zien.'

'Zeg maar Matt.' Hij glimlachte, omdat ze zo beleefd en vormelijk deed. 'Heb je dan al gegeten tussen de middag?'

'Nee, maar ik heb geen honger, dank je.' En even later kwam er, terwijl ze zat te tekenen, uit het niets een stukje informatie dat hem verraste. Het was gemakkelijker tegen hem te praten wanneer ze hem niet aankeek en bezig was aan haar tekening van de boot. 'Mijn moeder eet nooit. Of in elk geval niet vaak. Ze is erg mager geworden.' Het was duidelijk dat Pip zich zorgen maakte over haar moeder, en Matt was benieuwd hoe dat kwam.

'Hoe komt dat? Is ze ziek geweest?'

'Nee. Alleen maar bedroefd.' Ze gingen een tijdlang door met tekenen, en hij paste ervoor nieuwsgierige vragen te stellen. Hij nam aan dat ze hem alles zou vertellen wat ze wilde, wanneer ze eraan toe was. En hij had geen haast, hij hoefde niet aan te dringen. Hun vriendschap leek in de ruimte te zweven, onafhankelijk van de tijd. Hij had een gevoel alsof hij haar al lang kende.

Toen kwam hij eindelijk op het idee om haar een voor de hand liggende vraag te stellen. 'Ben jij ook bedroefd geweest?' Ze knikte zwijgend, zonder haar ogen van de tekening af te wenden. En ditmaal vroeg hij met opzet niet waarom. Hij kon voelen dat er pijnlijke herinneringen rond haar zweefden, en moest een impuls onderdrukken om zijn hand uit te steken en haar haar of haar hand aan te raken. Hij wilde haar niet bang maken of een verkeerde indruk wekken door al te vertrouwelijk met haar om te gaan. 'En hoe is het nu met je?' Deze vraag leek veiliger dan andere mogelijke vragen, en dit keer keek ze naar hem op.

'Beter. Het is fijn geweest hier aan het strand. Ik geloof dat het met mijn moeder ook beter gaat.'

'Ik ben blij dat te horen. Misschien gaat ze nu gauw weer eten.'

'Dat zei mijn peettante ook. Zij is ook erg bezorgd over mijn moeder.'
'Heb je ook broers en zusjes, Pip?' vroeg Matt. Dit leek hem een veilige vraag, en hij was in het geheel niet voorbereid op de uitdrukking in haar ogen toen ze haar gezicht naar hem omhoog wendde. De verdrietige uitdrukking in haar ogen brandde in zijn ziel, zodat hij bijna van zijn krukje viel.
'Ik... ja...' Ze aarzelde, kon even niet spreken; toen ging ze verder terwijl ze hem nog steeds aankeek met die treurige, barnsteenkleurige ogen, die hem in haar wereld leken te trekken. 'Nee... ik bedoel, toch wel... nou ja, het is moeilijk uit te leggen. Mijn broer heette Chad. Hij is vijftien. Nee... hij wás vijftien... hij heeft in oktober een ongeluk gehad...' O god, hij verafschuwde zichzelf omdat hij dit had gevraagd, en nu begreep hij waarom haar moeder zo ongelukkig was en niet at. Hij kon het niet eens bevatten, maar niets was erger dan het verlies van een kind.
'Wat naar voor je, Pip...' Hij wist niet wat hij verder nog kon zeggen.
'Het gaat wel weer. Hij was heel knap, net als mijn vader.' Wat ze nu zei, was voor hem bijna onverteerbaar; het verklaarde alles. 'Het vliegtuig van mijn vader is neergestort, en ze zijn allebei... ze zijn allebei doodgegaan. Het is ontploft,' zei ze met een hoorbare brok in haar keel, maar ze was blij dat ze het had verteld. Ze wilde dat hij het wist.
Matt keek haar een eindeloos ogenblik aan voor hij iets zei, iets kón zeggen. 'Wat vreselijk voor jullie allemaal. Ik vind het echt heel erg, Pip. Gelukkig maar dat je moeder jou heeft.'
'Ja, misschien wel,' zei Pip nadenkend. Het klonk niet overtuigd. 'Maar ze is wel erg verdrietig geweest. Ze blijft vaak in haar kamer.' Pip had zich weleens afgevraagd of haar moeder verdrietiger was omdat Chad was doodgegaan en niet zij. Het was onmogelijk om dat te weten te komen, maar de vraag was onvermijdelijk bij haar opgekomen. Ze had zo'n nauwe band met Chad gehad, en ze was er totaal kapot van nu hij weg was.
'Ik zou ook verdrietig zijn.' Zelf was hij bijna aan zijn verliezen kapotgegaan, maar die waren nog niets in vergelijking met die van haar. De zijne waren veel gewoner, het soort gebeurte-

nis waarmee je moest leren leven, dat je moest accepteren. Je man en je zoon verliezen, dat was een veel grotere uitdaging dan wat hij had doorstaan, en hij kon zich maar vaag voorstellen wat een klap het voor Pip was geweest, vooral als haar moeder depressief was en teruggetrokken leefde, wat zo te horen het geval was.

'Ze gaat naar een groep in de stad om erover te praten. Maar ik weet niet of het wel helpt. Ze zegt dat iedereen daar erg verdrietig is.' Hij vond het niet opwekkend klinken, maar hij wist dat dit tegenwoordig gebruikelijk was, naar een groep gaan als je iets naars te verwerken had. Maar een groep van rouwende nabestaanden die met hun verliezen kampten, dat klonk erg naargeestig, en niet bepaald als iets om je op te vrolijken.

'Mijn vader was een soort uitvinder. Hij deed dingen met energie. Ik weet niet wat hij precies deed, maar hij was er heel goed in. Vroeger waren we arm, en toen ik zes was, kregen we een groot huis en kocht hij een vliegtuig.' Dit was een redelijke samenvatting, hoewel die niet helemaal duidelijk maakte wat het beroep van haar vader was, maar het was voor hem genoeg informatie. 'Chad was ook echt slim, net als hij. Ik lijk meer op mijn moeder.'

'Wat bedoel je daarmee?' Matt was het absoluut oneens met wat ze daarmee impliceerde. Ze was een uitzonderlijk intelligent meisje, dat zich goed kon uitdrukken. 'Jij bent ook slim, Pip. Heel slim. Dat zijn je ouders waarschijnlijk allebei. En jij zeker.' Zo te horen hadden ze haar een tweede plaats toebedeeld naast die intelligente oudere broer, die misschien meer belangstelling had voor het werkterrein van zijn vader, wat dat dan ook was. Het leek hem een bevooroordeelde houding, en het beviel hem niet dat zij er kennelijk de indruk aan had overgehouden dat ze minder goed was, of nog erger, tweederangs.

'Mijn vader en mijn broer maakten vaak ruzie,' vertelde ze opeens. Ze scheen er behoefte aan te hebben tegen hem te praten, maar als haar moeder depressief was, had ze vermoedelijk niemand anders om in vertrouwen te nemen, behalve misschien die peettante met de baby. 'Chad zei dat hij hem haatte, maar dat was niet echt zo. Hij zei het alleen wanneer hij kwaad was op mijn vader.'

'Dat past wel bij iemand van vijftien,' zei Matt met een lachje, al wist hij dit niet uit eigen ervaring. Hij had zijn eigen zoon al in geen zes jaar gezien. De laatste keer dat hij Robert had gezien, was die twaalf. En Vanessa tien.
'Heb jij kinderen?' vroeg Pip, alsof ze zijn gedachten kon lezen en hen zag. Nu was het zijn beurt om te vertellen.
'Ja, ik heb kinderen.' Hij zei er niet bij dat hij hen al zes jaar niet had gezien. Het zou te moeilijk zijn geweest om uit te leggen hoe dat kwam. 'Vanessa en Robert. Ze zijn zestien en achttien, en ze wonen in Nieuw-Zeeland.' Daar woonden ze intussen al meer dan negen jaar. Hij had drie jaar nodig gehad om het ten slotte maar op te geven. Hun stilzwijgen had hem overtuigd.
'Waar is dat?' Pip keek vragend. Ze had nog nooit van Nieuw-Zeeland gehoord. Of misschien één keer, dacht ze, maar ze kon zich niet herinneren waar het lag. Ze dacht dat het misschien in Afrika lag, of zo'n soort land, maar ze wilde bij Matt geen onwetende indruk maken.
'Het is heel ver hiervandaan. Het duurt ongeveer twintig uur om erheen te vliegen. Ze wonen in een stad die Auckland heet. Ik geloof dat ze het daar wel naar hun zin hebben.' Beter naar hun zin dan hij had kunnen verdragen, of aan haar wilde toegeven.
'Dat is zeker wel naar voor jou, dat ze zo ver weg wonen. Je zult ze wel missen. Ik mis mijn vader en Chad,' zei ze, en ze veegde een traan uit haar oog, wat hij hartverscheurend vond. Ze hadden elkaar veel verteld deze tweede middag samen, en geen van beiden had het afgelopen uur ook maar iets getekend. Ze kwam niet op het idee om te vragen hoe vaak hij hen zag, ze ging er gewoon van uit dat ze contact hadden. Toch voelde ze met hem mee, omdat ze zo ver weg waren.
'Ik mis hen ook.' Nu stond hij op van zijn krukje en kwam naast haar in het zand zitten. Haar blote voetjes waren begraven in het zand en ze keek met een treurig lachje naar hem op.
'Hoe zien ze eruit?' Ze was benieuwd naar hen, zoals hij benieuwd was geweest naar haar. Het was redelijk dat ze dit vroeg.
'Robert heeft donker haar en bruine ogen, net als ik. En Vanessa is blond met grote blauwe ogen. Zij lijkt precies op haar

moeder. Is er in jouw familie nog iemand die rood haar heeft zoals jij?' Op deze vraag schudde Pip met een verlegen lachje haar hoofd.
'Mijn vader had donker haar zoals jij, en blauwe ogen, en Chad ook. Mijn moeder is blond. Mijn broer noemde me altijd peentje, omdat ik dunne benen en rood haar heb.'
'Dat is erg aardig van hem,' zei Matt terwijl hij zacht door de rode krullen woelde. 'Ik vind niet dat je op een peentje lijkt.'
'Toch lijk ik erop,'zei ze trots. Ze was nu op de benaming gesteld, omdat hij haar aan haar broer herinnerde. Nu hij er niet meer was, miste ze zelfs zijn beledigingen en zijn driftbuien. Zoals Ophélie zelfs de sombere dagen van Ted miste. Het was raar wat je van mensen miste als ze eenmaal weg waren.
'Gaan we vandaag nog tekenen?' vroeg hij; hij vond dat ze nu genoeg pijnlijke bekentenissen hadden uitgewisseld en dat ze allebei even pauze nodig hadden, en ze keek opgelucht toen hij dit zei. Ze had hem die dingen willen vertellen, maar als ze er te veel over praatte, werd ze er weer verdrietig van.
'Ja. Daar heb ik zin in,' zei ze, en ze pakte het schetsblok terwijl hij weer op zijn krukje ging zitten. De volgende twee uur wisselden ze af en toe onschuldige opmerkingen en grapjes uit die voor geen van beiden belastend waren. Ze voelden zich gewoon op hun gemak bij elkaar, vooral in het besef dat ze nu allebei meer wisten over elkaars verleden. Het was voor een deel belangrijke informatie.
Terwijl zij aan haar tekeningen zat te werken en hij aan zijn schilderij, klaarde het op; de mist trok op en de zon begon te schijnen. Het werd nog een mooie middag. Zo mooi, dat het al vijf uur was voor ze beseften hoe laat het was. De tijd die ze samen hadden doorgebracht, was omgevlogen. En Pip keek plotseling bezorgd toen Matt zei dat het al over vijven was.
'Denk je dat je moeder al thuis is?' vroeg hij met een bezorgde blik. Hij wilde niet dat ze last kreeg met een onschuldige maar productieve middag. Hij was blij dat ze met elkaar hadden gepraat. Hij hoopte dat het haar op de een of andere manier had geholpen.
'Vast wel. Ik kan beter naar huis gaan. Anders wordt ze misschien boos.'

'Of ongerust,' zei hij. Hij vroeg zich af of hij met haar mee moest gaan om haar moeder gerust te stellen, maar misschien zou het de zaak alleen maar erger maken als Pip met een vreemde man thuiskwam. Hij keek naar de tekening waar ze aan had gewerkt, en was onder de indruk. 'Dat ziet er geweldig uit, Pip. Je hebt goed gewerkt. Ga nu maar naar huis. Ik zie je wel weer gauw.'
'Misschien kom ik morgen weer, als ze een dutje doet. Ben jij dan weer hier, Matt?' De manier waarop ze tegen hem praatte, had iets vertrouwelijks, alsof ze oude vrienden waren. Maar dat gevoel hadden ze nu allebei, na de bekentenissen die ze hadden uitgewisseld. De dingen die ze elkaar hadden verteld, hadden hen dichter bij elkaar gebracht, en zo hoorde het ook.
'Ik ben hier elke middag. Zorg jij nu maar dat je veilig thuiskomt, kleintje.'
'Dat doe ik.' Ze bleef nog even staan en lachte naar hem, als een kolibrie die in de lucht hangt, en toen wuifde ze en rende met de tekening in haar hand weg naar huis, op de voet gevolgd door Mousse. Enkele ogenblikken later was ze al een heel eind verder op het strand. Ze maakte nog een pirouette en zwaaide weer naar hem, en hij bleef haar een hele tijd staan nakijken, tot ze een klein figuurtje was in de verte op het strand, en op het laatst kon hij alleen nog de hond goed zien, die heen en weer rende.
Ze was buiten adem toen ze bij het huis aankwam. Ze had de hele weg naar huis gerend. Haar moeder zat op het terras te lezen, en Amy was nergens te bekennen. Haar moeder keek op en fronste haar voorhoofd.
'Amy zei dat je naar het strand was gegaan. Ik kon je nergens zien, Pip. Waar was je? Heb je een vriendinnetje gevonden?' Ze was niet boos op het kind, maar ze had zich zorgen gemaakt en had zich gedwongen om kalm te blijven. Ze wilde niet dat het kind met vreemden meeging naar hun huis, dat was een regel die Pip goed kende en waar ze zich aan hield. Maar Pip wist ook dat haar moeder nu bezorgder was dan vroeger.
'Ik was helemaal die kant op,' en ze wuifde vaag in de richting vanwaar ze was gekomen. 'Ik zat een boot te tekenen, en ik wist niet hoe laat het was. Het spijt me, mam.'

'Doe dat niet nog eens, Pip. Ik wil niet dat je zo ver weg gaat. En ik wil ook niet dat je in de buurt komt van het openbare strand. Je weet nooit wie de mensen zijn die daar komen.' Ze wilde tegen haar moeder zeggen dat sommige van die mensen aardig waren, dat Matt in elk geval aardig was. Maar ze durfde niet te zeggen dat ze een nieuwe vriend had. Ze voelde instinctief aan dat haar moeder het niet zou begrijpen. En dat was ook zo. 'De volgende keer blijf je hier in de buurt.' Ze begreep wel dat het kind op zoek was naar avontuur. Ze verveelde zich waarschijnlijk als ze de hele dag in het huis rondhing, of alleen met de hond op het strand was. Toch maakte Ophélie zich zorgen. Ze vroeg niet of ze de tekening mocht zien, dat kwam niet eens bij haar op; Pip ging dus maar naar haar kamer en legde hem op de tafel naast de tekening van de hond. Het waren aandenkens aan middagen die voor haar waardevol waren; ze herinnerden haar aan Matt. Ze was niet verliefd op hem, maar het was onmiskenbaar dat er een speciale band tussen hen was ontstaan.
'Hoe was jouw dag?' vroeg Pip aan haar moeder toen ze terug was op het terras. Maar ze zag eigenlijk al hoe het geweest was. Ophélie zag er moe uit. Dat was vaak zo na een groepszitting. 'Gaat wel.' Ze was bij de notaris geweest in verband met Teds nalatenschap. Er moesten nog wat belastingen worden betaald, en het laatste geld van de verzekering was binnengekomen. Het zou nog wel even duren voor de nalatenschap afgehandeld was. Misschien nog een hele tijd. Ted had alles netjes geordend achtergelaten, en ze had meer geld dan ze ooit nodig zou hebben. Hopelijk zou het ooit allemaal naar Pip gaan. Ophélie was nooit spilziek geweest. Ze had zelfs, in sommige opzichten, het gevoel gehad dat ze gelukkiger waren geweest toen ze nog arm waren. Zijn succes had kopzorgen meegebracht, en veel stress waar hij eerder nooit last van had gehad. Om maar niet te spreken van het vliegtuig waarin hij met Chad was verongelukt.
Ophélie was elke dag uren kwijt met het terugdringen van de herinneringen, met name aan die laatste dag. Het vreselijke telefoontje dat haar leven voorgoed had veranderd. En het feit dat ze Ted had gedwongen om Chad mee te nemen. Hij had een vergadering in Los Angeles en wilde alleen gaan, maar zij

had gevonden dat het voor hen allebei goed zou zijn om een tijd samen door te brengen. Het ging beter met Chad dan het in lange tijd was gegaan, en ze dacht dat ze het wel aan zouden kunnen. Toch waren ze geen van beiden enthousiast geweest over het idee dat ze samen zouden gaan. Ze nam zichzelf ook kwalijk dat er zelfzuchtige motieven hadden meegespeeld. Hun zoon had erg veel aandacht nodig, en hij was er maandenlang zo slecht aan toe geweest dat ze even van hem af wilde zijn om een rustige middag met Pip te hebben. Doordat alle aandacht altijd naar Chad ging, leek ze nooit genoeg tijd met haar door te brengen. Het was de eerste gelegenheid die ze sinds lang hadden gehad. En nu was dat alles wat ze hadden. Elkaar. Hun leven, hun gezin, hun geluk was verwoest. En het fortuin dat Ted had nagelaten, betekende niets voor Ophélie. Ze zou er al dat geld voor over hebben om haar verdere leven met Ted door te brengen, en om ook Chad levend terug te hebben.

Er waren moeilijke momenten geweest tussen Ted en haar, maar toch was haar liefde voor hem gebleven. Toch hadden ze de nodige conflicten gehad, en meer dan eens gingen die over Chad. Maar dat was nu allemaal voorbij. Hun gestoorde zoon had eindelijk rust. En Ted, met zijn genialiteit en zijn onhandigheid en zijn unieke charme was uit haar leven verdwenen. 's Nachts lag ze uren wakker; dan draaide ze de film van hun leven terug in haar hoofd en probeerde ze er een lijn in te vinden, probeerde zich te herinneren hoe het werkelijk was geweest en te genieten van de goede momenten, terwijl ze de slechte momenten snel doorspoelde. En op die manier maakte ze er een ander verhaal van. Wat er uiteindelijk overbleef, was de herinnering aan een man van wie ze innig veel had gehouden, ondanks zijn gebreken. Haar liefde voor hem was onvoorwaardelijk geweest, maar dat deed er nu niet meer toe.

Ze losten de kwestie van het avondeten op met broodjes, hoewel Pip die dag nauwelijks had gegeten, en de stilte in huis was oorverdovend. Ze zetten geen muziek op. Ze praatten nauwelijks met elkaar. En terwijl Pip het broodje kalkoen opat dat haar moeder had gemaakt, dacht ze aan Matt. Ze vroeg zich weer af waar Nieuw-Zeeland was, en had met hem te doen om-

dat hij zo ver van zijn kinderen af woonde. Ze kon zich wel voorstellen hoe moeilijk dat was. En ze was blij dat ze hem had verteld van haar vader en Chad, al had ze niet uitgelegd hoe ziek Chad was geweest. Maar het leek haar een soort verraad om dat te vertellen. Ze wist dat Chads ziekte een geheim was geweest dat ze voor zich hielden. En het was nergens voor nodig het hem nu te vertellen. Chad was er niet meer.
Zijn ziekte had haar getekend, had hen allemaal getekend. Het was traumatisch en moeilijk geweest om met hem te leven, en zoals Chad zelf had geweten hoezeer zijn vader hem en de geesteszieke waarvan hij de naam niet wilde uitspreken haatte, had Pip dat ook geweten. Ze was er een keer over begonnen toen Chad in het ziekenhuis was, en toen had hij haar uitgefoeterd en gezegd dat ze niet wist waar ze het over had, maar ze wist wel beter. Ze begreep heel goed hoe ziek Chad was, misschien zelfs beter dan hij. En Ophélie ook. Alleen Ted bleef zich vastklampen aan de ontkenning. Dat was voor hem van levensbelang. Het was voor Ted een kwestie van eer om niet toe te geven dat zijn zoon ziek was. Ongeacht wat wie dan ook tegen hem zei, of zelfs wat artsen tegen hem zeiden, Ted bleef volhouden dat er niets aan de hand zou zijn als Ophélie anders met Chad omging en hem aan strengere regels hield. Hij gaf Ophélie altijd de schuld en klampte zich vast aan de overtuiging dat Chad helemaal niet ziek was. Hoe duidelijk de bewijzen ook waren, Teds ogen bleven stevig gesloten.
Het weekend ging rustig voorbij. Andrea had beloofd weer naar het strand te komen, maar kwam uiteindelijk toch niet. Ze belde om te zeggen dat de baby verkouden was. Zondagmiddag verlangde Pip ernaar Matt te zien. Haar moeder lag al de hele middag te slapen op het terras, en nadat ze een uur lang stil naar haar had zitten kijken, ging Pip met Mousse het strand op. Ze was niet van plan om naar het openbare strand te lopen, ze ging alleen die kant op, en voor ze het wist was ze alweer ver op het strand, en toen begon ze te rennen in de hoop hem te zien. Hij zat waar hij de vorige twee keren ook had gezeten, rustig te schilderen, nu aan een nieuwe aquarel. Het was weer een zonsondergang, nu met een kind erbij. Het kind had rood haar en was heel klein, en het had een witte short en een

roze bloes aan. En heel in de verte was er nog een donkerbruine hond.
'Zijn dat Mousse en ik?' vroeg ze zacht, en hij schrok op. Hij had haar niet zien aankomen, en toen hij zich omdraaide en haar zag, glimlachte hij. Hij had haar pas na het weekend verwacht, wanneer haar moeder weer naar de stad ging. Maar hij was duidelijk aangenaam verrast door haar komst.
'Best mogelijk, maatje. Wat een leuke verrassing.' Hij glimlachte.
'Mijn moeder slaapt, en ik had niets te doen, dus ik vond dat ik je wel kon komen opzoeken.'
'Dat doet me genoegen. Zal ze niet ongerust zijn wanneer ze wakker wordt?'
Pip schudde haar hoofd. Hij wist intussen genoeg om het te begrijpen. 'Soms slaapt ze de hele dag door. Ik denk dat ze het zo prettiger vindt.' Het was duidelijk dat Pips moeder depressief was, maar dat verbaasde hem niet meer. Welke vrouw zou dat niet zijn, nadat ze zowel haar man als haar zoon had verloren. Het enige niet onbelangrijke probleem was, voor zover hij kon zien, dat Pip door haar depressie eenzaam en alleen achterbleef met niemand anders om mee te praten dan haar hond.
Ze ging naast hem in het zand zitten en keek een tijdlang toe terwijl hij schilderde. Toen ging ze naar de rand van het water om schelpen te zoeken. Mousse volgde haar, en Matt hield op met schilderen en keek naar haar. Hij vond het leuk om naar haar te kijken, ze was zo lief en leek soms wel uit een andere wereld te komen, als een boselfje dat langs het strand danste. Ze had echt iets van een elfje. Hij zat zo aandachtig naar haar te kijken dat hij niet zag dat er een vrouw aan kwam lopen. Ze stond nog maar een meter van hem af, met een ernstige uitdrukking op haar gezicht, toen hij omkeek en schrok. Hij had geen idee wie zij was.
'Waarom zit u naar mijn dochter te kijken? En waarom staat ze op uw tekening?' Ophélie had onmiddellijk het verband gelegd tussen de schilder en de tekeningen waarmee Pip was thuisgekomen. Ze was naar het openbare strand komen lopen om Pip te zoeken en te zien wat die deed tijdens haar langdurige uitstapjes. En ze wist niet hoe of waarom, maar ze wist dat de-

ze man er op de een of andere manier iets mee te maken had, en elke twijfel verdween toen ze het kind en de hond op zijn schilderij zag.
'U hebt een prachtige dochter, mevrouw Mackenzie. U zult wel heel trots op haar zijn,' zei hij kalm. Kalmer dan hij zich voelde overigens. Haar strakke blik bracht hem van zijn stuk. Hij kon bijna voelen wat ze dacht, en hij wilde haar geruststellen, maar hij was bang dat hij daarmee nog ergere vermoedens zou oproepen.
'Beseft u wel dat ze pas elf jaar is?' Het zou niet meevallen om haar ouder te schatten. Ze leek eerder nog jonger. Maar Ophélie kon zich niet voorstellen wat deze man met haar wilde, en verdacht hem onmiddellijk van boze bedoelingen. Zijn schijnbaar onschuldige schilderij had, tenminste naar haar idee, gewoon een dekmantel kunnen zijn voor iets veel griezeligers. Hij had een ontvoerder kunnen zijn, of erger, en Pip was veel te onschuldig om hem van zoiets te verdenken.
'Ja,' zei hij zacht, 'dat heeft ze me verteld.'
'Waarom hebt u met haar gepraat? ...en met haar getekend?'
Hij wilde tegen haar zeggen dat haar dochtertje wanhopig eenzaam was, maar deed het niet. Inmiddels had Pip gezien dat haar moeder met hem stond te praten, en ze kwam snel naderbij, met een handvol schelpen. Ze keek onmiddellijk zoekend in de ogen van haar moeder om te zien of er iets met haar aan de hand was. En ze begreep bijna even snel dat er niets met haar moeder was, maar dat Matt in moeilijkheden was. Haar moeder zag er bang en boos uit, en Pip wilde hem meteen in bescherming nemen.
'Mam, dit is Matt,' zei Pip, alsof ze probeerde een formele en nette draai aan de situatie te geven door hem aan haar voor te stellen.
'Matt Bowles,' zei hij en hij stak Ophélie zijn hand toe, maar die nam ze niet aan. In plaats daarvan keek ze haar dochter aan, en in de barnsteenkleurige ogen danste vuur. Pip wist wat dat betekende. Het gebeurde niet vaak dat haar moeder boos op haar werd, vooral de laatste tijd niet. Maar nu was ze duidelijk boos.
'Ik heb je toch gezegd dat je nooit met vreemden mag praten.

Nooit! Begrijp je dat?' Toen wendde ze zich naar Matt en haar ogen schoten vuur. 'Er bestaan namen voor dit soort dingen,' zei ze tegen hem, 'en die zijn geen van alle fraai. Het gaat niet aan dat u op het strand een kind uitzoekt en daar vriendschap mee sluit, waarbij u uw zogenaamde kunst als list gebruikt om haar te lokken. Als u weer in haar buurt komt, zal ik de politie waarschuwen. En dat meen ik!' beet ze hem toe, en hij keek bezeerd. Pip keek verontwaardigd en ging meteen in de verdediging.

'Hij is mijn vriend! We hebben alleen maar samen getekend. Hij heeft helemaal niet geprobeerd me mee te nemen. Ik ben speciaal over het strand hierheen gekomen om hem op te zoeken.' Maar Ophélie wist wel beter, dat dacht ze tenminste. Ze wist dat een man zoals hij Pip net zolang zou bepraten tot ze zich bij hem op haar gemak voelde, en dan zou hij haar god weet wat aandoen, of haar god weet waar mee naartoe nemen.

'Jij gaat hier niet meer naartoe, hoor je? *Tu entends? Je t'interdis!*' Ik verbied het je. In haar woede verviel ze in haar moedertaal. Ze zag er zeer Frans uit zoals ze tegen hen allebei tekeerging. Haar woede kwam voort uit angst, en dat begreep Matt.

'Je moeder heeft gelijk, Pip. Je mag niet met vreemden praten.' Toen wendde hij zich naar haar moeder. 'Ik bied mijn excuses aan. Het was niet mijn bedoeling om u van streek te maken. Ik verzeker u dat de gesprekken tussen ons volkomen fatsoenlijk zijn geweest. Ik begrijp uw zorg heel goed, want ik heb kinderen die maar iets ouder zijn.'

'Waar zijn die dan?' bitste Ophélie terug. Ze wantrouwde hem en geloofde hem niet.

'In Nieuw-Zeeland,' antwoordde Pip in zijn plaats, wat niet veel hielp. Matt zag wel dat ze hen niet geloofde.

'Ik weet niet wie u bent of waarom u met mijn dochter hebt gepraat, maar ik hoop dat u begrijpt dat ik meen wat ik zeg. Ik zal de politie bellen en u aangeven als u haar aanmoedigt om weer naar u toe te komen.'

'U hebt zich heel duidelijk uitgedrukt,' zei hij; hij begon kregel te worden. Onder andere omstandigheden zou hij iets scherpers hebben gezegd. Wat ze zei, was bepaald beledigend, maar hij wilde Pip niet van streek maken door grof te zijn tegen haar moeder. En met het oog op alles wat ze had meegemaakt kon hij wel iets van haar door de vingers zien, maar met haar laatste opmerking had ze haar tegoed wel opgemaakt. Niemand had hem ooit beticht van zulke vuige beweegredenen. Ze was wel erg boos, die vrouw.

Nu wees ze Pip de weg terug langs het strand, en het kind keek verdrietig achterom. Er stonden tranen in haar ogen, die over haar wangen begonnen te lopen, en Matt wilde niets liever dan haar even knuffelen, maar dat ging niet.

'Het is goed, hoor Pip. Ik begrijp het wel,' zei hij zacht.

'Het spijt me,' zei ze bijna snikkend, terwijl haar moeder nog steeds wees, en zelfs Mousse zag er een beetje bedrukt uit, alsof hij aanvoelde dat er iets vervelends was gebeurd. Toen pakte Ophélie Pip bij de hand en liep met haar terug over het strand, terwijl Matt hen nakeek. Zijn hart ging uit naar het kind waar hij zo snel aan gehecht was geraakt, en heel even had hij haar moeder wel door elkaar willen schudden. Hij kon haar bezorgdheid begrijpen, maar die was ongegrond, en het was duidelijk dat Pip iemand nodig had om mee te praten. Haar moeder mocht dan wel weinig gegeten hebben in de afgelopen negen maanden, maar Pip was degene die verhongerde.

Hij borg zijn verf en zijn tekening op en klapte zijn krukje en de ezel in, en met gebogen hoofd en een sombere uitdrukking op zijn gezicht liep hij terug naar zijn huisje om de spullen weg te brengen. Vijf minuten later was hij op weg naar de lagune om met zijn boot te gaan zeilen. Hij wist dat hij het water op moest om zijn hoofd helder te maken. Met zeilen lukte dat altijd, en was het zijn leven lang gelukt.

Op de terugweg naar het strandgedeelte dat bij de omheinde woongemeenschap hoorde onderwierp Ophélie haar dochter aan een verhoor. 'Heb je dat elke keer dat je verdwenen was ook gedaan? Hoe heb je hem ontmoet?'

'Ik zag hem gewoon zitten tekenen,' zei Pip, nog steeds huilend. 'Hij is een goed mens. Dat weet ik.'

'Je weet niets van hem. Hij is een vreemde. Je weet niet of het waar is wat hij je heeft verteld. Je weet niets. Heeft hij je ooit gevraagd mee te gaan naar zijn huis?' vroeg haar moeder met

een panische uitdrukking in haar ogen. Ze moest er gewoon niet aan denken wat er allemaal had kunnen gebeuren.
'Natuurlijk niet. Hij probeerde me niet te vermoorden. Hij heeft me geleerd hoe ik Mousse zijn achterpoten moest tekenen. Dat is alles. En ook een keer een boot.' Haar vermoorden was niet waar Ophélie bang voor was. Ze was een onschuldig kind dat gemakkelijk verkracht, ontvoerd of gemarteld had kunnen worden. Wanneer Pip hem eenmaal vertrouwde, had hij alles kunnen doen wat hij maar wilde. Deze gedachte was beangstigend. En de protesten van Pip deden haar niets. Ze was een kind van elf, dat niet begreep hoe gevaarlijk het kon zijn vriendschap te sluiten met een vreemde man van wie ze niets wist.
'Ik wil dat je uit zijn buurt blijft,' zei Ophélie nogmaals. 'Ik verbied je om alleen, zonder volwassen gezelschap, het huis uit te gaan. En als je dat niet begrijpt, gaan we terug naar de stad.'
'Je hebt gemeen gedaan tegen mijn vriend.' Plotseling was Pip niet alleen diep ongelukkig, maar ook boos. Ze had zoveel mensen verloren om wie ze gaf, en nu was ze deze vriend ook nog kwijt. Hij was de enige vriend die ze de hele zomer had gekregen, of in lange tijd.
'Hij is je vriend niet. Hij is een vreemde. Vergeet dat niet. En spreek me niet tegen.' Ze liepen zwijgend verder, en toen ze thuis waren, stuurde Ophélie Pip naar haar kamer en belde Andrea. Op haar luisterende vriendin maakte ze een radeloze indruk. Andrea hoorde het hele verhaal aan en stelde vervolgens vragen, als een echte advocaat.
'Ga je de politie bellen?'
'Ik weet het niet. Moet ik dat doen? Hij zag er tamelijk fatsoenlijk uit. Hij was netjes aangekleed, maar dat zegt niets. Wat mij betreft zou hij best een moordenaar kunnen zijn die zijn slachtoffers met een bijl bewerkt. Zou ik hem een straatverbod kunnen laten opleggen?'
'Je hebt geen echte gronden om dat te doen. Hij heeft haar immers niet bedreigd of lastiggevallen, of geprobeerd haar mee te krijgen ergens naartoe?'
'Dat zegt zij. Maar hij heeft misschien geprobeerd de weg te bereiden om later iets vreselijks te doen.' Ophélie kon moeilijk geloven dat hij geen kwaad in de zin had gehad. Ondanks al-

les wat Pip zei, of misschien wel juist door wat ze zei, voelde ze een dreigend gevaar. Waarom zou hij vriendschap sluiten met een kind?
'Dat hoop ik niet,' zei Andrea nadenkend. 'Hoe kom je erbij te denken dat het niet onschuldig was? Zag hij eruit als een engerd?'
'Hoe ziet een engerd eruit? Nee... hij zag er betrekkelijk normaal uit. En hij zegt dat hij kinderen heeft. Maar dat kan ook gelogen zijn.' Ophélie was ervan overtuigd dat hij een kinderverkrachter was.
'Misschien doet hij gewoon aardig tegen haar.'
'Het gaat niet aan om aardig te doen tegen een kind van die leeftijd, en zeker niet tegen een klein meisje. Ze heeft precies de goede leeftijd voor dat soort mannen om achteraan te gaan, ze is totaal onschuldig en dat hebben ze graag.'
'Dat is natuurlijk waar. Maar misschien is hij geen pedofiel. Was hij aantrekkelijk?' Andrea grijnsde vals aan haar kant, en Ophélie reageerde diep verontwaardigd.
'Je bent walgelijk!'
'En nog belangrijker, droeg hij een trouwring? Misschien is hij single.'
'Ik wil hier niet naar luisteren. De man papte aan met mijn dochter. Hij is vier keer zo oud als zij, en hij heeft dat maar te laten. Als hij een beetje fatsoen heeft, zou hij beter moeten weten, vooral als hij zelf ook kinderen heeft. Hoe zou hij het vinden als een of andere kerel het met zijn dochter aanlegde?'
'Dat weet ik niet. Waarom ga je het hem zelf niet vragen? Eerlijk gezegd begint hij interessant te klinken. Misschien heeft Pip je een dienst bewezen.'
'Ze heeft me helemaal geen dienst bewezen. Ze heeft zichzelf aan een groot gevaar blootgesteld, en ik laat haar niet meer naar buiten gaan als ik er niet bij ben. Dat meen ik.'
'Je hoeft alleen tegen haar te zeggen dat ze daar niet meer heen mag gaan. Ze zal doen wat je zegt.'
'Dat heb ik al gezegd. En tegen hem heb ik gezegd dat ik de politie zou bellen als hij in haar buurt kwam.'
'Als hij geen verkrachter is maar een fatsoenlijke kerel, zal hij dat wel fijn hebben gevonden. Misschien moeten we je slag-

tanden een beetje afvijlen. Volgens mij ben je nog niet helemaal rijp om terug te keren in de maatschappij.' Ze begon de indruk te krijgen dat die Matt wel meeviel. Ze wist niet precies waarom, maar ze kreeg instinctief het gevoel dat de kerel misschien wel deugde. In dat geval had hij Ophélies tirade natuurlijk niet bepaald op prijs gesteld.

'Ik hoef niet zo nodig terug te keren in de maatschappij. Dat ben ik ook niet van plan. Ik ben van plan om hier te blijven wonen. Maar ik wil niet dat er iets vreselijks met Pip gebeurt. Dat zou ik niet aankunnen.' Haar stem trilde toen ze dit zei, en er kwamen tranen van doodsangst in haar ogen.

'Dat begrijp ik,' zei Andrea zacht. 'Hou haar gewoon in het oog. Misschien voelt ze zich eenzaam.' Toen ze dit had gezegd, viel er een stilte, want Ophélie zat aan de andere kant te huilen.

'Ik weet dat ze zich eenzaam voelt. Maar ik schijn er niets tegen te kunnen doen. Chad is weg, haar vader is weg, en ik ben rijp voor de psychiater. Ik functioneer nauwelijks. We praten niet eens tegen elkaar.' Ze wist het, maar ze kon niet uit haar eigen zwarte gat kruipen om er iets aan te veranderen.

'Dan heb je nu misschien het antwoord op de vraag waarom ze met vreemden in zee gaat,' zei Andrea zacht.

'Ze tekenen samen, volgens Pip,' zei Ophélie. Het klonk wanhopig. De hele gebeurtenis had haar enorm aangegrepen.

'Er zijn ergere dingen. Misschien moet je hem eens thuis op de borrel vragen, en kijken wat hij voor iemand is. Het is best mogelijk dat het een fatsoenlijke vent is. Misschien vind je hem zelfs aardig.' Maar toen ze dit hoorde, schudde Ophélie haar hoofd.

'Ik denk niet dat hij met me wil praten, na alles wat ik tegen hem heb gezegd.' Maar ze had er geen spijt van dat ze het had gezegd. Ze hadden nog altijd geen idee wie hij was.

'Je zou morgen terug kunnen gaan en je excuses kunnen aanbieden. Zeg hem dat je een zware tijd achter de rug hebt en dat je een beetje overgevoelig bent.'

'Doe niet zo raar. Dat kan ik niet. Bovendien, stel nou dat ik gelijk had? Misschien is het een kinderverkrachter; het zou best kunnen.'

'In dat geval moet je niet teruggaan om je excuses aan te bie-

den. Maar ik wil wedden dat het gewoon een vent is die op het strand zat te schilderen en die kinderen leuk vindt. Uit je verhaal krijg ik eerder de indruk dat Pip naar hem toe is gegaan.'
'Dat is exact de reden waarom ik haar naar haar kamer heb gestuurd.'
'Het arme kind. Ze bedoelde het niet kwaad, ze vond het waarschijnlijk alleen maar leuk.'
'Nou, voortaan zal ze dicht bij huis moeten blijven en hier iets leuks doen.' Maar nadat ze had opgehangen, besefte Ophélie hoe weinig ze daar zelf aan bijdroeg. Er waren geen kinderen om mee te spelen, geen activiteiten, en ze deden nooit meer iets samen. De laatste keer dat ze samen ergens heen waren geweest, was op de dag dat Ted en Chad waren omgekomen. Ophélie had haar daarna nergens meer mee naartoe genomen.
Na het gesprek met Andrea ging Ophélie naar de deur van Pips kamer en klopte. De deur was gesloten, en toen ze probeerde hem open te duwen, merkte ze dat de grendel erop zat aan de binnenkant.
'Pip?' Er kwam geen antwoord, en ze klopte nog eens. 'Pip? Mag ik binnenkomen?' Er volgde weer een lange stilte, en toen hoorde ze eindelijk een door tranen verstikt stemmetje.
'Je hebt gemeen gedaan tegen mijn vriend. Je bent een naar mens. Ik haat je. Ga weg.' Ophélie stond aan de andere kant van de deur; ze voelde zich machteloos, maar niet schuldig. Ze had de plicht haar dochter te beschermen, ook al was Pip het er niet mee eens en begreep ze het niet.
'Het spijt me. Maar je weet niet wie hij is,' zei ze beslist.
'Dat weet ik wel. Hij is een aardig iemand. En hij heeft kinderen in Nieuw-Zeeland.'
'Misschien heeft hij dat wel gelogen,' hield Ophélie aan, maar ze begon zich een idioot te voelen, omdat ze probeerde haar door een gesloten deur heen te overtuigen. En het was duidelijk dat Pip niet van plan was haar binnen te laten. En ook niet om naar buiten te komen. 'Kom eruit en praat tegen me.'
'Ik wil niet tegen je praten. Ik haat je.'
'Laten we er bij het eten over praten. We kunnen ook uit eten gaan als je wilt.' Er waren in het dorp twee restaurants; ze waren er nog nooit geweest.

'Ik wil nergens heen met jou. Nooit meer.' Ophélie zei het niet, maar ze kwam in de verleiding Pip erop te wijzen dat haar moeder alles was wat ze had. Zoals Pip ook alles was wat zij nu had. Ze hadden alleen elkaar. Ze konden zich niet permitteren om vijanden te zijn of elkaar naar de strot te vliegen. Daarvoor hadden ze elkaar te veel nodig.
'Waarom doe je niet gewoon die deur open? Ik zal niet binnenkomen als je dat niet wilt. Je hoeft hem niet op slot te houden.'
'Wel waar, dat moet wel,' zei Pip koppig. Ze had de tekening van Mousse die ze samen met Matt had gemaakt in haar handen, en ze huilde nog steeds. Ze miste hem nu al. En ze was niet van plan zich door haar moeder bij hem weg te laten houden. Ze ging hem lekker toch opzoeken op de dagen dat Amy er was. En ze vond het vreselijk wat haar moeder allemaal tegen hem had gezegd. Ze schaamde zich dood voor hem.
Ophélie bleef nog een tijdje proberen haar naar buiten te lokken, maar gaf het uiteindelijk op en ging terug naar haar slaapkamer. Ze sloegen die avond allebei het avondeten over, en door de honger moest Pip de volgende morgen uit haar kamer komen. Ze kwam naar buiten om een geroosterde boterham en een kom met cornflakes te halen en ging terug naar haar slaapkamer. Ze sprak niet één woord tegen haar moeder terwijl ze haar ontbijt klaarmaakte, en toen ze weer wegging.
En in zijn huisje had Matt de hele nacht wakker gelegen; hij had aan haar gedacht en zich zorgen over haar gemaakt. Hij wist niet eens waar ze woonden om formeel zijn excuses aan te bieden aan haar moeder, in de hoop haar standpunt te verzachten. Hij vond het erg jammer Pip uit zijn leven te laten wegglippen. Hij kende haar nauwelijks, maar hij miste haar al erg.
De oorlog tussen Pip en haar moeder ging door tot in de middag. Toen zaten ze weer in pijnlijk stilzwijgen aan tafel. Het was de uitdrukking op Pips gezicht die haar moeder eindelijk deed zwichten.
'Lieve hemel, Pip, waarom is hij zo bijzonder? Je kent hem niet eens.'
'Wel waar, ik ken hem wel. En ik vind het leuk om samen met hem te tekenen. Ik mag bij hem zitten. Soms praten we, en soms niet. Ik vind het gewoon leuk om bij hem te zijn.'

'Daar maak ik me juist zorgen over, Pip. Hij is oud genoeg om je vader te zijn. Waarom zou hij je bij zich willen hebben? Het is niet gezond.'
'Misschien mist hij zijn kinderen. Ik weet het niet. Misschien vindt hij me aardig. Ik denk dat hij eenzaam is of zo,' net als zij, maar dat zei ze er niet bij. Ze was opmerkelijk koppig, en stond klaar om voor hem en haarzelf op te komen.
'Misschien zou ik een keer met je mee kunnen gaan, als je echt samen met hem wilt tekenen. Ik denk niet dat hij erg blij zal zijn mij te zien.' Na alles wat ze gezegd had, zou het een wonder zijn als hij haar niet zijn ezel naar het hoofd smeet. En ze wist niet of ze hem dat kwalijk kon nemen. Ze begon zich af te vragen of ze een beetje te fel had gereageerd. Ze had hem er nagenoeg van beschuldigd dat hij een kinderverkrachter was. Maar op dat moment was ze ervan geschrokken hen samen te zien, en was ze bang geweest om haar dochter. Het was toch enigszins een normale reactie, al had ze er wel een beetje bot uiting aan gegeven.
'Mag ik weer naar hem toe gaan, mam?' Pip keek haar opgewonden en hoopvol aan. 'Ik beloof dat ik nooit met hem mee zal gaan naar zijn huis; dat heeft hij me trouwens nooit gevraagd.' En ze voelde terecht aan dat hij dat niet zou doen. Hij zou haar, of zichzelf, nooit in die situatie hebben gebracht.
'We zullen zien. Geef me even de tijd om erover na te denken. Misschien wil hij niet dat je naar hem toe komt,' zei Ophélie realistisch, 'na wat ik allemaal tegen hem heb gezegd. Ik weet zeker dat hij dat niet zo leuk vond.'
'Ik zal tegen hem zeggen dat het je spijt,' zei Pip stralend.
'Misschien moet je Amy meenemen. Dan loop ik later een keer met je mee over het strand, en bied mijn excuses aan. Ik hoop wel dat hij het verdient.'
'Bedankt, mam,' zei Pip en haar ogen straalden weer. Ze had een grote overwinning behaald, het recht om naar haar enige vriend toe te gaan.
Later die middag liepen ze samen over het strand, en Pip kon zich nauwelijks inhouden terwijl ze met Mousse langs de rand van het water rende. Ophélie bleef ver achter; ze probeerde te bedenken wat ze tegen hem zou zeggen. Ze deed dit voor Pip.

Maar toen ze bij de plek kwamen waar Pip hem tot nu toe altijd had gezien, was er niemand. Er was geen spoor van Matt, de ezel of het vouwkrukje te bekennen. Hij was zo ontmoedigd door de gebeurtenissen van de vorige dag dat hij ondanks een porseleinblauwe hemel binnen was gebleven, en rustig een boek zat te lezen. Hij was zelfs niet in de stemming om te gaan zeilen, wat zelden voorkwam bij hem. Ophélie en Pip zaten samen een tijd in het zand over hem te praten, en ten slotte liepen ze hand in hand terug over het strand. Voor het eerst sinds lange tijd voelde Pip dat ze weer contact had met haar moeder. En ze was blij dat ze tenminste een poging had gedaan om zich bij Matt te verontschuldigen.
En in zijn woonkamer stond Matt op en staarde lange tijd uit het raam. Hij zag vogels, een vissersboot en wat nieuw aangespoeld wrakhout op het strand. Hij zag Pip en haar moeder niet zitten, of hand in hand lopen. Ze waren al weg toen hij ging kijken, en het strand was leeg en verlaten, net als zijn leven.

5

De volgende dag, kort voor het middaguur, zei Pip tegen Amy dat ze het strand op ging om een vriend op te zoeken. Ditmaal nam ze broodjes mee en een appel, in een poging iets goed te maken na het gedrag van haar moeder. Amy was zo alert om te vragen of haar moeder dat goed vond, en Pip verzekerde haar dat het in orde was. Ze vertrok met haar zoenoffer voor hem in een bruin papieren zakje, en hoopte dat hij weer op zijn vaste plek zou zitten, na zijn afwezigheid de vorige dag. Ze vroeg zich af wat er met hem was gebeurd, omdat hij had gezegd dat hij er elke dag heenging; ze hoopte maar dat zijn afwezigheid niet aan haar moeder te wijten was. Maar zodra ze hem zag en in zijn ogen keek, wist ze, nog voor hij een woord had gezegd, dat dat wel zo was. Zelfs nu, twee dagen later, zag hij er afwezig en gekwetst uit. Ze viel met de deur in huis.

'Het spijt me, Matt. Mijn moeder is gisteren meegekomen om haar excuses aan te bieden, maar je was er niet.'

'Dat was aardig van haar,' zei hij vaag. Hij vroeg zich af wat ervoor nodig was geweest om haar zover te krijgen. Pip natuurlijk. Ze zou bergen voor hem verzetten, en had dat eigenlijk al gedaan. Dat ontroerde hem. 'Het spijt mij dat ze zich zo moest opwinden over ons. Was ze erg boos op je toen jullie hier weg waren?'

'Eerst wel,' zei Pip eerlijk, en ze was opgelucht toen ze zag dat hij zich weer ontspande. 'Ze heeft gezegd dat ik vandaag naar je toe mocht komen, en altijd wanneer ik het wil. Ik mag alleen niet mee naar je huis.'

'Daar zit wat in. Hoe heb je haar zover gekregen dat ze dit goed vond?' vroeg hij belangstellend, terwijl hij gemakkelijk op zijn vouwkrukje ging zitten, blij haar weer te zien. Hij was de af-

gelopen nacht terneergeslagen geweest bij het vooruitzicht dat ze niet meer samen met hem zou kunnen tekenen. Hij zou hun vertrouwelijke gesprekken missen. Ze was veel voor hem gaan betekenen in opmerkelijk korte tijd. Ze was als een kleurig vogeltje neergestreken, precies op zijn hart. Maar er waren in hen beiden ook diepe emotionele gaten die de ander opvulde. Zij had haar vader en haar broer verloren, hij zijn beide kinderen. En Matt en Pip vulden elk voor de ander een behoefte aan.
'Ik heb me in mijn kamer opgesloten, en weigerde eruit te komen,' zei Pip met een lachje. 'Ik geloof dat ze naderhand wel spijt had. Ze deed zo gemeen tegen je. Het spijt me... ze is anders dan ze vroeger was. Ze maakt zich overal zorgen over, en ze wordt soms kwaad om stomme kleine dingetjes. En soms lijkt het ook wel of het haar allemaal niet meer kan schelen. Volgens mij is ze in de war.'
'Of ze lijdt aan posttraumatische stress,' zei hij meelevend. Hij had haar de dag tevoren niet bepaald aardig gevonden, waarom was wel duidelijk. Maar hij kon haar standpunt wel begrijpen. Hij vond alleen dat ze het een tikje te schril had uitgedrukt. Haar stem had een hysterische toon gehad.
'Wat is dat?' vroeg Pip, terwijl ze de zak met broodjes openmaakte en hem er een gaf. Het was echt fijn om weer bij hem te zijn. Ze vond het heerlijk om met hem te praten en hem te zien schilderen. 'Je zei iets over een postkantoor... wat bedoel je daarmee?'
'Dank je wel,' zei hij terwijl hij het zorgvuldig verpakte broodje openmaakte en er een hap van nam. 'Posttraumatische stress. Dat is, als er iets heel ergs met iemand gebeurd is, wat er daarna met diegene gebeurt. Het is net of ze de schok nog steeds voelen. Dat is bij je moeder waarschijnlijk nog altijd zo. Ze heeft een verschrikkelijke klap gehad toen je broer en je vader doodgingen.'
'Worden zulke mensen ooit weer beter? Kan er iets aan gedaan worden?' Ze had zich hier negen maanden lang zorgen over gemaakt, en kon het aan niemand vragen. Ze had zich nooit zo op haar gemak gevoeld wanneer ze met Andrea praatte als nu met Matt. Hij was haar vriend, en Andrea was de vriendin van haar moeder.

'Ik geloof het wel. Er is tijd voor nodig. Is het al een beetje beter met haar dan toen het net was gebeurd?'
'Misschien wel,' zei Pip nadenkend, maar het klonk niet overtuigd. 'Ze slaapt nu veel meer, en ze praat niet zoveel als vroeger, voordat het gebeurd was. Ze lacht bijna nooit. Maar ze huilt ook niet meer de hele tijd. Dat deed ze eerst wel,' ze trok een schaapachtig gezicht, 'en ik ook...'
'Ik zou ook huilen als ik in jouw schoenen stond. Het zou heel vreemd zijn geweest als je niet had gehuild, Pip. De helft van jullie gezin is verdwenen.' En wat ervan over was, voelde niet meer als een gezin, maar uit loyaliteit aan haar moeder zei ze daar niets over.
'Mijn moeder had echt spijt van wat ze eergisteren allemaal gezegd heeft.' Pip geneerde zich nog steeds over het gedrag van haar moeder.
'Het is wel goed,' zei hij kalm, 'ze had in een bepaald opzicht gelijk. Ik ben natuurlijk een vreemde, en je weet niet veel van me af. Het had gekund dat ik probeerde je voor de gek te houden of iets naars met je te doen, zoals ze zei. Ze had gelijk dat ze argwaan tegen me koesterde, en dat had jij ook moeten doen.'
'Waarom? Je deed aardig tegen me, en je hebt me geholpen Moussy's achterpoten te tekenen. Dat was echt aardig van je. Ik heb de tekening van hem nog op mijn kamer.'
'Hoe ziet hij eruit?' vroeg hij plagend.
'Best goed.' Ze lachte breed. En toen hij zijn broodje op had, gaf ze hem de appel aan. Hij sneed hem in tweeën en gaf de mooiste helft aan haar terug. 'Ik heb altijd geweten dat je een goed iemand was, meteen toen ik je voor het eerst zag.'
'Hoe wist je dat dan?' Hij keek geamuseerd.
'Ik wist het gewoon. Je hebt aardige ogen.' Ze zei er niet bij dat het haar had ontroerd dat hij zo treurig keek toen hij vertelde dat zijn kinderen zo ver weg woonden. Dat vond ze ook goed van hem. Het zou erger zijn geweest als hij niets om hen gaf.
'Jij hebt ook aardige ogen. Ik zou jou wel eens willen tekenen. Of misschien zelfs je portret schilderen. Wat denk je daarvan?' Hij had met deze gedachte gespeeld sinds ze elkaar hadden ontmoet.

'Ik denk dat mijn moeder dat fantastisch zou vinden. Misschien zou ik het haar voor haar verjaardag kunnen geven.'
'Wanneer is ze jarig?' Hij was nog geen enorme fan van haar moeder, maar hij zou het voor Pip hebben gedaan. Bovendien wilde hij graag haar portret schilderen. Ze was een opmerkelijk meisje, en nu was ze zijn vriendinnetje.
'Op tien december,' zei ze plechtig.
'En wanneer ben je zelf jarig?' vroeg hij belangstellend. Hij wilde altijd meer van haar weten. Ze deed hem sterk aan zijn dochter Vanessa denken. En afgezien daarvan was ze een kranige kleine meid. Nog kraniger dan hij eerst had gedacht, als ze erin was geslaagd haar moeder zover te krijgen dat ze weer naar hem toe mocht komen op het strand, en haar de vorige dag zelfs had weten mee te tronen om haar excuses aan te bieden. Dat was een hele prestatie. De vrouw die hij zondag had gezien, zag er niet naar uit dat ze ooit haar excuses aanbood, behalve misschien onder bedreiging met een vuurwapen. In dit geval had Pip de revolver vastgehouden.
'Ik ben in oktober jarig.' Niet lang nadat haar broer en haar vader waren verongelukt.
'Hoe was je laatste verjaardag?' vroeg hij maar eens.
'Mijn moeder en ik zijn uit eten gegaan.' Ze vertelde er niet bij dat het een ramp was geweest. Haar moeder had bijna vergeten dat ze jarig was, en er was geen partijtje geweest en geen taart. Het was haar eerste verjaardag na de dood van haar vader en Chad, en het was afschuwelijk geweest. Het kon haar niet gauw genoeg voorbij zijn.
'Gaan je moeder en jij veel uit?'
'Nee. Vroeger wel. Voordat het gebeurd was. Mijn vader vond het leuk ons mee te nemen naar restaurants. Maar het duurt altijd zo lang. Dan ga ik me vervelen,' gaf ze toe.
'Dat kan ik nauwelijks geloven. Je lijkt me niet iemand die zich gauw verveelt.'
'Ik verveel me niet wanneer ik bij jou ben,' zei ze beminnelijk. 'Ik vind het leuk om samen met jou te tekenen.'
'Ik vind het ook leuk om met jou te tekenen.' Met deze woorden gaf hij haar het potlood en het schetsblok aan, en ze besloot een vogel te tekenen, een van de brutale zeemeeuwen die

vlak langs hen doken wanneer ze de kans kregen, en dan onmiddellijk wegvlogen omdat Mousse achter hen aanging. Het viel niet mee om een meeuw te tekenen, merkte ze, en na een tijd koos ze maar weer voor boten. Toch was in de paar keer dat ze bij hem was geweest, haar tekentechniek vooruit gegaan. Ze begon er goed in te worden, zolang ze maar leuk vond wat ze tekende, maar dat gold ook voor hem.
Ze zaten urenlang in de zon; het was weer een prachtige dag in Safe Harbour. En ze had geen haast om naar huis te gaan. Ze was blij dat ze er niet meer over hoefde te liegen. Ze kon de waarheid vertellen, dat ze met hem op het strand had zitten tekenen. Het was halfvijf toen ze uiteindelijk opstond. Mousse had nu eens rustig naast haar gelegen, en hij stond ook op.
'Gaan jullie weer terug?' vroeg Matt met een warme glimlach, en toen ze naar hem keek, zag ze opeens dat hij sterk op haar vader leek wanneer hij glimlachte, hoewel haar vader niet zo vaak had geglimlacht. Hij was een heel ernstige man geweest, waarschijnlijk omdat hij zo knap was. Iedereen zei dat hij een genie was, en Pip vermoedde dat dit waar was. Daardoor accepteerden de mensen zijn gedrag, en dat was fijn voor hem. Soms had ze de indruk dat haar vader alles had mogen zeggen en doen wat hij wilde.
'Mijn moeder komt ongeveer om deze tijd thuis. Ze is meestal behoorlijk moe als ze naar de rouwgroep is geweest. Soms komt ze binnen en valt ze meteen in slaap op haar bed.'
'Het gaat er zeker hard toe.'
'Ik weet het niet. Ze praat er nooit over. Misschien wordt er veel gehuild.' Het was een deprimerend idee. 'Ik kom morgen of donderdag terug als je het goedvindt.' Ze had het hem nog nooit gevraagd, maar ze hadden nu meer ruimte.
'Dat zou ik leuk vinden, Pip. Wanneer je maar wilt. Doe je moeder de groeten.' Ze knikte, bedankte hem, wuifde en vloog toen als een vlinder weg. En zoals altijd keek hij haar en Mousse na terwijl ze over het strand verdwenen. Ze leek een kostbaar geschenk dat in zijn leven was neergedaald. Een vogeltje dat kwam en ging, fladderend met haar vleugels, en haar grote ogen vol geheimen. Hun gesprekken ontroerden hem, deden hem glimlachen. Nu hij aan haar dacht, vroeg hij zich onwillekeurig af

hoe haar moeder werkelijk was. En die vader, die volgens haar een genie was. Uit wat ze had gezegd maakte hij op dat het een moeilijk mens was geweest, een beetje somber. En die jongen was zo te horen ook niet gewoon geweest. Geen doorsneegezinnetje. En zij was beslist geen gewoon kind. Zijn kinderen waren dat ook niet. Het waren fantastische kinderen geweest. In elk geval toen hij ze het laatst had gezien. Dat was lang geleden. Maar hier wilde hij niet lang bij stilstaan.
Toen hij over het duin naar zijn huisje liep, bedacht hij dat hij graag met haar had willen gaan zeilen, haar zelfs had willen leren zeilen, net als zijn eigen kinderen. Vanessa had het leuk gevonden, Robert niet. Maar Matt wist dat hij Pip niet mee zou nemen op de boot, uit respect voor haar moeder. Ze kende hem niet goed genoeg om hem te vertrouwen op het water, en er was altijd een kleine kans dat er iets mis zou gaan. Dat wilde hij niet riskeren.
Toen Pip thuiskwam, zag ze haar moeder juist binnenkomen. Ze zag er zoals gewoonlijk afgepeigerd uit, en ze vroeg waar Pip geweest was.
'Ik ben Matt gaan opzoeken. Je moet de groeten van hem hebben. Ik heb vandaag boten getekend. Vogels kon ik niet, die waren te moeilijk.' Ze legde enkele bladen op de keukentafel, en toen Ophélie er even naar keek, zag ze dat het goede tekeningen waren. Het verbaasde haar te zien dat Pip zo vooruit was gegaan. Chad had ook aanleg voor tekenen gehad, maar daar dacht ze liever niet aan. 'Ik zal vanavond wel koken, als je wilt,' bood Pip aan, en nu glimlachte Ophélie.
'Laten we ergens gaan eten.'
'Dat hoeft niet.' Pip wist hoe moe ze was, maar ze zag er vandaag iets beter uit.
'Het zou best leuk kunnen zijn. Wat vind je? Waarom gaan we niet meteen?' Dit was een grote stap voor Ophélie, wist Pip.
'Oké.' Pip keek verheugd en verrast. En een halfuur later zaten ze aan een tafel voor twee personen in The Mermaid Cafe, een van de twee restaurants in het dorp. Ze bestelden allebei een hamburger en zaten gezellig te kletsen. Het was de eerste avond dat ze uitgingen. En toen ze weer thuis waren, voelden ze zich allebei tevreden, verzadigd en moe.

Pip ging die avond vroeg naar bed, en de volgende dag ging ze weer naar Matt toe. Haar moeder maakte geen bezwaar toen ze wegging, en zag er heel ontspannen uit toen Pip weer thuiskwam. Zoals gewoonlijk legde ze haar tekeningen op de tafel. En tegen het eind van de volgende week was er een hele collectie tekeningen ontstaan, en de meeste daarvan waren aardig goed. Ze leerde veel van Matt.
Op een vrijdagmorgen, toen ze hem weer broodjes was komen brengen, liep ze even weg met Mousse om schelpen te zoeken, wat ze wel vaker deed, en hij zag haar achteruit springen van de rand van het water. Hij glimlachte, want hij dacht dat ze een kwal of een krab had gezien, en hij wachtte al op het geblaf van Mousse. Maar dit keer hoorde hij Mousse janken, en hij zag dat Pip op het zand zat en haar voet vasthield.
'Alles goed?' riep hij haar toe; hij wist niet of ze het hoorde want ze was een flink eind weg. Maar ze schudde haar hoofd, en hij legde zijn penseel neer en bleef een minuut naar haar kijken. Ze bewoog niet en stond niet op. Ze zat daar alleen maar met haar handen om haar voet. Hij kon haar gezicht niet zien. Ze had haar hoofd gebogen om naar haar voet te kijken, en de hond bleef maar janken. Matt liep naar haar toe om te zien wat er gebeurd was; hij hoopte dat ze niet in een spijker had getrapt. Er lagen heel wat roestige spijkers op het strand; ze zaten los in het zand of staken uit aangespoelde stukken hout.
Maar zodra hij bij haar was, zag hij dat ze niet in een spijker had getrapt, maar in een glasscherf, zodat ze een lelijke jaap in haar voetzool had.
'Hoe is dat gebeurd?' vroeg hij terwijl hij naast haar ging zitten. Er was al een aanzienlijke hoeveelheid bloed in het zand getrokken, en de voet bloedde nog steeds hevig.
'Die scherf lag onder een stuk zeewier waar ik op trapte,' zei ze dapper, maar hij zag meteen dat haar gezicht bleek was.
'Doet het erge pijn?' vroeg hij bezorgd, terwijl hij zijn hand voorzichtig uitstak naar haar voet.
'Niet zo heel erg,' jokte ze.
'Dat zal wel weer. Laat me eens kijken.' Hij wilde er zeker van zijn dat er geen glas meer in de wond zat. Het zag eruit als een

schone snee, maar het was wel een diepe jaap. En ze keek met bezorgde ogen naar hem op.
'Valt het mee?'
'Het zal wel meevallen als ik de voet eraf snijd. Je zult hem niet missen.' Ze lachte, ook al had ze veel pijn. Maar ze keek ook angstig. 'Met één voet kun je nog best tekenen,' zei hij terwijl hij haar optilde. Ze was zo licht als een veertje en nog kleiner dan ze eruitzag. Hij wilde niet dat er zand in de wond kwam, maar hij was bang dat dit al gebeurd was. Hij herinnerde zich meteen dat haar moeder haar had verboden om naar zijn huis te gaan. Maar hij kon haar niet met een diepe snee in haar voet naar huis laten lopen, en hij was er bijna zeker van dat het gehecht zou moeten worden, hoewel hij dat niet tegen Pip zei. 'Het is best mogelijk dat je moeder boos op ons wordt, maar ik neem je mee naar binnen om dit even schoon te maken.'
'Doet dat pijn?' Ze keek benauwd, en hij lachte haar geruststellend toe terwijl hij haar naar zijn huis droeg, met Mousse achter hen aan. Hij liet al zijn schilderspullen op het strand achter zonder er ook maar over na te denken.
'Het zal niet zoveel pijn doen als wanneer je moeder ons straks uitfoetert,' zei hij om haar af te leiden. Maar ze zagen allebei dat er een bloedspoor op het zand achterbleef terwijl hij met Pip in zijn armen het duin opliep. Nog een paar flinke stappen en hij was bij zijn voordeur en liep meteen door naar de keuken, nog steeds met haar in zijn armen. Ook op de vloer bleef een bloedspoor achter. Hij zette haar neer op een keukenstoel en tilde haar voet voorzichtig op om hem op het aanrecht te laten steunen. Even later leek het wel of er overal bloed zat, en zelf zat hij ook onder het bloed.
'Moet ik naar het ziekenhuis?' vroeg ze angstig. Haar ogen leken enorm groot in het bleke gezichtje 'Chad had een keer een wond aan zijn hoofd, en hij bloedde enorm en er moesten een heleboel hechtingen in.' Ze zei er niet bij dat het gekomen was doordat hij in een driftaanval met zijn hoofd tegen de muur had gebonkt. Hij was toen een jaar of tien geweest, en zij was zes, maar ze herinnerde het zich nog heel goed. Haar vader had op haar moeder gescholden en ook op Chad. En

hun moeder had gehuild. Het was een akelige scène geweest. 'Laten we eens kijken.' Het zag er niet beter uit dan daarnet op het strand. Hij tilde haar op en zette haar op de rand van het aanrecht neer, en liet wat koud water over haar voet lopen. Nu deed het minder pijn, maar het wegstromende water was helder rood. 'Zo, meisje, we gaan er een handdoek omheen doen.' Hij pakte een schone handdoek van het rek, en ze zag dat hij een warme, gezellige keuken had, hoewel alles erin oud en versleten oogde. Maar dat gaf juist een prettig sfeertje. 'En als die handdoek eromheen zit, moeten we maar zorgen dat je thuis komt bij je moeder. Is ze vandaag thuis?'
'Ja, ze is thuis.'
'Mooi. Ik breng je met de auto naar huis, dan hoef je niet te lopen. Hoe lijkt je dat?'
'Fijn. En moeten we daarna naar het ziekenhuis?'
'We zullen eens zien wat je moeder zegt. Tenzij je wilt dat ik het been er meteen afhak. Dat duurt maar een minuut, behalve als Mousse zich ermee bemoeit.' De hond zat gehoorzaam in de hoek naar hen te kijken. Pip giechelde om wat hij had gezegd, maar hij vond dat ze er toch een beetje pips uitzag, en hij vermoedde dat de voet veel pijn deed. Dat was ook zo, maar dat wilde ze voor hem niet weten. Ze deed haar uiterste best om dapper te zijn.
Hij wikkelde een handdoek om de voet, zoals hij had beloofd. Toen tilde hij haar weer op, graaide onderweg zijn autosleutels mee en Mousse volgde hen naar buiten en sprong achter in de stationcar zodra Matt het portier had geopend. Tegen de tijd dat hij haar op de passagiersstoel had neergezet, was er een grote plek helderrood bloed door de handdoek gelekt.
'Is het heel erg, Matt?' vroeg ze onderweg naar huis, en hij probeerde te kijken alsof er niets aan de hand was.
'Nee, maar het is toch niet best. Ze zouden geen glas op het strand moeten laten liggen.' De scherf had in haar voet gesneden als een mes. En zo voelde het ook.
Binnen vijf minuten waren ze bij haar huis, en toen ze er aankwamen, droeg hij haar naar binnen, met Mousse op zijn hielen. Haar moeder zat in de woonkamer, en ze schrok toen ze opkeek en hen beiden zo zag, Matt met Pip in zijn armen.

'Wat is er gebeurd? Pip, is het wel goed met je?' Ophélie keek onmiddellijk bezorgd terwijl ze naar hen toe kwam.
'Best goed, mam. Ik heb alleen een snee in mijn voet.' Matt keek haar moeder in de ogen. Het was de eerste keer dat hij haar zag sinds de dag dat ze hem op het strand had ontmoet en had laten doorschemeren dat ze in hem een kinderverkrachter zag.
'Gaat het wel met haar?' vroeg Ophélie aan hem; ze zag hoe zacht hij haar neerzette, en voorzichtig de voet uitpakte.
'Ik geloof het wel. Maar ik vond dat u er even naar moest kijken.' Hij wilde niet in het bijzijn van Pip tegen haar zeggen dat het volgens hem gehecht moest worden, maar zodra ze de wond zag, kwam ze tot dezelfde conclusie.
'We kunnen beter naar de dokter gaan. Ik denk dat het gehecht moet worden, Pip,' zei haar moeder kalm. Pip kreeg tranen in haar ogen en Matt klopte haar op de schouder.
'Er hoeven misschien maar één of twee hechtingen in,' zei hij terwijl hij zacht over het hoofd van het kind streek en de zijdezachte krullen voelde. Maar nu werd het haar allemaal te veel, en ze begon te huilen, ook al wilde ze graag dapper zijn voor hem. Ze wilde niet dat hij dacht dat ze kleinzerig was. 'Ze gaan het eerst verdoven. Ik heb het vorig jaar ook gehad. Het zal geen pijn doen.'
'Wel waar, het zal wel pijn doen!' schreeuwde ze hun beiden toe; nu klonk ze echt als een kind van elf. Dat was haar goed recht. Het was een lelijke snee, die flink had gebloed. 'Ik wil geen hechtingen!' zei ze, en ze drukte haar gezicht tegen haar moeder aan.
'Daarna gaan we iets leuks doen, dat beloof ik,' zei Matt, terwijl hij naar Ophélie keek. Hij vroeg zich af of hij weg moest gaan. Hij wilde zich niet opdringen. Maar ze leek dankbaar dat hij er was, en Pip ook. Hij had een kalmerende invloed op hen allebei. Hij was een geduldige, kalme persoonlijkheid, en dat kwam vooral tot uiting bij dit soort voorvallen.
'Is er een arts hier?' vroeg Ophélie met een bezorgd gezicht.
'Er is een kliniek achter de kruidenierszaak. Met een verpleegster. Die heeft mij vorig jaar dichtgenaaid. Lijkt dat je iets? Anders kunnen we ook met de auto naar de stad gaan. Ik wil jullie er wel heen brengen.'

'Laten we eerst naar die kliniek gaan en kijken wat die verpleegster zegt.'
Pip jammerde zacht op weg erheen, en Matt vertelde grappige verhaaltjes om hen allebei af te leiden, en dat scheelde een stuk. Zodra de verpleegster de wond zag, vond ze net als Matt en Ophélie dat het gehecht moest worden. En ze deed precies wat Matt al had gezegd. Ze gaf Pip een prikje om het te verdoven, en hechtte de wond met zeven hechtingen. Daarna ging er een groot verband omheen, en ze mocht een paar dagen niet op de voet lopen en moest over een week terugkomen om de hechtingen te laten verwijderen. Na afloop droeg Matt haar weer naar de auto; ze zag er uitgeput uit na deze beproeving.
'Hebben jullie zin om ergens wat te eten?' bood Matt aan terwijl ze door het kleine dorp reden, maar Pip zei zwakjes dat ze een beetje misselijk was, en ze besloten naar huis te rijden. Daar aangekomen legde hij haar voorzichtig op de bank. Haar moeder zette de televisie voor haar aan, en vijf minuten later sliep ze.
'Het arme kind, dat was een nare toestand. Ik wist het meteen toen ik de wond zag. Ze was heel dapper.'
'Bedankt, dat je ons zo aardig hebt geholpen,' zei Ophélie dankbaar, en Matt vond het moeilijk te geloven dat dit dezelfde vrouw was die hem op het strand de les had gelezen. Deze vrouw was een zachtaardige ziel, met de treurigste ogen die hij ooit had gezien; haar ogen leken veel op die van Pip. Ze had ook iets van een verwaarloosd kind over zich, waardoor hij zijn armen om haar heen wilde leggen. Alles wat ze had doorgemaakt en geleden, was te zien in haar ogen en haar gezicht. Desondanks zag hij wel dat ze een mooie vrouw was, die er verrassend jong uitzag voor haar leeftijd.
'Ik moet iets opbiechten,' zei hij met een bezorgde blik, maar hij wilde het haar eerst vertellen en zo nodig haar boosheid over zich heen laten komen. 'Ik heb haar meegenomen naar mijn huisje om de voet schoon te maken. We zijn maar vijf minuten binnen geweest, daarna heb ik haar thuisgebracht bij u. Ik zou dat anders niet gedaan hebben, maar ik wilde de voet even afspoelen, en het bloedde nogal, dus ik moest iets hebben om hem in te pakken.'

'Het kwam goed uit dat u er was. Ik begrijp het. Bedankt dat u het me hebt verteld.'
'Ik heb overwogen haar meteen hierheen te brengen, omdat ik wist hoe u erover dacht, maar ik wilde die snee goed bekijken. Het was ernstiger dan ik dacht.'
'Dat was het zeker.' Ze was zelf misselijk geworden toen ze zag hoe de verpleegster de wond hechtte. Dat had ze ook gehad toen Chad zijn hoofd had opengehaald. Dat was een erg moeilijke dag geweest. Vandaag was het veel minder gecompliceerd, en dankzij Matt hadden ze haar snel bij de kliniek kunnen brengen, en hij had de hele tijd zijn best gedaan om Pip te amuseren en af te leiden. Ze begreep nu wel wat Pip in hem zag. Hij was een opmerkelijk aardig iemand. 'Ik wil u bedanken dat u zo vriendelijk bent geweest. U hebt het voor haar een stuk gemakkelijker gemaakt. En voor mij ook.'
'Ik vind het alleen erg naar dat het gebeurd is. Het is heel gevaarlijk om glas op het strand te laten liggen. Ik raap het altijd op als ik het zie. Het kan tot dit soort dingen leiden.' Hij wierp een blik op Pip en glimlachte toen hij zag dat ze sliep.
'Kan ik u iets te eten aanbieden?' vroeg Ophélie beleefd, en hij aarzelde. Ze hadden die ochtend al genoeg meegemaakt.
'U zult wel moe zijn. Het is altijd moeilijk om toe te kijken wanneer je kind pijn heeft.' Hij voelde zich ook lichtelijk uitgeput. Het was een emotionele ochtend geweest.
'Ik voel me best. Zal ik wat broodjes maken? Het duurt niet lang.'
'Weet u het zeker?'
'Absoluut. Wilt u een glas wijn?' Hij had liever een glas cola, en een paar minuten later zette ze een schaal met broodjes neer. Ondanks haar lusteloze toestand van de laatste tijd maakte ze een kalme, efficiënte indruk. Ze gingen tegenover elkaar aan de keukentafel zitten.
'Pip heeft me verteld dat u Française bent, al kun je dat niet horen. U spreekt verbazend goed Engels.'
'Dat heb ik als kind op school geleerd, en ik woon al meer dan de helft van mijn leven hier. Ik kwam hier studeren, en ik ben met een van mijn professoren getrouwd.'
'Wat studeerde u?'

'Ik deed de vooropleiding voor geneeskunde. Maar aan geneeskunde ben ik nooit toegekomen, want ik ben direct na mijn examen getrouwd.' Ze zei er niet bij dat ze aan Radcliffe had gestudeerd, want dat vond ze opschepperig lijken.
'Hebt u er spijt van dat u geen arts bent geworden?' vroeg hij belangstellend. Net als haar dochter was ze een intrigerende vrouw.
'Geen moment. Ik geloof niet dat ik een erg goede arts zou zijn geweest. Ik kreeg het al te kwaad toen ik zag hoe die zuster Pips voet hechtte.'
'Het is anders als het om je eigen kind gaat. Ik had het ook moeilijk toen ik naar haar keek, terwijl ze niet eens mijn dochter is.'
Dit deed haar denken aan een van de weinige dingen die ze over hem wist. 'Pip zegt dat uw kinderen in Nieuw-Zeeland wonen,' maar zodra ze het zei, wist ze al dat het een pijnlijk onderwerp was. Er was een gekwelde blik in zijn ogen gekomen. 'Hoe oud zijn ze?'
'Zestien en achttien.'
'Mijn zoon zou in april zestien zijn geworden,' zei ze treurig. Toen begon hij maar over iets anders, om hen allebei te sparen.
'Ik heb een jaar aan het Beaux Arts in Parijs gestudeerd,' zei hij. 'Wat een schitterende stad. Ik ben er nu al een paar jaar niet geweest, maar vroeger ging ik erheen wanneer ik maar de kans kreeg. Het Louvre is mijn favoriete plek op deze planeet.'
'Ik ben er vorig jaar met Pip geweest en ze vond het vreselijk. Het is een beetje te serieus voor haar. Maar de internationale cafetaria in de kelder vond ze prachtig. Ze vond het bijna leuker dan McDonald's.' Ze moesten beiden lachen om de culinaire en culturele wansmaak van kinderen.
'Gaat u vaak terug?' Hij was nieuwsgierig naar haar. En zij nu ook naar hem.
'Gewoonlijk elke zomer. Maar dit jaar wilde ik niet gaan. Dit hier leek gemakkelijker en rustiger. Ik ging als kind altijd naar Bretagne, en dit doet er een beetje aan denken.' Het verbaasde Matt het voor zichzelf te moeten toegeven terwijl hij met haar babbelde, maar hij mocht haar wel. Ze leek eenvoudig, warm

en eerlijk; het was niet te merken dat ze getrouwd was geweest met een man die een reusachtig fortuin had verdiend en in zijn eigen vliegtuig had gevlogen. Ze leek nuchter en pretentieloos. Toch zag hij ook wel dat er tussen de lange blonde golvende lokken diamanten knopjes in haar oren zaten, en dat ze een mooi, zwart kasjmier truitje aanhad. Maar deze luxe zaken leken er niet toe te doen; ze werden overstraald door haar zachte aard en haar schoonheid. Ze was een heel mooie vrouw. Hij zag ook dat ze haar trouwring nog om had, en dat ontroerde hem. Sally had de hare weggegooid, zei ze, op de dag dat ze van hem wegging. Dat was toen een mededeling geweest die hem bijna de das had omgedaan. Hij vond het sympathiek dat Ophélie haar trouwring nog altijd droeg. Het leek een gebaar van liefde en respect voor haar overleden echtgenoot. Dat bewonderde hij in haar.
Ze praatten rustig verder terwijl ze hun lunch beëindigden, en verbaasden zich er allebei over hoe lang ze hadden zitten kletsen toen ze na verloop van tijd Pip hoorden bewegen. Maar ze kermde alleen een beetje en draaide zich om op de bank, terwijl Mousse vlak bij haar op de vloer lag.
'Die hond is dol op haar, hè?' zei Matt, en ze knikte.
'Hij was oorspronkelijk van mijn zoon, maar nu heeft hij Pip geadopteerd. Ze houdt van hem.'
Een tijdje later stond Matt op om weg te gaan. Hij bedankte haar voor de lunch en nodigde haar uit om een keer met Pip mee te komen naar het strand. Hij had haar ook verteld dat hij een zeilboot had, en had aangeboden om met haar te gaan zeilen toen Ophélie zei dat ze dol was op de zee.
'Ik denk niet dat ze de komende week ver zal kunnen lopen,' zei hij bijna treurig. Hij zou haar missen.
'U kunt haar hier komen opzoeken, als u wilt. Ik weet dat ze het fijn zou vinden u te zien.' Het was bijna niet te geloven dat dit dezelfde vrouw was die nu bijna twee weken geleden haar dochter had verboden hem op te zoeken. Maar intussen was alles veranderd. Doordat Pip zo koppig achter hem was blijven staan, was Ophélie hem gaan vertrouwen. En na de veelbewogen ochtend die ze samen hadden gehad, was ze hem bovendien dankbaar, en vond ze hem zelfs aardig. Ze kon begrijpen

waarom Pip vriendschap met hem had gesloten. Alles aan hem leek erop te wijzen dat hij deugde. En net als Pip viel het haar op dat hij iets weghad van haar man. Het lag meer aan zijn lengte en figuur, en de manier waarop hij bewoog, dan aan een gelijkenis in zijn gelaatstrekken, maar er was iets waardoor Ophélie zich bij hem op haar gemak voelde.
'Bedankt voor de lunch,' zei hij beleefd. Ze gaf hem hun telefoonnummer, en hij beloofde te bellen voordat hij langskwam. Hij zei dat hij Pip een paar dagen zou gunnen om te herstellen voordat hij belde.
Pip was enorm teleurgesteld toen ze wakker werd en ontdekte dat hij was weggegaan en dat ze niet met hem had kunnen praten. Ze had bijna vier uur geslapen en de verdoving was inmiddels uitgewerkt. De voet deed veel pijn; de zuster had al gewaarschuwd dat dit nog een paar dagen kon duren. Ophélie gaf haar wat aspirine en legde Pip met een deken over haar heen voor de tv, en voor het avondeten sliep Pip alweer vast.
Ze sliep nog steeds toen Andrea hen belde, en Ophélie vertelde haar wat er gebeurd was. Ze gaf commentaar op de bemoeienissen van Matt.
'Zo te horen is het geen kinderverkrachter. Misschien moet jij hem maar verkrachten,' stelde Andrea grinnikend voor. 'En als jij het niet doet, zal ik het doen.' Ze was sinds de bevalling nog niet met een man uitgeweest, en ze begon ongedurig te worden. Andrea hield erg van mannelijk gezelschap, en ze had een oogje op een alleenstaande vader op de speelplaats. Ze had veel relaties gehad met de mannen op kantoor, van wie er veel getrouwd waren. 'Waarom vraag je hem niet te eten?'
'We zien wel,' zei Ophélie vaag. Ze had het leuk gevonden om met hem te lunchen, maar ze had er geen behoefte aan om achter hem aan te zitten, achter niemand trouwens. Wat haar betrof, voelde ze zich nog altijd getrouwd. Ze had hier vaak in de groep over gepraat en ze kon zich niet voorstellen dat dit gevoel zou veranderen. De gedachte weer ongetrouwd te zijn deed haar huiveren. Ze was twintig jaar lang verliefd geweest op Ted en daar had zelfs de dood geen verandering in gebracht. Ondanks alles wat er gebeurd was, had haar liefde voor hem nooit gewankeld.

'Ik kom je van de week opzoeken,' beloofde Andrea. 'Waarom vraag je hem dan niet te eten? Ik wil hem zien.'
'Je bent weerzinwekkend.' Ophélie lachte haar oude vriendin uit. Ze babbelden nog een paar minuten, en toen ze hadden opgehangen, droeg ze Pip naar haar kamer en stopte haar in bed. Terwijl ze dit deed, besefte ze dat ze het in geen tijden meer had gedaan. Ze had een gevoel alsof ze langzaam wakker werd uit een diepe slaap. Ted en Chad waren nu al tien maanden weg. Het was bijna niet te geloven. Het was al bijna een jaar geleden dat haar leven totaal en volkomen aan scherven was gevallen. Ze had de stukken nog niet opgeraapt, maar heel langzaam vond ze er hier en daar een terug, en misschien zou ze ooit haar leven weer op de rails kunnen krijgen. Maar zover was ze nog niet. En ze wist dat ze nog een lange weg te gaan had, voor ze zover was. Het was prettig geweest om die middag bezoek te hebben, en om met Matt te praten. Maar ze voelde zich nog steeds een getrouwde vrouw die een gast ontving. De gedachte een relatie met een man te hebben was voor haar onvoorstelbaar, anders dan voor Andrea.
Maar dat had juist zo'n indruk gemaakt op Matt toen hij tegenover haar aan tafel zat. Hij had haar waardigheid en zachte gratie op prijs gesteld. Ze had niets scherps of opdringerigs. Hij had aanvankelijk dezelfde gevoelens over relaties gehad als Ophélie. Het had hem jaren en nog eens jaren gekost om over Sally heen te komen. En nu had hij uiteindelijk een verdoofd gevoel op de plaats waar die gevoelens hadden gezeten. Hij hield niet meer van haar, en hij haatte haar ook niet meer. Hij voelde niets voor haar. En waar zijn hart had gezeten, was nu een lege plek gekomen. Het enige waartoe hij, in elk geval naar zijn eigen idee, in staat was, was vriendschap met een meisje van elf.

6

De week die Pip nodig had om te herstellen, was frustrerend voor haar. Ze zat in de woonkamer op de bank televisie te kijken en boeken te lezen, en wanneer Ophélie zich ertoe in staat voelde, een kaartspel te spelen. Maar meestal was Ophélie nog steeds te ongelukkig om te spelen. Pip maakte tekeningetjes op stukjes papier die ze vond, maar wat haar vooral ergerde, was dat ze niet naar het strand kon of naar Matt, want er mocht geen zand in de gehechte wond komen. Bovendien was het sinds de dag dat ze haar voet had gesneden prachtig weer geweest, waardoor haar gevangenschap nog eens zo erg leek.

Pip was drie dagen thuis geweest, toen Ophélie besloot langs het strand te gaan wandelen, en zonder erbij na te denken liep ze de kant van het openbare strand op. Ze liep door, en na een tijdje zag ze tot haar verrassing Matt zitten achter zijn ezel. Hij was ijverig aan het werk en ging volledig op in wat hij aan het doen was. Ze aarzelde, zoals Pip in het begin ook had gedaan, en bleef op afstand. Na enige tijd voelde Matt dat ze er was; hij keek om en zag haar. Ze stond daar te aarzelen en leek opvallend veel op haar dochter. En toen hij haar toelachte, kwam ze eindelijk naar hem toe.

'Hallo, hoe gaat het? Ik wilde u niet storen,' zei ze met een verlegen lachje.

'Geen probleem,' hij glimlachte geruststellend, 'ik ben blij als ik gestoord word.' Hij had een T-shirt en een spijkerbroek aan, en ze kon zien dat hij goed in vorm was. Hij had sterke armen en brede schouders, en een onstpannen manier van doen. 'Hoe gaat het met Pip?'

'Ze verveelt zich, het arme kind. Ze wordt er gek van dat ze die voet niet mag belasten. Ze mist haar bezoekjes aan u.'

'Dan moet ik maar bij haar op bezoek komen, als u daar geen bezwaar tegen hebt,' zei hij voorzichtig. Hij wilde zich niet opdringen aan het kind of aan de moeder.
'Dat zou ze heel fijn vinden.'
'Ik kan haar misschien wat opdrachten geven.'
Ophélie zag dat hij bezig was aan een zeegezicht, met grote, rollende golven op een stormachtige dag en een klein zeilbootje dat door de golven werd gebeukt. Het was een krachtig schilderij, dat ook iets ontroerends had. Het straalde een gevoel van eenzaamheid en isolement uit, en de meedogenloosheid van de oceaan.
'Ik vind uw werk mooi.' Dat meende ze. Het schilderij was mooi en heel goed.
'Dank u.'
'Werkt u altijd in waterverf?'
'Nee, ik geef de voorkeur aan olieverf. En ik hou ervan portretten te schilderen.' Dit deed hem eraan denken dat hij had beloofd een portret van Pip te maken voor de verjaardag van haar moeder. Daar wilde hij aan beginnen voor ze uit Safe Harbour wegging, maar sinds het ongeluk had hij geen tijd gehad om voorstudies van haar te maken. Toch stond het hem al duidelijk voor ogen hoe hij haar wilde schilderen.
'Woont u hier het hele jaar?' vroeg Ophélie belangstellend.
'Inderdaad. Al bijna tien jaar.'
'In de winter zal het wel eenzaam zijn,' zei ze zacht. Ze wist niet of ze in het zand moest gaan zitten, of naast hem moest blijven staan. Ze had het gevoel dat ze moest wachten tot hij haar uitnodigde om te gaan zitten, alsof dit gedeelte van het strand zijn privé-terrein was. Als een soort kantoor.
'Het is hier stil. Dat vind ik prettig. Het komt me goed uit.' Bijna alle bewoners van de strandhuizen waren zomergasten. Er waren nog een paar andere mensen die het hele jaar door woonden in het stuk tussen het openbare strand en de omheinde woongemeenschap, maar niet veel. Het strand en het dorp waren 's winters nagenoeg verlaten. Hij leek Ophélie een eenzame man, of in elk geval een man die de afzondering zocht, maar hij zag er niet ongelukkig uit. Hij leek kalm en iemand die zich lekker voelde in zijn eigen vel, zoals de Fransen zouden zeggen.

'Gaat u vaak naar de stad?' vroeg ze, benieuwd naar zijn levenswijze. Het was gemakkelijk te zien waarom Pip hem aardig vond. Hij was niet overdreven spraakzaam, maar hij had iets waardoor mensen zich bij hem op hun gemak voelden.
'Bijna nooit. Ik heb geen reden meer om erheen te gaan. Tien jaar geleden, toen ik hierheen verhuisde, heb ik mijn bedrijf verkocht. Ik dacht dat ik alleen een tijd vrijaf nam voor ik er weer mee verder ging, maar het is anders gelopen en ik ben hier gebleven.' Dat had hij kunnen doen doordat hij het reclamebureau tijdens een hausse had verkocht, zelfs nadat hij de opbrengst met Sally had gedeeld. En later had een kleine erfenis van zijn ouders het hem mogelijk gemaakt te blijven. Oorspronkelijk had hij alleen een jaar vrijaf gewild voordat hij een nieuwe zaak opzette, maar toen was ze naar Nieuw-Zeeland vertrokken, en hij had geprobeerd heen en weer te reizen om de kinderen op te zoeken. Tegen de tijd dat hij daar vier jaar later mee ophield, had hij geen zin meer om een nieuw bedrijf te beginnen. En nu wilde hij alleen nog maar schilderen. Hij had in de loop van de jaren een paar eenmansexposities gehad, maar zelfs dat deed hij nu niet meer. Hij had niet de behoefte om zijn werk te tonen, alleen om het te maken.
'Ik vind het hier heerlijk,' zei Ophélie zacht en ze liet zich een paar meter van hem af in het zand zakken. Ze zat dicht genoeg bij hem om te zien wat hij deed en tegen hem te praten, maar niet zo dichtbij dat een van hen beiden erdoor gehinderd werd of zich in het nauw gebracht voelde. Ze gaven elkaar de ruimte, en net als Pip soms deed, bleef Ophélie zwijgend naar hem zitten kijken, tot hij uiteindelijk weer iets zei.
'Het is hier goed voor kinderen,' zei hij, terwijl hij met half dichtgeknepen ogen naar zijn werk keek, en daarna in de verte keek. 'Het is tamelijk veilig, en ze kunnen rondrennen op het strand. Het is een stuk eenvoudiger dan het leven in de stad.'
'Het is prettig dat het zo dichtbij is. Ik kan gemakkelijk heen en weer reizen terwijl zij hier blijft. We hoeven nergens naartoe, hier zijn is genoeg.'
'Dat vind ik ook prettig.' Hij keek haar met een glimlach aan. Toen besloot hij iets verder te vragen. Hij was nieuwsgierig, ondanks wat hij al wist; ze was duidelijk intelligent, maar tegelij-

kertijd gekweld en stil. 'Werkt u?' Hij dacht van niet. Ze had er bij de lunch niets over gezegd, en Pip had ook nooit over werk gesproken.
'Nee. Ik heb lang geleden wel gewerkt, toen we in Cambridge woonden, voor we hierheen verhuisden en de kinderen geboren werden. Toen werkte ik niet, omdat we van wat ik verdiende geen oppas zouden kunnen betalen, dus het leek niet veel zin te hebben. Ik werkte als laborante in een biochemisch lab aan Harvard. Ik vond het fantastisch.' Ted had haar dat baantje bezorgd, en het had indertijd in haar plan om medicijnen te studeren gepast, tot ze haar eigen dromen voorgoed opzij had gezet. Ted was de enige droom geweest die ze wilde of nodig had. Haar hele wereld had bestaan uit hem en de kinderen.
'Dat klinkt heel chic. Denk je dat je het ooit weer oppakt? Ik bedoel de medicijnenstudie.' Bij wijze van antwoord begon Ophélie te lachen.
'Daar ben ik veel te oud voor. Na de studie, de co-schappen en wat ik er nog bij zou moeten doen, zou ik vijftig zijn tegen de tijd dat ik arts was.' Met haar tweeënveertig jaar waren de dromen van de medicijnenstudie sinds lang verdwenen.
'Er bestaan mensen die dat doen. Het zou leuk kunnen zijn.'
'Het zou toen leuk zijn geweest, denk ik. Maar ik was er tevreden mee achter mijn man te staan.' In veel opzichten was ze nog een echte Française, en ze had het prima gevonden om de tweede viool te spelen bij hem. Zo zag ze het zelf niet, ze zag zichzelf als zijn steuntroepen om hem aan te moedigen en door de moeilijke tijd heen te helpen, en dat had ze gedaan. Het was de voornaamste reden dat hun huwelijk had standgehouden. Ted had haar nodig als schakel met de echte wereld. Zij was degene die hem aanzette om door te gaan, juist toen het slecht ging. En nu was er niemand om hetzelfde voor haar te doen, behalve haar dochter. 'Ik heb er de laatste tijd wel over gedacht een baan te zoeken. Of, om eerlijk te zijn, daar hebben andere mensen voor mij over gedacht. Vooral mijn groep en mijn beste vriendin. Zij vinden dat ik iets nodig heb om me bezig te houden. Pip zit de hele dag op school en ik heb weinig te doen.' Nu Ted en Chad er niet meer waren, leek haar taak bijna af-

gelopen. Chad had haar meer dan bezig gehouden, met zijn vele uitdagingen en problemen. En ook Ted had behoorlijk wat aandacht gevergd. Maar Pip niet, die had het overdag en na schooltijd druk, en in de weekends had ze haar vriendinnen. Ze kon zich verrassend goed bezighouden en was heel zelfstandig. Dus Ophélie had het gevoel dat ze niet alleen de helft van haar gezin had verloren, maar ook haar werk. 'Ik zou alleen niet weten wat ik zou moeten doen. Ik heb geen officiële opleiding.'
'Wat vind je leuk om te doen?' vroeg hij belangstellend, terwijl hij af en toe even naar haar keek. Meestal praatte hij onder het schilderen door, en dat vond Ophélie prettig. Ze konden tegen elkaar praten zonder dat zij zich kritisch bekeken voelde. Het leek haast therapie, zoals ze zich voor hem opende, net als Pip.
'Ik schaam me om het te zeggen, maar ik weet het eigenlijk niet. Ik heb zo lang niets voor mezelf gedaan, had niets wat ik wilde doen. Ik had altijd mijn handen vol aan mijn kinderen en mijn man. En Pip lijkt me veel minder nodig te hebben dan Ted en Chad vroeger.'
'Wees daar maar niet zo zeker van,' zei Matt zacht. Hij wilde tegen haar zeggen dat het kind duidelijk eenzaam was, maar hij zei het niet. 'Zou vrijwilligerswerk niets voor je zijn?' Op grond van het huis dat ze gehuurd had, en het feit dat haar man zijn eigen vliegtuig had gevlogen, was het duidelijk dat ze het geld niet nodig had.
'Daar heb ik inderdaad aan gedacht,' zei ze met een nadenkende uitdrukking op haar gezicht.
'Ik heb tekencursussen gegeven in een psychiatrisch ziekenhuis. Dat was fantastisch. Een van de leukste dingen die ik ooit gedaan heb. Zij leerden mij meer dan ik hun leerde, over het leven, over geduld en moed. Het waren geweldige mensen. Ik ben ermee gestopt toen ik hierheen verhuisde.' Het zat iets ingewikkelder in elkaar, hij was ermee gestopt toen hij zelf door een depressie getroffen was nadat hij ermee was opgehouden zijn kinderen te bezoeken. En tegen de tijd dat hij daar uit was gekomen, of zich tenminste iets beter voelde, was hij hier gelukkiger in zijn eentje, en ging hij zelden meer naar de stad.
'Mensen met een geestesziekte zijn soms heel bijzonder,' zei ze zacht, en door de manier waarop ze het zei, draaide hij zich om

en keek naar haar. Hij kon meteen in haar ogen zien dat ze wist waarover ze praatte. Ze keken elkaar in de ogen, en hij wendde zich terug naar zijn schilderij. Hij durfde plotseling niet te vragen waarom ze dit had gezegd, maar ze voelde zijn vraag aan.

'Mijn zoon was manisch-depressief... bipolair... het was een strijd voor hem, maar hij was heel dapper. In het jaar voor zijn dood heeft hij twee keer geprobeerd zelfmoord te plegen.' Het was een enorm gebaar van vertrouwen dat ze dit aan hem vertelde, maar doordat ze had gezien hoe hij met Pip omging, wist ze dat hij vol medeleven en begrip was.

'Weet Pip dat?' Hij leek geschokt te zijn.

'Ja. Het was heel zwaar voor haar. De eerste keer vond ik hem, zij de tweede keer. Het was erg traumatisch.'

'Arm kind... kinderen... hoe heeft hij het geprobeerd te doen?' Zijn hart ging naar haar uit terwijl hij naar haar keek en luisterde.

'De eerste keer heeft hij zijn polsen doorgesneden, maar erg knullig, goddank. De tweede keer heeft hij geprobeerd zich op te hangen; toen ging Pip zijn kamer binnen om hem iets te vragen, en vond ze hem. Hij zag al blauw, en het was bijna gelukt. Maar ze is mij gaan halen, we haalden hem omlaag, en zijn hart stond stil. Ik heb hem met hartmassage in leven gehouden tot de ambulancebroeders kwamen, en die hebben hem gered. Ze moesten hem defibrilleren, en het scheelde een haar of hij was dood geweest. Het was beangstigend.' Ze leek zelf niet meer te ademen terwijl ze dit vertelde. De herinnering kwelde haar nog steeds. Zelfs nu droomde ze er soms nog van. 'Op de dag van het ongeluk ging het veel beter met hem; daarom had ik hem met zijn vader meegestuurd naar Los Angeles. Ted moest daar vergaderen, en ik dacht dat het voor Chad leuk zou zijn om met hem mee te gaan. Ze trokken niet zo vaak samen op. Ted had het erg druk.' En bovendien deed hij alsof er niets met Chad aan de hand was; maar dat zei ze niet. Zelfs na die zelfmoordpogingen bleef Ted hardnekkig volhouden dat hij het alleen had gedaan om aandacht te trekken; hij zag niet in dat het een uiting was van iets veel ergers.

Maar Matt kende mannen, en kinderen. 'Hoe was zijn relatie

met je zoon? Vond hij het moeilijk om zijn ziekte te accepteren?'
Ze aarzelde, maar knikte toen. 'Heel moeilijk. Ted dacht altijd dat hij er wel overheen zou groeien. Hij weigerde te accepteren hoe ziek Chad was, wat de dokters ook zeiden. Elke keer dat het wat beter ging, dacht hij dat de strijd gestreden was. Ik dacht dat in het begin ook. Ted dacht zelfs niet dat er sprake was van een strijd, hij bleef zeggen dat het groeistuipen waren, of dat ik hem verwende, of dat hij nodig een vriendinnetje moest hebben. Volgens mij is het voor ouders soms moeilijk om toe te geven dat ze een ziek kind hebben en dat dat nooit zal overgaan of beter worden. Het wordt een tijdje beter, met de juiste medicatie en veel moeite en inspanning, maar het gaat niet weg. Het zal er altijd zijn.' Ze leek het aardig op een rijtje te hebben, maar ze had duur betaald voor de lessen die ze had geleerd, en ze had nooit iets ontkend. Ze was er al sinds Chad klein was van overtuigd geweest dat hij ernstige problemen had, hoe slim en leuk hij ook was. Hij was briljant, net als zijn vader, maar ook heel erg ziek. Ophélie was degene die zonder schromen had geprobeerd uit te zoeken wat er met hem aan de hand was, tot ze een diagnose hadden. Ook toen weigerde Ted nog het te geloven. Hij zei dat de psychiaters kwakzalvers waren en dat de tests niets uitwezen. Maar Chads zelfmoordpogingen, zijn manische perioden, slapeloze nachten en diepe depressies wezen wel degelijk iets uit. Medicatie en therapie hadden het wel iets verzacht, maar het probleem was er niet mee opgelost. Op het moment dat hij omkwam, had Ophélie allang geaccepteerd dat Chad altijd ziek zou zijn. Alleen Ted had dat niet geaccepteerd. Hij had tot het eind toe geweigerd het onder ogen te zien. Het was voor hem niet acceptabel een geesteszieke zoon te hebben.
Wat haar betrof was het allerverdrietigste, haar grootste zonde dat ze hem met zijn vader had meegestuurd naar Los Angeles. Ze had even vrijaf willen hebben, even een tijd rust om met Pip op te trekken, nu eens zonder zich zorgen te hoeven maken over Chad of door hem afgeleid te worden. Hij had ontzettend veel aandacht nodig. Alleen zij wist dat ze de jongen voor twee dagen had weggestuurd, niet zozeer om iets te verbeteren aan

de relatie tussen Ted en hem, maar om zelf even adempauze te hebben. Ze wist dat ze dit zichzelf nooit zou vergeven, hoe lang ze ook leefde of hoeveel praatgroepen ze ook bezocht. Maar dat zei ze allemaal niet tegen Matt. Ze moest er nu mee leven, ongeacht hoeveel het haar kostte.

'Jullie hebben veel voor je kiezen gehad, niet alleen dat tragische ongeluk. Het lijkt me erg zwaar te weten dat je de jongen twee keer hebt gered, en hem toen hebt verloren door zo'n stom ongeluk.'

'Dat is het lot,' zei ze zacht. 'We zijn allemaal onderworpen aan het noodlot, en kunnen niets doen om dat te beïnvloeden. Godzijdank dat ik Pip niet ook met hen mee heb gestuurd,' hoewel dat nooit aan de orde was geweest. Ted had Chad ook niet eens mee willen nemen, de jongen irriteerde hem altijd en maakte hem nerveus, en Chad had ook niet veel zin in het reisje. Uiteindelijk hadden ze ermee ingestemd omdat Ophélie zo aandrong. Maar Ted zou Pip nooit hebben meegenomen. Ze was naar zijn mening te jong om met hem op reis te gaan, en hij besteedde nauwelijks aandacht aan haar. Vroeger, toen ze nog arm waren, had hij dat wel gedaan, maar daarna had hij het veel te druk gehad. Het zou beter zijn geweest – afgezien van dat het ongeluk niet gebeurd was, wat natuurlijk het allerbeste zou zijn geweest – als ze allemaal in het vliegtuig hadden gezeten en samen de dood hadden gevonden. Ophélie wenste nu heel vaak dat dat gebeurd was. Alles zou zoveel eenvoudiger zijn geweest.

'Zou je ervoor voelen om vrijwilligerswerk te doen met geesteszieke kinderen?' vroeg Matt vriendelijk, in een poging een ander onderwerp aan te snijden dan de zoon die ze verloren had en haar overleden echtgenoot. Hij zag in haar ogen dat dit uiterst pijnlijk voor haar was.

'Ik weet het niet,' zei Ophélie. Ze keek uit over de zee en dacht erover na, terwijl ze haar benen strekte in het zand. 'Ik heb het jarenlang met Chad meegemaakt, en dat was soms erg heftig. Aan de ene kant zou ik het prettig vinden als ik iets kon doen met wat ik geleerd heb, om er anderen mee te helpen, maar aan de andere kant zou het misschien beter zijn om iets anders te doen. Ik wil de strijd niet eeuwig blijven voeren. Voor mij is het in elk geval voorbij. Het is misschien beter om iets anders te doen. Dat klinkt waarschijnlijk egoïstisch, maar het is eerlijk.' Ze leek vooral eerlijk, en verstandig, liefdevol en gewond. Wie zou dat niet geweest zijn na wat zij had doorgemaakt? Matt kon alleen medeleven en respect voor haar hebben, en nu nog meer voor Pip. Die had ook veel meegemaakt, vooral voor een kind van haar leeftijd.

'Best mogelijk dat je gelijk hebt. Misschien moet je dat allemaal maar achter je laten en iets vrolijkers gaan doen. Iets met kinderen, zou dat wat zijn? Weggelopen, dakloze kinderen of gezinnen? Er valt in die richting heel wat goed werk te doen.'

'Dat zou interessant zijn. Het is verbijsterend hoeveel daklozen je tegenwoordig op straat ziet, ook in Frankrijk, niet alleen hier. Het is een wereldwijd probleem.' Nu praatten ze een tijdlang over het verschijnsel daklozen, en over de politieke en economische omstandigheden die er volgens hen de oorzaak van waren. Vooralsnog leek het probleem onoplosbaar, maar het leidde tot een interessant gesprek tussen hen beiden, dat natuurlijk veel volwassener was dan de dingen waarover hij met Pip praatte terwijl hij haar leerde tekenen. Hij mocht hen allebei graag en hij vond dat hij geboft had dat hun wegen zich gekruist hadden en dat hij hen had leren kennen.

Na een tijd stond Ophélie op en zei dat ze terug moest, en hij vroeg haar Pip de groeten te doen. Toen kreeg ze een ingeving. 'Waarom doe je dat zelf niet?' Ze glimlachte. Ze had het prettig gevonden met hem te praten, en het speet haar niet dat ze hem verteld had van Chad. Het hielp hem ook Pip beter te begrijpen. Die was zo op hem gesteld dat Ophélie het belangrijk vond hem te laten weten hoe dapper haar dochter was geweest, hoeveel ze had doorgemaakt en wat ze verloren had. Een zware last voor een kind, en ook voor Ophélie. En ook hij had het nodige te dragen, veel meer dan zij wist. Op een bepaalde leeftijd hadden mensen, wie ze ook waren, hun verleden met wonden en littekens, hun leven dat hen bezeerd en soms zelfs gebroken had. Niemand kwam er ooit ongedeerd van af, soms zelfs een kind van Pips leeftijd niet. Ophélie dacht graag dat het Pip uiteindelijk sterker zou maken, en dat ze misschien meer voor anderen zou kunnen betekenen, maar ze wist niet zeker wat de uitwerking zou zijn. Het patroon van de littekens op ie-

mands ziel bepaalde wie hij of zij was. Soms verrijkte het de geestkracht en soms ging die eraan kapot. Het geheim van het leven leek te zijn dat je de schade overleefde en de littekens verdroeg. Maar in de werkelijkheid bleef geen enkel hart ongedeerd. Het leven zelf was maar al te werkelijk. En om van iemand te houden, of dat nu een geliefde was of een vriend, had je geen andere keus dan de werkelijkheid te aanvaarden.
'Ik zal Pip bellen,' zei Matt in antwoord op wat ze had gezegd. Hij voelde zich schuldig omdat hij nog niet had gebeld. Maar hij wilde zich niet opdringen aan Ophélie.
'Waarom kom je vanavond niet bij ons eten? Het eten is vreselijk, maar ik weet dat ze het fijn zou vinden je te zien, en ik ook.' Het was de aardigste uitnodiging die hij in jaren had gehad, en hij glimlachte.
'Dat zou ik leuk vinden. Weet je zeker dat het niet te lastig is?'
'Integendeel. We zouden het enig vinden. Ik denk eigenlijk dat ik Pip ermee ga verrassen, als je kunt komen. Is zeven uur een geschikte tijd?' De uitnodiging was volkomen onschuldig en onbevangen. Ze vond het leuk met hem te praten, net als Pip.
'Dat lijkt me prima. Mag ik iets meebrengen? Potloden? Wijn? Een vlakgum?' Ze moest erom lachen, maar het bracht hem op een idee.
'Breng alleen jezelf mee. Pip zal het fantastisch vinden.' Hij vulde het niet aan met 'ik ook', maar dat wilde hij wel, en hij voelde zich net een kleine jongen. Het waren aardige mensen, twee heel aardige mensen, die een ongelooflijke hoeveelheid ellende, narigheid en verdriet hadden overleefd. Hoe meer hij van hen wist, hoe meer respect hij voor hen had, vooral na deze dag. Wat ze hem over haar zoon had verteld, leek hem een eindeloze bezoeking.
'Tot straks dan,' zei hij met een lachje, en ze zwaaide terwijl ze over het strand op weg ging naar huis. Hij keek haar na en dacht onwillekeurig weer dat ze hem sterk aan Pip deed denken.

7

Pip lag met een verveeld gezicht op de bank met haar voet op een kussen, toen er aan de voordeur werd gebeld. Ophélie ging opendoen; ze wist wie het zou zijn. Hij was precies op tijd, en toen ze de deur opendeed, stond Matt daar in een grijze coltrui en een spijkerbroek, met een fles wijn in zijn handen. Ophélie legde haar vinger op haar lippen en wees naar de bank. Met een brede lach ging hij naar binnen. Toen Pip hem zag, piepte ze van blijdschap en hupte op één been van de bank af.
'Matt!' Ze keek van hem naar haar moeder, dolblij, zonder te begrijpen waar ze deze verrassing aan te danken had. 'Hoe heb... wat...' Ze was helemaal in de war, en blij.
'Ik ben je moeder vandaag op het strand tegengekomen, en ze was zo aardig om me uit te nodigen om bij jullie te komen eten. Hoe gaat het met je voet?'
'Waardeloos. Het is een stomme voet, en ik heb er genoeg van. Ik mis het tekenen met jou.' Ze had zelf veel getekend, maar daar begon ze nu ook genoeg van te krijgen. Het leek wel alsof haar pas verworven vaardigheden achteruit waren gegaan. Ze had die middag weer moeite gehad met de achterhand in een tekening van Mousse. 'Ik ben vergeten hoe je achterpoten tekent.'
'Ik zal het je nog eens laten zien,' en terwijl hij dit zei, gaf hij haar een gloednieuw schetsblok en een doos met kleurpotloden die hij in een la had gevonden. Dit was precies wat ze nodig had, en ze stortte zich er vol vreugde op.
Terwijl zij samen babbelden, dekte Ophélie de tafel voor hen drieën en trok de fles met goede, Franse wijn open. Hoewel ze zelden dronk, was dit een wijn die ze lekker vond en die haar aan Frankrijk herinnerde.

Ze had een kip in de oven gezet en kookte in korte tijd wat asperges en wilde rijst, en maakte er een hollandaisesaus bij. Zo ingewikkeld had ze een heel jaar niet gekookt. En ze had het nog leuk gevonden ook.
Matt was onder de indruk toen ze aan tafel gingen, en Pip ook. Ze lachte haar moeder uit.
'Geen diepvriespizza vanavond?'
'Pip, alsjeblieft! Ga nou niet al mijn geheimen verraden.' Ophélie lachte naar haar.
'Dat is ook mijn voornaamste voedselbron. En soep uit een pakje.' Matt grijnsde breed. Hij zag er knap en verzorgd uit; er was een vleugje mannelijke lotion te bespeuren, en hij zag er vooral fris, gezond en echt uit. Ophélie had voor hem haar haren gekamd en ze had een zwart kasjmier truitje en een spijkerbroek aan. Ze had het hele jaar geen make-up gebruikt en deze avond had ze zich ook niet opgemaakt. Ze was officieel in de rouw voor Ted en Chad. Maar voor het eerst vroeg ze zich af of ze misschien lipstick op had moeten doen. Ze had niet eens make-upspullen meegenomen naar het strand. Alles lag thuis ergens in een la. De afgelopen tien maanden had het haar niets kunnen schelen al had ze nooit meer make-up gebruikt. Het leek nu nergens meer op te slaan. Dat wil zeggen, tot vanavond. Niet dat ze met hem wilde flirten, maar ze had tenminste weer zin om er als een vrouw uit te zien. De robot die ze in het afgelopen jaar was geworden, kwam langzaam weer tot leven.
Tijdens de maaltijd werd er levendig geconverseerd. Ze praatten over Parijs, over kunst en over school. Pip zei dat ze niet veel zin had om weer naar school te gaan. Ze zou in het najaar twaalf worden en ging naar de zevende groep. Toen Matt ernaar vroeg, zei ze dat ze veel vriendinnen had, maar ze had het gevoel dat ze niet meer bij hen paste. Veel ouders van vriendinnetjes waren gescheiden, maar niemand had haar vader verloren. Ze wilde niet dat mensen medelijden met haar hadden, en ze wist dat sommige mensen dat hadden. Ze zei dat ze niet wilde dat ze 'te aardig' tegen haar deden, want daardoor ging ze zich ongelukkig voelen. Ze wilde niet het gevoel hebben dat ze anders was. Hij wist dat ze dat gevoel onvermijdelijk zou krij-

gen. 'Ik kan niet eens naar het feestje voor vaders en dochters,' zei ze klaaglijk. 'Wie zou ik mee moeten nemen?' Haar moeder had er ook over nagedacht, maar wist geen oplossing voor dit probleem. Ze had Chad een keer meegenomen toen haar vader niet kon. Maar die kon ze nu ook niet meenemen.

'Je kunt mij meenemen, als je wilt,' bood Matt oprecht aan, met een blik naar Ophélie. 'Als je moeder er geen bezwaar tegen heeft. Er is geen reden waarom je geen vriend zou kunnen meenemen, tenzij je je moeder kunt meenemen. Dat zou ook kunnen, je hoeft je niet aan de regels te houden. Een moeder is net zo goed als een vader.'

'Dat vinden ze niet goed, iemand anders heeft het vorig jaar geprobeerd.' Dit leek hem akelig bekrompen. Maar ze keek opgetogen bij het vooruitzicht Matt mee te nemen, en haar moeder knikte dat het goed was.

'Dat zou erg aardig van je zijn, Matt,' zei ze zacht, en ze ging het toetje halen. Ze hadden alleen ijs in de vriezer, en ze had wat chocola gesmolten en die over het vanilleijs gegoten dat Pip zo lekker vond. Het was ook Teds lievelingsijs geweest. Chad en zij waren verslaafd aan Rocky Road. Het was grappig dat zelfs de smaak ijs die je het lekkerst vond genetisch bepaald leek te zijn. Dat had ze al eerder opgemerkt.

'Wanneer is dat feestje voor vaders en dochters?' vroeg Matt.

'Ergens voor Thanksgiving.' Pip keek opgewonden.

'Zeg maar wanneer het is, dan zal ik er zijn. Ik zal zelfs een pak aantrekken.' Dat had hij ook in geen jaren gedaan. Hij woonde in spijkerbroeken en oude truien, en af en toe een tweedjasje dat hij nog van vroeger had. Hij had geen pak meer nodig. Hij ging nergens heen en had in geen jaren een sociaal leven gehad of willen hebben. Af en toe kwam een oude vriend uit de stad naar hem toe om bij hem te eten, maar steeds minder vaak. Hij was al lange tijd uit de running, en dat beviel hem goed. Hij genoot van het kluizenaarschap. En niemand probeerde hem er nog van af te brengen. Ze gingen er gewoon van uit dat hij zo was, dat hij zo geworden was.

Pip bleef met hen kletsen tot lang na haar bedtijd, maar uiteindelijk begon ze te geeuwen. Ze zei dat ze haast niet kon wachten tot de hechtingen er aan het eind van de week uitgin-

gen, maar ze vond het heel vervelend dat ze daarna nog een week schoenen aan moest op het strand.
'Je zou misschien op Mousses rug kunnen rijden,' zei Matt plagend. Een paar minuten later kwam ze welterusten zeggen. Ze zaten op de bank en Matt had een vuurtje aangemaakt. Het was een warm, gezellig geheel, en Pip zag er heel gelukkig uit toen ze bij hen wegging om naar bed te gaan, gelukkiger dan ze er lange tijd had uitgezien. En ook Ophélie zag er gelukkig uit. Het had iets geruststellends als er een man in huis was. Zijn mannelijke aanwezigheid leek het hele huis te vullen. Zelfs Mousse, die voor het vuur lag, keek van tijd tot tijd op en kwispelde.
'Je bent gezegend met haar,' zei hij zacht tegen Ophélie nadat ze de deur van Pips kamer had dichtgedaan zodat ze haar niet wakker zouden houden. Het huis had alleen een grote woonkamer, een open keuken en eetkamer, en hun twee slaapkamers. Het leek allemaal in elkaar over te gaan; niemand had behoefte aan privacy of deftig gedoe aan het strand. Maar het was heel aardig ingericht. De eigenaars hadden een paar mooie dingen, en ook een paar fraaie moderne schilderijen, die Matt goed vond. 'Ze is een fantastisch kind.' Hij was stapelgek op haar, en ze deed hem altijd aan zijn eigen kinderen denken. Hij wist trouwens niet eens of zijn eigen kinderen ook zo openhartig, zo verstandig of zo volwassen geweest zouden zijn. En hij had geen idee waar ze nu waren. Nu was Hamish hun vader, niet hij. Daar had Sally voor gezorgd.
'Ja, dat is ze zeker. We boffen echt dat we elkaar hebben.' Weer dankte ze God dat Pip niet ook in het vliegtuig had gezeten. 'Ze is alles wat ik heb. Mijn ouders zijn jaren geleden overleden, evenals die van Ted. We waren allebei enig kind. Ik heb alleen nog een paar achternichten in Frankrijk, en een tante die ik nooit heb gemogen en die ik in jaren niet heb gezien. Ik vind het leuk om er met Pip heen te gaan, zodat ze contact houdt met haar Franse wortels, maar er is niemand waarmee we veel te maken hebben. We hebben alleen elkaar.'
'Dat is misschien wel genoeg,' zei hij zacht. Hij had helemaal niemand. Net als zij was hij enig kind geweest, en hij had in de loop van de jaren de eenzaamheid gezocht. Hij had zelfs geen

intieme vrienden meer. In de slechte jaren na de echtscheiding was het hem te zwaar gevallen om de vriendschappen aan te houden, en net als Pip wilde hij niet dat de mensen medelijden met hem hadden. Wat hem met Sally was overkomen was gewoon te veel geweest. 'Heb jij veel vrienden, Ophélie? In San Francisco bedoel ik.'

'Een paar. Ted was niet erg sociabel. Hij was een echte eenling die totaal opging in zijn werk. Hij verwachtte van mij dat ik er voor hem was. Dat wilde ik ook. Maar dat maakte het moeilijk om vriendschappen te onderhouden. Hij wilde eigenlijk nooit mensen zien, alleen maar werken. Ik heb één vriendin met wie ik veel contact heb, maar verder heb ik in de loop van de jaren veel mensen uit het oog verloren vanwege Ted. En de laatste jaren ging al mijn energie in Chad zitten. Ik wist nooit wat er zou gebeuren, of hij tegen de muren zou opspringen of zo depressief zou zijn dat ik niet weg kon. Op het laatst had ik een fulltime baan aan hem.' Aan hem, Ted en Pip had ze haar handen vol gehad. En nu waren haar handen leger dan ze in jaren waren geweest, afgezien van Pip, maar die had haar niet zo nodig. Alleen had Ophélie haar het weinige dat ze wel nodig had niet kunnen geven. Ze voelde zich nu iets beter na de zomer aan het strand, en ze hoopte dat ze in de komende maanden verder vooruit zou gaan. Ze had de afgelopen tien maanden het gevoel gehad overal buiten te staan, maar nu begonnen de verbanden zich langzaam weer te vormen. De robot die ze was geweest was bijna weer menselijk, maar nog niet helemaal. Toch waren er duidelijke aanwijzingen dat het leven terugkeerde, en zelfs het feit dat ze Matt te eten had gevraagd, en een vriendschappelijke hand naar hem wilde uitsteken en de zijne wilde aannemen, was een goed teken.

'En jij?' vroeg ze nieuwsgierig. 'Heb je veel vrienden in de stad?'

'Niet één,' zei hij met een lachje. 'Ik heb daar al bijna tien jaar niets aan gedaan. Ik had samen met mijn vrouw een reclamebureau in New York, maar we raakten verwikkeld in een nogal onverkwikkelijke echtscheiding. We hebben het bedrijf verkocht en ik besloot hierheen te komen. Ik woonde toen in de stad en huurde hier een klein huisje om in het weekend te schilderen. En toen, juist wanneer je denkt dat het onmogelijk er-

ger kan worden, werd het erger. Zij woonde in Nieuw-Zeeland en ik probeerde heen en weer te reizen om mijn kinderen te zien, wat nog best moeilijk is. Ik had daar geen eigen stek. Ik logeerde in een hotel, ik heb zelfs ooit een flat gehuurd, maar ik was het vijfde wiel aan de wagen. Ze trouwde een jaar of negen geleden met een geweldige kerel, een vriend van me, die dol was op mijn kinderen, en zij op hem. Hij is een echte mannenman, met veel geld en veel speeltjes. Zelf had hij ook vier kinderen en ze kregen er nog twee bij. Mijn kinderen gingen helemaal op in het gecombineerde gezin, en ze vonden het heerlijk. Ik kan het hun niet kwalijk nemen, het was natuurlijk erg aantrekkelijk.
Na een tijdje hadden ze geen tijd meer voor me, wanneer ik in Auckland kwam; ze wilden met hun vriendjes spelen. Zoals ze in jouw land zeggen: ik voelde me net een haar in de soep.' Ze glimlachte om de uitdrukking die ze zo goed kende, en begreep het gevoel. Zij had zich soms ook een haar in de soep gevoeld in het drukke wetenschappelijke leven van Ted. Niet op haar plaats. Overtollig, iets wat hij bezat maar niet nodig had. In onbruik geraakt.
'Dat is vast erg moeilijk voor je geweest,' zei ze meelevend, geraakt door de uitdrukking van verlies in zijn ogen. Hij was een man die verdriet had gekend en dat had overleefd. Hij had zich ermee verzoend, maar het had hem veel gekost.
'Het was ook moeilijk,' zei hij eerlijk. 'Erg moeilijk. Ik heb het vier jaar volgehouden. De laatste paar keren dat ik erheen ging, zag ik hen nauwelijks, en Sally legde uit dat ik hun leven verstoorde. Zij vond dat ik alleen moest komen wanneer ze me wilden zien, wat natuurlijk zowat nooit was. Ik belde veel, maar dan hadden ze het te druk. Later schreef ik, en dan kreeg ik geen antwoord. Ze waren pas zeven en negen toen zij hertrouwde, en ze kreeg die andere baby's in de eerste twee jaar dat ze getrouwd waren. Mijn kinderen gingen gewoon op in haar nieuwe gezin. Ik had een beetje het gevoel dat ik het voor hen moeilijker maakte. Ik heb mezelf onderworpen aan een gewetensonderzoek, en het was waarschijnlijk stom maar ik schreef hun om te vragen wat ze wilden. Ik kreeg geen antwoord. Ik hoorde een jaar lang niets van hen, maar ik bleef

schrijven. Ik dacht dat als ze me wilden zien, ze me zouden vragen om naar hen toe te komen. En ik moet bekennen dat ik dat jaar stevig heb gedronken. Ik schreef hun drie jaar lang en hoorde niets. Toen deelde Sally me in niet mis te verstane bewoordingen mee dat ze me niet meer wilden zien, maar dat niet durfden te zeggen. Dat was drie jaar geleden, en daarna heb ik niet meer geschreven. Ik heb het uiteindelijk opgegeven. En ik heb hen in zes jaar niet gezien, of iets van hen gehoord. Mijn enige contact met hen zijn de alimentatiecheques die ik nog altijd aan Sally stuur. En de kerstkaart die ze mij elk jaar stuurt. Ik heb hen nooit onder druk willen zetten over het contact met mij. Als ze me willen zien, weten ze waar ik ben. Toch heb ik wel gedacht dat ik erheen had moeten gaan om er met hen over te praten. Ik wilde hen niet voor een dilemma plaatsen. Sally wist heel zeker wat ze wilden. Ze waren pas tien en twaalf toen ik hen voor het laatst heb gezien, ongeveer even oud als Pip, dat is een leeftijd waarop je erg dapper moet zijn om tegen je vader te zeggen dat hij kan ophoepelen. Hun stilzwijgen deed dat al. Dat was genoeg. Ik begrijp het. Dus ik trok me terug zonder moeilijk te doen.
Ik heb hun nog jarenlang behoorlijk zielige brieven geschreven voor ik het opgaf. Ik kreeg nooit antwoord. Nu schrijf ik soms ook nog brieven aan hen, maar die verstuur ik nooit. Het lijkt niet goed om hen onder druk te zetten. Ik mis hen waanzinnig. Volgens mij besta ik voor hen niet meer. Ik heb met hun moeder gesproken en die zegt dat het zo beter is. Ze zegt dat ze gelukkig zijn en mij niet in hun leven willen. Voor zover ik het zie, heb ik nooit iets verkeerd gedaan, maar ze hebben me gewoon niet meer nodig. Hun stiefvader is een fantastische kerel. Ik ben, of was, zelf ook erg op hem gesteld. We zijn jarenlang bevriend geweest voor Sally en hij iets met elkaar kregen. Maar goed, dat is het verhaal van mijn kinderen en van de laatste tien jaar. De laatste zes zonder mijn kinderen. Ze stuurt me foto's bij de kerstkaart, dus ik weet hoe ze eruitzien. Ik weet niet of dat het beter of erger maakt. Soms beter, soms erger. Ik voel me net als een van die ongelukkige vrouwen die een kind hebben gebaard en het om de een of andere reden hebben afgestaan. Die ook alleen één keer per jaar een foto krijgen. Ze

stuurt me kerstkaarten met alle acht kinderen erop, die van hem, de mijne en die van hen samen. Meestal begin ik te huilen wanneer ik ze bekijk,' zei hij, zonder zichtbare gêne. Ze wisten intussen al veel over elkaar. 'Maar ik heb me teruggetrokken omwille van hen. Ik denk dat ze dat nodig hebben, of dat ze dat willen, dat zegt zij in elk geval.
Robert is nu achttien. Hij gaat binnenkort studeren, waarschijnlijk daarginds. Ze hebben een geweldig leven in Auckland. Hamish heeft het grootste reclamebureau in dat deel van de wereld. Sally runt het samen met hem, zoals ze het onze ook samen met mij runde. Ze is erg goed in haar werk. Niet veel gevoel, maar enorm creatief. En ook een goede moeder, geloof ik. Ze weet wat de kinderen nodig hebben. Beter dan ik waarschijnlijk. Ik ken hen niet eens meer. Ik weet niet eens of ik ze zou herkennen als ik hen op straat tegenkwam, wat afschuwelijk is om toe te geven. Dat is nog het ergste. Ik probeer er niet aan te denken. Ik heb hen losgelaten voor hun bestwil. Sally schreef me een paar jaar geleden om te vragen wat ik ervan vond als Hamish mijn kinderen zou adopteren. Ik bestierf het zowat. Het maakt me niet uit al willen ze me niet in hun leven hebben, ze zijn toch mijn kinderen. Dat zullen ze altijd blijven. Ik wilde er niet mee instemmen. Sindsdien heb ik nauwelijks meer iets van haar gehoord, behalve met Kerstmis. Voor die tijd spraken we elkaar nog wel eens. Volgens mij willen ze gewoon dat ik ongemerkt verdwijn, en dat is eigenlijk al gebeurd. Ik ben uit hun leven verdwenen en ook uit het leven van alle andere mensen. Ik leid hier een erg rustig leven, en ik heb er lang over gedaan om te verwerken wat er allemaal is misgegaan tussen Sally en mij, en dat ik mijn kinderen aan Hamish ben kwijtgeraakt.' Het was een droevig verhaal om aan te horen, maar het verklaarde veel en het zei veel over hem. Net als zij was hij bijna alles kwijtgeraakt wat belangrijk voor hem was, zijn bedrijf, zijn vrouw en zijn kinderen. En hij had zich teruggetrokken in een kluizenaarsbestaan. Zij had Pip tenminste nog, en daar was ze dankbaar voor. Ze kon zich het leven zonder haar niet eens voorstellen.
'Waarom is je huwelijk stukgelopen?' Ze wist dat het een onbescheiden vraag was, maar het was een stuk van het totale

beeld dat nog ontbrak, en ze wist dat hij het niet zou vertellen als hij dat niet wilde. Na alles wat ze elkaar hadden verteld, waren ze nu vrienden.

Hij zuchtte even voor hij antwoordde. 'Het is eigenlijk een klassiek verhaal. Hamish en ik hebben samen gestudeerd. Daarna ging hij terug naar Auckland. Ik bleef in New York. We begonnen allebei een reclamebureau en vormden een soort los samenwerkingsverband. We hadden een aantal klanten met internationale belangen gemeen, verwezen opdrachten naar elkaar, raadpleegden elkaar over bepaalde grote accounts. Hij kwam een paar keer per jaar naar New York, en wij gingen naar hem toe. Sally was creatief directeur van ons bureau, zij vormde het brein van de zaak; ze ging ook over de zakelijke kant en ze haalde de meeste klanten binnen. Ik was de art director. We vormden een tamelijk onverslaanbaar team, en we hadden een paar van de grootste klanten in de reclamewereld. Hamish en ik bleven bevriend, en we gingen met elkaar op vakantie, hij met zijn vrouw en Sally en ik. Meestal in Europa. Ook een keer op safari in Botswana. In een noodlottige zomer huurden we een kasteeltje in Frankrijk. Ik moest eerder terug, en de moeder van Hamish' vrouw overleed onverwacht zodat zij terugging naar Auckland. Hij bleef in Frankrijk, en Sally ook met onze kinderen. Om het kort te houden: Hamish en Sally werden verliefd op elkaar. Vier weken later kwam ze thuis en zei dat ze bij me wegging. Ze was verliefd op hem en ze gingen bekijken wat er zou gebeuren. Ze moest bij mij weg om dat uit te zoeken. Ze had ruimte nodig, en tijd. Die dingen gebeuren natuurlijk. Bij sommige mensen. Ze zei dat ze nooit echt van me had gehouden, we vormden alleen zakelijk een goed team, en ze had de kinderen gekregen omdat dat van haar verwacht werd. Vreselijk om dat te zeggen over onze kinderen, en over mij, maar ik geloof echt dat ze het meende. Ze staat niet bekend om haar vermogen zich in de gevoelens van anderen in te leven; dat is waarschijnlijk de reden dat ze zoveel succes heeft in haar werk.

Nou goed, Hamish ging naar huis met dezelfde mededeling voor zijn vrouw, Margaret, en de rest volgde vanzelf. Sally vertrok met de kinderen uit onze woning in New York en ging in een

hotel wonen. Ik mocht haar uitkopen uit de zaak, maar ik had geen zin om het bedrijf zonder haar te runnen, of een nieuwe partner te zoeken. Daar had ik gewoon niet de fut voor. Ze had me volkomen knock-out geslagen, en het heeft lang geduurd voor ik weer op de been kwam. We verkochten de zaak met alles erop en eraan aan een groot concern. We sprongen er allebei goed uit, maar na vijftien jaar huwelijk had ik alleen heel veel geld, geen vrouw, geen werk en kinderen die vijftienduizend kilometer van me af woonden in Auckland. Ze ging begin september bij me weg, en ze verhuisde vlak na Kerstmis met de kinderen naar Auckland. Ze trouwden zodra onze echtscheiding was uitgesproken. Ik had nog de hoop gehad dat als ik haar met rust liet en haar niet onder druk zette, ze bij me terug zou komen. Krankzinnig natuurlijk om dat te denken. Maar we zijn allemaal krankzinnig, en soms ook oerstom.
Toen ze wegging, duizelde het me nog. Ik denk, beste vriendin, dat je vraag over mijn huwelijk hiermee wel beantwoord is. Het ergste is wel dat ik nog altijd vind dat Hamish Greene een goeie kerel is. Geen geweldige vriend hoor, maar hij is een intelligente, grappige, amusante man. En voor zover ik kan nagaan, geloof ik dat ze heel gelukkig zijn geworden samen. En hun bedrijf loopt fantastisch.' Als buitenstaander kreeg Ophélie alleen de indruk dat Matt grotelijks belazerd was, door zijn vrouw, door zijn beste vriend en misschien zelfs door zijn kinderen. Ze had in de loop van de tijd soortgelijke verhalen gehoord, maar zo meedogenloos waren ze nooit. Hij had alles verloren behalve zijn geld, en ze had niet de indruk dat geld erg belangrijk voor hem was. Alles wat hij leek te willen, was een rustig leven in een huisje aan het strand in Safe Harbour. Buiten dat en zijn talent had hij helemaal niets over. Het was schandalig wat ze hem hadden aangedaan. Ze was sprakeloos bij de gedachte eraan, en werd er helemaal verdrietig van om zijnentwil.
'Wat een afschuwelijk verhaal,' zei ze met gefronste wenkbrauwen. 'Echt afgrijselijk. Ik haat die mensen allebei alleen door naar je te luisteren. Maar de kinderen niet. Die zijn hier ook het slachtoffer van, net als jij. Ze zijn duidelijk bewerkt om jou buiten te sluiten en je te vergeten. Het was de verantwoordelijkheid van je vrouw om hen te helpen hun relatie met

jou voort te zetten.' Dit klonk verstandig, en hij kon het niet met haar oneens zijn. Het vreemde was dat hij het zijn kinderen nooit kwalijk had genomen dat ze hem hadden laten vallen. Ze waren te jong om te weten wat ze deden, en hij wist hoe overtuigend Sally kon zijn. Ze kon iedereen in de kortste keren omlullen en voorgoed van de wijs brengen.
'Dat is niets voor Sally. Ze wilde helemaal van me af zijn, en dat is haar gelukt. Sally heeft altijd gekregen wat ze wilde hebben, ook van Hamish. Ik weet niet wie van hen op het idee is gekomen om samen kinderen te maken, maar Sally kennende, dacht ze waarschijnlijk dat het een slimme zet was om hem vast te houden. Hamish is een sommige opzichten een beetje naïef, dat was een eigenschap van hem die ik altijd gewaardeerd heb. Sally is dat niet. Ze is uitgekookt en berekenend en ze doet altijd wat voor Sally het beste is.'
'Ze lijkt me zo te horen een slecht mens,' zei Ophélie loyaal, en dat ontroerde hem. Het was een emotionele ervaring geweest haar over zijn leven te vertellen, en terwijl hij het vuur nog eens oppookte, waren ze allebei even stil.
'En daarna? Is er niemand geweest die belangrijk voor je was?' Dat zou een mogelijke troost zijn geweest, maar niets wees erop dat er een vrouw in zijn leven was. Hij leek een erg afgezonderd bestaan te leiden, die indruk had ze tenminste. Het kon natuurlijk dat er iemand geweest was, maar ze dacht van niet.
'Niet echt. De eerste jaren nadat Sally was weggegaan, was ik niet in een toestand om iets met iemand anders te beginnen. Ik was rijp voor de psychiater. En daarna reisde ik heen en weer naar Auckland om mijn kinderen op te zoeken, en ik was ook niet in de stemming. Ik vertrouwde niemand, en ik wilde niet. Ik zwoer dat ik er nooit meer aan zou beginnen. Er was een jaar of drie geleden een vrouw die ik erg aardig vond, maar zij was veel jonger dan ik, en ze wilde trouwen en kinderen krijgen. Ik zag mezelf daar niet nog eens aan beginnen, of zoveel vertrouwen in iemand hebben om mezelf in die positie te brengen. Ik wilde niet trouwen en kinderen krijgen met het risico dat er weer een echtscheiding zou komen en ik ze weer kwijt zou raken. Ik zag daar de zin niet van in. Zij was tweeëndertig en ik was toen vierenveertig, en ze stelde me een ultimatum. Ik

neem het haar niet kwalijk. Maar ik kon me ook niet voorgoed aan haar binden. Ik bedankte voor de eer, en ze trouwde ongeveer een halfjaar later met een heel aardige kerel. Ze hebben deze zomer net hun derde kind gekregen. Ik kon dat gewoon niet opbrengen. Ik hoop dat ik ooit weer contact zal krijgen met mijn eigen kinderen, wanneer ze wat ouder zijn. Maar ik heb niet de wens om aan een nieuw gezin te beginnen, of de kans te lopen op zo'n teleurstelling. Eén keer zoiets doormaken is wel genoeg geweest.' Ophélie moest toegeven dat weinig mensen daar zonder kleerscheuren doorheen zouden zijn gekomen. En hij was dat eigenlijk ook niet. Hoe vriendelijk en zorgzaam hij ook was, emotioneel had hij zich afgesloten en wilde hij zich niet meer openstellen, maar dat kon ze hem eigenlijk niet kwalijk nemen. Het verklaarde ook waarom hij zich voor Pip wel had opengesteld, waarom hij contact met haar had gezocht. Zij was bijna even oud als zijn kinderen waren toen hij ze het laatst had gezien. En hij hunkerde kennelijk naar een vorm van menselijk contact, zelfs met een meisje van elf. Dat kon hij bovendien veilig doen. Hij was niet echt emotioneel bij haar betrokken, het was alleen vriendschap. Daar was niets mis mee, en het kwam ook tegemoet aan Pips behoeften op dit moment. Maar voor een man van zevenenveertig ontbrak er toch een emotionele component. Hij verdiende veel meer, althans in Ophélies ogen, maar hij was op dit moment niet dapper genoeg om meer te geven dan hij aan een kind op het strand gaf door haar een paar keer per week tekenlessen te geven. Voor een man van zijn formaat en met zijn mogelijkheden leek het een armzalig bestaan. Maar het was kennelijk alles wat hij wilde.
'En jij, Ophélie? Wat had jij voor huwelijk? Ik krijg het gevoel dat je man niet echt een gemakkelijk mens was. Dat zijn genieën meestal niet, zeggen ze tenminste.' Ophélie leek hem zachtaardig en meegaand. En op grond van wat ze had gezegd over de relatie van haar man met zijn zieke zoon kreeg hij het gevoel dat haar overleden echtgenoot het haar niet gemakkelijk had gemaakt. Hij zat er niet ver naast, hoewel ze dat niet vaak toegaf aan wie dan ook; ze had het jarenlang niet willen toegeven, soms ook niet aan zichzelf.
'Hij was briljant. Met een ongelooflijke visie. Hij wist altijd wat

hij wilde doen, van het begin af. Hij ging recht op zijn doel af zonder aan iets anders te denken, en hij liet zich door niets tegenhouden. Echt door niets. Zelfs niet door mij, of door de kinderen; we wilden hem natuurlijk niet in de weg staan. We deden alles wat we konden om hem te ondersteunen, ik tenminste wel. En uiteindelijk kreeg hij wat hij wilde en bereikte hij datgene waarvan hij altijd had gedroomd. In de laatste vijf jaar van zijn leven had hij enorm veel succes. Dat was fantastisch voor hem.' Voor haar of de kinderen was het niet noodzakelijkerwijs fantastisch, alleen in materieel opzicht wel.
'En hoe was hij intussen voor jou?' hield Matt aan. Het was duidelijk dat hij succesvol was geweest, zelfs op grond van het weinige dat Matt over hem wist. Hij was een grootheid geworden op zijn vakgebied. Maar voor Matt was de eigenlijke vraag: hoe was hij als mens en als echtgenoot? Het leek erop dat Ophélie die vraag had ontweken.
'Ik heb altijd van hem gehouden. Vanaf het moment dat ik hem leerde kennen. Ik was stapelverliefd op hem als student. Ik heb hem altijd bewonderd, zijn briljante geest, zijn doelgerichtheid. Hij was een man die zijn dromen nooit uit het oog verloor. Zo iemand moet je wel bewonderen.' Of hij een moeilijk mens was of niet, dat was nooit een punt voor haar geweest. Ze accepteerde dat van hem. Ze vond dat hij het recht had om zo te zijn.
'En wat waren jouw dromen?'
'Met hem getrouwd te zijn.' Ze keek Matt met een treurig lachje aan. 'Dat was alles wat ik ooit heb gewild. Toen hij met me trouwde, had ik het gevoel dat ik in de hemel was gekomen. Het was natuurlijk wel eens moeilijk. Er waren jaren, heel wat jaren, dat we helemaal geen geld hadden. We hebben een jaar of vijftien gesappeld, en toen verdiende hij opeens zo veel dat we niet wisten wat we ermee moesten doen. Maar dat was nooit het belangrijkste voor ons, voor mij in elk geval niet. Ik hield evenveel van hem toen we arm waren. Zijn geld was nooit belangrijk voor mij. Hij wel.' Hij was voor haar de zon en de maan geweest, naast hun kinderen.
'Deed hij wel eens iets met jou en de kinderen?' vroeg Matt zacht.
'Soms. Wanneer hij kon. Hij had het altijd ongelooflijk druk

met dingen die veel belangrijker waren.' Het was Matt duidelijk dat ze hem aanbeden had. Waarschijnlijk veel meer dan hij verdiende.
'Wat is er nou belangrijker dan je vrouw en je kinderen?' zei Matt alleen, maar hij was ook in veel opzichten heel anders dan Ted. En zij was lichtjaren verwijderd van Sally. Ophélie was alles wat Sally niet was. Zachtaardig, vriendelijk, fatsoenlijk, eerlijk, meelevend. Ze was op dit moment vastgelopen in haar eigen narigheid, maar desondanks was het te merken dat ze geen zelfzuchtige vrouw was. Ze was ongelukkig en verdrietig, dat was iets anders. Hij kende dat goed. Hij had het zelf doorgemaakt. En verdriet kon allesoverheersend zijn wanneer je er middenin zat; daarom had ze nu minder aandacht voor Pip dan vroeger. Maar ze was zich er voldoende van bewust om het zichzelf kwalijk te nemen.
'Wetenschappers zijn een ander soort mensen,' legde Ophélie toegeeflijk uit. 'Ze hebben andere behoeften, ze zien de dingen anders, ze hebben andere emotionele vermogens dan wij, gewone stervelingen. Hij was geen gewoon mens.' Maar ondanks haar vergoelijkende woorden beviel het Matt niet wat hij hoorde. Hij vermoedde dat wijlen dr. Mackenzie narcistisch en egocentrisch was geweest, misschien zelfs een slechte vader. En hij was er allerminst van overtuigd dat hij een goede echtgenoot voor haar was geweest. Maar ook al was dat zo, Ophélie was er duidelijk niet toe bereid dat in te zien, of het aan hem toe te geven. Matt wist ook dat de dood anders was dan een echtscheiding: een overleden echtgenoot werd al gauw heilig verklaard. Het scheen moeilijk te zijn om je de gebreken en fouten te herinneren van een geliefde die gestorven was. Na een echtscheiding herinnerde je juist alleen wat er aan je ex had gemankeerd. En in de loop van de tijd leken de gebreken die je je herinnerde alleen nog maar groter en erger te worden. Wanneer iemand doodging, herinnerde je je alleen het beste, en dat maakte je dan nog wat beter. Daardoor leek de afwezigheid van de overleden echtgenoot des te wreder. Matt had dan ook oprecht met haar te doen.
Ze praatten die avond lang door, over hun jeugd, hun huwelijk, hun kinderen. Het ging haar aan het hart wanneer ze aan

de verwijdering tussen Matt en zijn kinderen dacht, en wanneer hij erover sprak kon ze aan de uitdrukking in zijn ogen gemakkelijk zien wat het hem had gekost. Eerst bijna zijn geestelijke gezondheid, en later zijn geloof in de mensheid en zijn verlangen om samen te zijn met mensen, en vooral met een vrouw. Het was een hoge prijs voor het verlies van twee kinderen, en van een huwelijk dat al tien jaar geleden was stukgelopen. Ophélie vermoedde dat zijn ex-echtgenote hem de kinderen had ontstolen, waarschijnlijk door ze op de een of andere manier te bewerken. Ze kon moeilijk geloven dat kinderen van die leeftijd ertoe zouden besluiten hun vader uit hun leven te bannen als zij hen daar niet toe had aangezet of hun dingen had ingefluisterd. Er moest ergens vals zijn gespeeld, hoewel Matt er verder niet veel meer over zei, en blijkbaar geen oorlog met haar wilde voeren. Wat hem betrof had hij die oorlog al verloren en was die, voorlopig tenminste, afgelopen. Hij kon alleen maar hopen zijn kinderen nog een keer terug te zien. Een verre hoop waar hij soms aan dacht, maar die niet langer zijn leven bepaalde. Hij leefde van dag tot dag en was tevreden met zijn Spartaanse bestaan aan het strand. Safe Harbour was voor hem een toevluchtsoord.

Matt wilde juist weggaan toen hem iets inviel wat hij nog wilde vragen. Hij had er de hele avond al over willen beginnen.

'Hou je van zeilen, Ophélie?' vroeg hij voorzichtig, met een hoopvolle uitdrukking op zijn gezicht. Naast het schilderen was dit altijd een passie van hem geweest. En het paste bij zijn behoefte aan afzondering.

'Ik heb in geen jaren gezeild, maar ik vond het altijd heerlijk. Ik ging als kind zeilen wanneer we 's zomers in Bretagne waren. En ik heb gezeild in Cape Cod, toen ik studeerde.'

'Ik heb een kleine zeilboot in de lagune waarmee ik af en toe de oceaan opga. Ik zou het leuk vinden je een keer mee te nemen, als je daar zin in hebt. Het is heel eenvoudig, een oude, houten boot die ik zelf heb opgeknapt toen ik hier pas woonde.'

'Ik kom hem graag eens bekijken, en het zou leuk zijn om een keer met je mee te gaan,' zei Ophélie met een enthousiaste uitdrukking op haar gezicht.

'Ik bel je wel, de volgende keer dat ik ga zeilen,' zei hij. Hij was blij te horen dat ze zeilen leuk vond. Dat was weer iets wat ze gemeen hadden, en hij kon zich goed voorstellen dat ze aan boord goed gezelschap zou zijn. Ze was levendig en opgewekt, en energiek, en er had iets in haar ogen geblonken toen hij over zijn zeilboot sprak. Ted en zij hadden weleens met een paar vrienden in de baai gevaren, maar hij had er nooit plezier in gehad. Hij klaagde steen en been over de kou en de nattigheid, en hij werd altijd zeeziek. Zij niet, en hoewel ze dit niet tegen Matt zei, ze kon heel goed zeilen.

Het was al na middernacht toen hij wegging, en het was voor hen allebei een goede avond geweest. De avond had gezorgd voor het menselijk contact en de warmte die ze allebei zo broodnodig hadden, hoewel ze zich daarvan geen van beiden bewust waren. Ze hadden allebei behoefte aan vriendschap, zo niet aan iets anders, en vriendschap hadden ze gevonden. Dat was het enige waarin ze allebei nog vertrouwen hadden. Vriendschap. Pip had hun een grote dienst bewezen door hen met elkaar in aanraking te brengen.

Ophélie deed in huis het licht uit nadat hij was vertrokken en ging zacht Pips kamer binnen. Ze glimlachte toen ze haar zag liggen. Mousse lag te slapen aan het voeteneind van het bed en verroerde zich niet toen Ophélie naar hen toe kwam. Ze streek Pips zachte rode krullen naar achteren en bukte zich om haar een kusje te geven. Er was die avond weer een stukje van de robot gedemonteerd, en stukje bij beetje kwam de vrouw die ze vroeger was geweest weer tevoorschijn.

8

Toen Ophélie later in die week weer naar haar groep ging, vertelde ze dat ze Matt op bezoek had gehad, en dat het een heel leuke avond was geweest. Dit leidde tot een gesprek tussen een aantal anderen over het aangaan van nieuwe relaties. De groep bestond uit twaalf mensen die in leeftijd varieerden van zesentwintig tot drieëntachtig. De bindende factor was dat iedereen een dierbare naaste had verloren. Het jongste groepslid had haar broer verloren door een auto-ongeluk. De oudste had na eenenzestig jaar huwelijk zijn vrouw verloren. Er waren weduwnaars en weduwen en zusters en kinderen. Qua leeftijd zat Ophélie ongeveer in het midden. Sommige verhalen waren echt hartverscheurend. Een jonge vrouw had haar man verloren door een beroerte op tweeëndertigjarige leeftijd, acht maanden nadat ze getrouwd waren, en ze was al zwanger geworden. Ze had kortgeleden de baby gekregen en zat in de groep meestal te huilen. Een moeder had haar zoontje zien stikken in een boterham met pindakaas zonder er iets tegen te kunnen doen. De pindakaasprop was te zacht geweest om op de Heimlich-handgreep te reageren, en zat zo diep in zijn keel dat ze er niet bij kon. Behalve met haar verdriet worstelde ze met een schuldgevoel omdat ze hem niet had kunnen redden. Alle verhalen waren aangrijpend. Dat van Ophélie vormde geen uitzondering. Ze was ook niet de enige die twee mensen had verloren. Een vrouw van in de zestig had twee zoons verloren aan kanker, nog geen drie weken na elkaar; het waren haar enige kinderen. Er was ook een vrouw die haar kleinzoon van vijf had verloren, die was verdronken in het zwembad van zijn ouders. Zij had op hem gepast en ze had hem gevonden. Ook zij gaf zichzelf de schuld van wat er was gebeurd, en haar dochter en schoonzoon hadden na de begrafenis niet meer tegen haar gesproken. Allemaal tragedies. Het materiaal waaruit het leven bestaat, en dat levens kan verwoesten. Het was voor niemand gemakkelijk. De banden die hen verbonden, waren verdriet, verlies en wederzijds medeleven.

Ophélie had de afgelopen maand gepraat over het verlies van Ted en Chad, maar ze had niet veel verteld over haar huwelijk, behalve dat het in haar ogen volmaakt was geweest. Ze had ook iets verteld over Chads geesteszieke en de spanning die daardoor werd veroorzaakt, vooral bij Ted, omdat hij niet bereid was het te accepteren. Ze zag eigenlijk niet dat zijn ontkenning een druk op haar had gelegd, omdat ze probeerde de kloof tussen vader en zoon te dichten terwijl ze ook moest zorgen dat Pip zich lekker voelde.

Ze vond dat de discussie over het aangaan van nieuwe relaties haar niet aanging. Ze had de afgelopen maand steeds gezegd dat ze niet van plan was om te hertrouwen, en zelfs niet om een relatie aan te gaan.

De man van drieëntachtig had gezegd dat ze te jong was om afscheid te nemen van de romantiek in haar leven, en hoewel hij erg verdrietig was over het verlies van zijn vrouw, zei hij dat hij toch hoopte met andere vrouwen uit te gaan, zodra hij iemand tegenkwam die hem aansprak. Hij schaamde zich niet om toe te geven dat hij op zoek was.

'Stel je voor dat ik nog vijfennegentig word, of zelfs achtennegentig,' zei hij optimistisch. 'Ik wil niet al die tijd alleen zijn. Ik wil trouwen.' Alle gevoelens waren hier toegestaan. Niets was choquerend of taboe. Het kenmerk van de groep was dat iedereen eerlijk was, of dat probeerde te zijn. In elk geval even eerlijk als ze tegen zichzelf waren. Sommigen gaven ook toe dat ze boos waren op de geliefde persoon omdat die was doodgegaan, wat een normaal onderdeel van het rouwproces vormde. Elk van hen moest werken aan het aspect van hun rouw waarmee ze op dat moment worstelden. Tot nu toe had Ophélie vastgezeten in een depressie. Maar deze keer viel het iedereen op dat ze wat beter leek. Ze zei dat ze dat zelf ook dacht, maar dat ze bang was weer af te zullen glijden. Ze vertelde ook dat ze na de zomer een baan wilde zoeken, omdat ze dacht dat dat haar zou helpen.

Toen Ophélie hierover begon, vroeg Blake, de leider van de groep, wat voor soort baan ze wilde, en ze gaf toe dat ze dat niet wist. Ophélie was door haar huisarts naar de groep verwezen, toen ze vlak na de dood van Ted en Chad zei dat ze 's nachts niet kon slapen. Ze had er eerst tegen opgezien om naar een rouwgroep te gaan, en ze had er acht maanden mee gewacht. Toen sliep ze juist te veel, en at ze veel te weinig. Zelfs zij wist dat ze zwaar depressief was, en dat ze waarschijnlijk niet beter zou worden als ze er niets aan deed. Het was in het begin moeilijk geweest om het gevoel te overwinnen dat ze op de een of andere manier had gefaald omdat ze haar eigen problemen niet kon oplossen. Maar niemand van de andere groepsleden had dat gekund, en de meeste mensen konden het niet. Wie verstandig was, probeerde tenminste hulp te zoeken, en ondanks haar aanvankelijke sceptische instelling moest zelfs Ophélie toegeven dat het al enig verschil had gemaakt in haar leven, zelfs na een maand al. Ze kon nu tenminste praten met anderen die in hetzelfde schuitje zaten. Dit maakte het proces net iets minder eenzaam, en ze voelde zich minder abnormaal vanwege de dingen die ze voelde en dacht. Ze kon zonder schaamte aan hen vertellen hoe weinig contact ze met Pip had, en dat ze vaker Chads kamer binnensloop dan gewenst was, alleen om op zijn bed te liggen en aan zijn hoofdkussen te ruiken. De anderen hadden allemaal soortgelijke dingen gedaan en kwamen in verschillende mate dezelfde problemen tegen met echtgenoten, kinderen of zelfs ouders. Eén vrouw had aan de groep opgebiecht dat ze sinds de dood van haar zoon al een jaar geen seks had gehad met haar man, omdat ze het gewoon niet kon. Ophélie was altijd erg onder de indruk van wat ze allemaal tegen elkaar wilden en konden zeggen zonder zich te schamen. Ze voelde zich veilig in hun midden.
Het doel van de groep was de wond te helen, het gebroken hart te verbinden en de praktische punten van het dagelijks leven aan te pakken. De eerste vragen die Blake elke week aan ieder van hen stelde, waren: 'Eet je? Slaap je?' In Ophélies geval vroeg hij vaak of ze haar nachthemd nog had uitgetrokken sinds de vorige week. Soms was hun vooruitgang zo gering dat niemand buiten de groep onder de indruk zou zijn van wat ze hadden

bereikt. Maar ze wisten allemaal hoe zwaar die kleine stapjes waren, en wat voor verschil het uitmaakte wanneer je er eindelijk een had gezet. Ze vierden elkaars overwinningen, en leefden mee met elkaars verdriet. Je kon al vroeg zien wie succes zouden hebben, namelijk degenen die bereid waren de pijn door te maken die het vooruitgaan meebracht. Het was allerminst een gemakkelijk proces, en zelfs het besluit om deel te nemen betekende al iets. En de wonden die werden aangeraakt waren nog zo vers dat de pijn soms na afloop van een bijeenkomst erger was geworden in plaats van minder. Maar daarmee om te gaan hoorde bij het genezingsproces. Soms kon het je vrolijk stemmen als je iets hardop zei, maar soms was het al doodvermoeiend om het eruit te krijgen. Ophélie had in de afgelopen maand beide uiteinden van het spectrum meegemaakt, en meestal was ze na afloop doodmoe, maar ook dankbaar. En wanneer ze erover nadacht, wist ze dat het haar had geholpen, veel meer dan ze had verwacht.

Haar huisarts had haar juist deze groep aangeraden omdat Ophélie er niets voor had gevoeld antidepressiva te slikken, en omdat de groep zelf minder formeel was dan sommige andere. En de huisarts had veel respect voor de man die de groep leidde, Blake Thompson. Hij was afgestudeerd als klinisch psycholoog, had bijna twintig jaar ervaring met rouwverwerking, en was halverwege de vijftig. Hij was een warme, praktisch ingestelde man, die bereid was alles te proberen dat werkte, en de groep er vaak op wees dat er meer dan één manier was om met goed gevolg een rouwproces door te maken. Zolang ze maar deden wat voor hen werkte, steunde hij hen daarin. En wanneer het niet werkte, was hij onvermoeibaar in zijn pogingen hen aan te moedigen en creatieve ideeën te opperen. Hij had vaak het gevoel dat de mensen wanneer ze de groep verlieten hun leven hadden verbreed, dat het meer inhoud had dan het leven dat ze hadden gehad voor hun verlies. Met dat doel had hij bijvoorbeeld een vrouw die haar man had verloren, aangeraden zangles te nemen; een man die zijn vrouw door een auto-ongeluk had verloren, had hij lessen in scubaduiken aangeraden en een vrouw die overtuigd atheïst was geweest maar voor het eerst diep-religieuze gevoelens had ontdekt sinds de dood van haar enige zoon, had hij aanbevolen in retraite te gaan in een klooster. Wat hij voor de mensen in de groep wilde, was dat hun leven beter zou worden dan het was geweest voordat hij hen leerde kennen. In de twintig jaar dat hij dit werk deed, had hij behoorlijk indrukwekkende resultaten geboekt. De groep vormde een uitdaging en het was soms pijnlijk, maar tot ieders verbazing niet deprimerend. Het enige wat hij van hen vroeg wanneer ze begonnen, was dat ze zich openstelden, dat ze zichzelf niet te hard vielen en dat ze elkaar respecteerden. Wat er in de groep besproken werd, diende niet naar buiten te worden gebracht. En hij stond erop dat ze zich voor vier maanden vastlegden.

Hoewel sommige mensen hun nieuwe partner in zijn groepen hadden leren kennen, was hij er sterk op tegen dat mensen een relatie met elkaar aangingen zolang ze in de groep zaten. Hij wilde niet dat mensen zich uitsloofden of dingen achterhielden om indruk op elkaar te maken. Dit verzoek en de privacy van de groep had hij ontleend aan de twaalfstappenmethode, en hij had gemerkt dat dit nuttige elementen waren, hoewel er af en toe toch mensen in de groep waren die aan elkaar gehecht raakten en een relatie begonnen voordat de groep afgelopen was. Zelfs dan hield hij de mensen voor dat er geen 'juiste weg' was voor nieuwe relaties of zelfs voor een huwelijk.

Sommige mensen wachtten jaren voor ze een nieuwe partner gingen zoeken, anderen deden het nooit en wilden het ook niet. Sommigen vonden dat ze een jaar moesten wachten voor ze een relatie begonnen of trouwden, anderen trouwden letterlijk al weken nadat ze hun echtgenoot hadden verloren. Hij was van mening dat dit niet betekende dat je niet van je overleden man of vrouw had gehouden; het betekende dat je eraan toe was verder te gaan en je weer aan iemand te binden. En niemand anders had het recht om te zeggen of dat goed of verkeerd was. 'We zijn hier niet de rouwpolitie,' hield hij de groep van tijd tot tijd voor. 'We zijn hier om elkaar te helpen en te ondersteunen, niet om over elkaar te oordelen.' Hij vertelde altijd in elke groep dat hij in dit soort werk terecht was gekomen toen hij zijn vrouw en zijn dochter en zoon, toen zijn enige kinderen, had verloren in een auto-ongeluk op een regenachtige win-

teravond, die zoals hij toen had gedacht, het einde van zijn leven was geweest. En toen het gebeurde, wilde hij ook dat het zo was geweest. Vijf jaar later was hij opnieuw getrouwd met een fantastische vrouw, en ze hadden drie kinderen. 'Ik zou eerder getrouwd zijn als ik haar eerder had ontmoet, maar ze was het wachten waard,' zei hij altijd tegen hen met een glimlach die de mensen aan wie hij dit verhaal vertelde steevast ontroerde. De groep was niet speciaal gericht op het vinden van een nieuwe partner, maar het was een onderwerp dat wel ter sprake kwam en dat voor sommigen belangrijk was en juist niet voor anderen, van wie velen een broer of zus hadden verloren, of ouders, of kinderen, en al getrouwd waren. Wel was iedereen het erover eens dat het verlies van een dierbare naaste, vooral een kind, een enorme druk legde op een bestaand huwelijk. Het kwam wel voor dat er stellen in de groep zaten, maar meestal was de ene partner in een huwelijk eerder bereid hulp te zoeken dan de andere, zodat het in feite zelden voorkwam dat stellen samen een groep bezochten, al zou Blake liever zien dat mensen dat vaker deden.
Om de een of andere reden was er die dag veel gepraat over het aangaan van nieuwe relaties, zodat Blake er niet aan toe was gekomen om te praten over het feit dat Ophélie een baan wilde zoeken. Het was de tweede keer dat ze er iets over had gezegd, en na afloop van de zitting kwam hij naar haar toe om met haar te praten. Hij had een idee dat hij haar wilde voorleggen. Hij wist niet waarom, maar hij had het gevoel dat dit misschien precies in haar straatje paste. Ze had het tot nu toe goed gedaan in de groep, al had hij de indruk dat ze er zelf anders over dacht. Ze werd verteerd door schuldgevoel over wat ze nog steeds niet voor haar dochter kon doen, en misschien nog lang niet zou kunnen doen. Meer dan wat ook wilde hij niet dat ze zichzelf hiervoor bestrafte. Wat zij doormaakte, het gevoel geen contact te kunnen maken met alle andere geliefde personen, was volgens hem volkomen normaal. Als ze zich op anderen, in dit geval haar dochter, afstemde, zouden haar emoties vrij spel hebben, en het verdriet over haar verlies zou de overhand krijgen. De enige manier waarop haar psyche de pijn op afstand kon houden, was zichzelf een tijdlang uit te scha-

kelen, zodat ze helemaal niets voelde, voor wie dan ook. Het enige probleem was dat haar overlevende kind intussen in de kou bleef staan. Het was een veel voorkomend probleem, dat nog ontregelender werkte als het tussen echtgenoten speelde, wat vaak het geval was. Het aantal echtscheidingen was groot bij mensen die een kind hadden verloren. Vaak waren ze tegen de tijd dat ze zich in enige mate hersteld hadden, elkaar en hun huwelijk kwijt.

Toen Blake Ophélie na afloop van de groep aansprak, vroeg hij of ze iets voelde voor vrijwilligerswerk in een opvanghuis voor daklozen. Matt had ook zoiets voorgesteld, en ze dacht dat het zinvol voor haar zou kunnen zijn, en minder emotioneel beladen dan vrijwilligerswerk op het gebied van de geestelijke gezondheidszorg. Ze had altijd veel belangstelling gehad voor het welzijn van daklozen, maar toen Ted en Chad nog leefden, had ze geen tijd gehad om er iets aan te doen. Nu had ze veel meer tijd tot haar beschikking, zonder man en met maar één kind thuis.

Ze reageerde met veel warmte en belangstelling, en Blake beloofde haar wat adressen te bezorgen van vrijwilligersprojecten die zich bezighielden met daklozen. Dit was nu echt iets waar ze goed in was. Ze dacht erover na terwijl ze terugreed naar Safe Harbour. Ze moest die middag met Pip naar de kliniek om de hechtingen te laten verwijderen. Zodra dat gebeurd was, gniffelde Pip van blijdschap en trok vlug een paar gympen aan toen ze thuis was.

'Hoe voelt dat?' vroeg Ophélie terwijl ze naar haar keek. Ze begon weer plezier in haar dochter te krijgen, en het leek alsof ze meer met elkaar praatten dan ze in lange tijd hadden gedaan. Nog niet zoveel als vroeger, maar het ging beslist al wat beter. Ze vroeg zich zelfs af of het gesprek met Matt haar had geholpen. Hij was een hartelijke, troostende persoonlijkheid. En erg zorgzaam. Hij had zelf zoveel doorgemaakt dat hij veel empathie voor anderen had, zonder sentimenteel te zijn. Ook leed het geen twijfel dat de groep haar hielp, en ze vond de mensen van de groep aardig.

'Het voelt best goed. Het doet maar een beetje pijn.'

'Nou, overdrijf het maar niet.' Ze wist wat Pip van plan was.

Ze popelde om het strand op te gaan en Matt op te zoeken. Ze had een hele stapel nieuwe tekeningen om aan hem te laten zien. 'Waarom wacht je niet tot morgen. Het is nu waarschijnlijk toch al te laat,' zei Ophélie verstandig. Soms kon ze Pips gedachten lezen. Ze had het alleen al maanden niet geprobeerd. Nu begon ze er weer op te letten, en dat vond Pip prettig.
De volgende dag ging Pip op weg met het schetsblok en de potloden die Matt haar had gegeven, en twee broodjes in een papieren zak. Ophélie was in de verleiding mee te gaan, maar ze wilde hun samenzijn niet verstoren. Hun vriendschap was er het eerst, haar vriendschap met hem was een afgeleide daarvan en kwam op de tweede plaats. Ze zwaaide Pip uit toen die, op gympen om de pas geheelde voet te beschermen, wegliep over het strand. Ze holde niet, zoals anders. Ze was wat voorzichtiger, om haar voet te ontzien, en daardoor duurde het langer voor ze bij hem was. Maar toen ze er was, hield hij op met schilderen en lachte haar stralend toe.
'Ik hoopte al dat je vandaag zou komen. Anders had ik je vanavond gebeld. Hoe gaat het met je voet?'
'Beter.' Hij was wat gevoelig na de lange wandeling over het strand, maar ze zou over spijkers en glasscherven hebben gelopen om bij hem te komen. Ze was zielsgelukkig dat ze er was. Hij leek al even verheugd haar te zien.
'Ik heb je echt gemist,' zei hij blij.
'Ik jou ook. Het was stomvervelend de hele week thuis te zitten. Mousse vond er ook niks aan.'
'Arm beest, hij had waarschijnlijk lichaamsbeweging nodig. Het was trouwens een leuke avond laatst met jou en je moeder. Het eten was heerlijk.'
'Veel lekkerder dan pizza!' Ze keek hem met een grijns aan. Hij had die dag het beste in haar moeder naar boven gebracht, en daarna ook nog. Ze had haar moeder de vorige dag in haar tas zien rommelen, en ze had er uiteindelijk een oude lipstick uitgehaald en wat opgedaan voor ze naar de stad ging. Dit deed Pip beseffen hoe lang het geleden was dat ze lippenstift op had gehad. En het deed haar goed te zien dat ze beter werd. Het was een goede zomer geweest in Safe Harbour. 'Ik vind je nieu-

we schilderij mooi,' zei ze tegen Matt. Hij had een tekening gemaakt van een vrouw op het strand met een gekwelde uitdrukking op haar gezicht. Ze keek uit over de zee, alsof ze daar iemand verloren had. Het had een angstige, ongemakkelijke sfeer, bijna tragisch. 'Het ziet er wel erg treurig uit, maar die vrouw is mooi. Is dat mijn moeder?'

'Een beetje misschien. Je moeder heeft me mogelijk geïnspireerd, maar dit is gewoon een vrouw. Het gaat meer over een denkproces en een gevoel dan over een bepaald iemand. Het is een beetje in de geest van een schilder die Wyeth heet.' Pip knikte ernstig; ze begreep heel goed wat hij zei. Ze genoot altijd van hun gesprekken, vooral als het over zijn schilderijen ging. Een paar minuten later ging ze vlakbij zitten met haar eigen schetsblok en potloden. Ze vond het fijn naast hem te zitten.

De uren vlogen weer voorbij, en ze vonden het jammer dat ze aan het eind van de middag weer afscheid moesten nemen. Hij wilde daar wel eeuwig met haar zitten.

'Wat doen je moeder en jij vanavond?' vroeg hij langs zijn neus weg. 'Ik was van plan haar op te bellen om te vragen of jullie mee willen naar het dorp om ergens een hamburger te eten. Ik zou best voor jullie willen koken, maar ik ben een waardeloze kok en mijn diepvriespizza's zijn op.' Pip moest lachen omdat hij blijkbaar hetzelfde soort dingen at als zij.

'Ik zal het aan mijn moeder vragen als ik thuis ben, en dan zal ik zeggen dat ze jou moet bellen.'

'Ik wacht tot je thuis bent, dan bel ik haar.' Maar toen ze opstond en hij haar zag weglopen over het strand, zag hij dat ze hinkte, en riep haar na. 'Pip!' Ze draaide zich om en hij wenkte haar terug. Het was een heel eind lopen voor iemand bij wie zojuist hechtingen waren verwijderd, en de gympen hadden geschuurd op de plek van het litteken. Ze liep langzaam naar hem terug, terwijl hij haar wenkte. 'Ik breng je met de auto naar huis. Die voet lijkt nog niet helemaal in orde.'

'Het gaat best,' zei ze dapper, maar hij maakte zich nu geen zorgen meer over haar moeder.

'Je moet hem niet te zwaar belasten, anders kun je morgen niet terugkomen.'

Daar zat wat in, en ze volgde hem gedwee over het duin naar

de plek achter zijn huisje waar zijn auto stond. Vijf minuten later was hij bij haar huis. Hij stapte niet uit de auto, maar Ophélie zag hem door het keukenraam en kwam naar buiten om hem te begroeten.
'Ze liep mank,' zei hij ter verklaring. 'Ik nam aan dat je het niet erg zou vinden als ik haar met de auto thuisbracht.' Hij keek haar met een ontspannen glimlach aan.
'Natuurlijk niet. Het was lief van je om dat te doen. Bedankt, Matt. Hoe gaat het?'
'Prima. Ik was van plan je te bellen. Kan ik jullie beiden verleiden om vanavond in het dorp te gaan eten? Hamburgers en indigestie toe. Of misschien niet, als we geluk hebben.'
'Dat klinkt goed.' Ze had er nog niet over nagedacht wat ze zou koken. Haar stemming was wel wat verbeterd, maar haar interesse in culinaire zaken niet. Ze had echt het uiterste uit de kast gehaald op de avond dat hij was komen eten. 'Maar is dat niet te veel moeite?' Het leven aan het strand was erg gemakkelijk en ongedwongen, de maaltijden waren nooit formeel en leken ook niet belangrijk. De meeste mensen maakten alles klaar op de barbecue, maar daar was Ophélie niet zo handig in.
'Ik zou het erg leuk vinden,' zei Matt. 'Is zeven uur een goede tijd?'
'Uitstekend. Dank je.' Hij reed wuivend weg en was precies op tijd terug, twee uur later. Pip had op aandringen van haar moeder haar haar gewassen om het zand eruit te krijgen, en ook Ophélies haar zag er mooi uit. Het hing in lange, zachte golven en een paar sierlijke krullen tot onder haar schouders. En als symbool van haar langzaam terugkerende levenslust had ze lippenstift opgedaan. Dat vond Pip fijn.
Ze gingen eten in een van de twee restaurants die het dorp rijk was, de Lobster Pot, en ze aten alledrie schelpdierensoep en kreeft. Ze hadden eensgezind besloten er een echt feestmaal van te maken en de hamburgers te vergeten, en toen ze weer buiten kwamen, klaagden ze alle drie dat ze zich nauwelijks meer konden bewegen. Maar het was een leuke avond geweest. Er werden geen serieuze onderwerpen aangesneden; ze wisselden grappige verhalen en flauwe moppen uit en lachten veel. Ophé-

lie vroeg Matt of hij naderhand nog even binnenkwam, maar hij bleef maar een paar minuten. Hij zei dat hij nog iets te doen had. En toen hij weg was en Ophélie weer tegen Pip zei hoe aardig hij was, keek ze haar moeder met een schalkse grijns aan.

'Vind je hem leuk, mam? Je weet wel wat ik bedoel... als man?'

Ophélie keek onthutst over deze vraag, maar schudde toen glimlachend haar hoofd.

'Je vader was voor mij de enige man. Ik kan me niet voorstellen dat ik ooit met een ander zou zijn.' Dit had ze ook in de groep gezegd, en sommige anderen hadden daar vraagtekens bij gezet, maar dat durfde Pip niet. Ze was teleurgesteld dit te horen. Ze vond Matt erg aardig. En ze wilde haar moeder niet boos maken, maar haar vader was niet altijd aardig voor haar geweest. Hij schold haar vaak uit, en deed soms heel gemeen tegen haar, vooral wanneer ze ruzie hadden over Chad of over andere dingen. Ze hield van haar vader, dat zou altijd zo blijven, maar ze vond Matt veel aardiger en prettiger in de omgang.

'Maar Matt is echt aardig, vind je ook niet?' vroeg ze hoopvol.

'Ja, dat vind ik ook.' Ophélie glimlachte weer; ze vond het grappig dat Pip haar aan Matt probeerde te koppelen, maar het was duidelijk dat Pip verkikkerd op hem was, of hem op zijn minst als een held vereerde. 'Ik hoop dat hij een goede vriend voor ons wordt. Het zou leuk zijn hem te blijven zien wanneer we hier weg zijn.'

'Hij zei dat hij bij ons in de stad op bezoek zou komen. En hij gaat met me mee naar het etentje voor vaders en dochters op school. Weet je nog wel?'

'Ja, ik weet het nog.' Ze hoopte alleen dat hij het ook zou dóén. Ted was daar nooit zo sterk in geweest. Hij vond het vreselijk om naar de sportevenementen van zijn kinderen te gaan, of naar alles wat op hun school te doen was. Het was niets voor hem, al deed hij het wel wanneer hij er niet onderuit kon. 'Maar hij zal het waarschijnlijk best druk hebben, Pip.' Dit waren dezelfde uitvluchten die ze altijd voor Ted had verzonnen, en die zijn kinderen afschuwelijk vonden om te horen. Er was altijd wel een excuus waarom hij er niet kon zijn voor hen.

'Hij zei dat hij zeker zou komen,' zei Pip fel. Ze keek haar moeder aan met grote ogen vol vertrouwen, en Ophélie hoopte maar dat ze niet teleurgesteld zou worden. Het was op dit moment niet mogelijk te weten of hun vriendschap duurzaam zou zijn, maar ze hoopte het wel.

9

Andrea kwam nog een keer bij hen op bezoek, twee weken voor ze van het strand vertrokken. De baby jengelde en was weer verkouden, en ze zei dat hij tandjes kreeg. Ditmaal ging hij telkens huilen wanneer Pip hem vasthield. Hij wilde zijn mammie, niemand anders. Dus na een poos ging Pip het strand op. Ze ging die dag poseren voor Matt. Hij wilde flink wat tekeningen van haar hebben voor het portret dat hij had beloofd te maken als cadeau voor Ophélie.

'Is er nog wat gebeurd?' vroeg Andrea toen de baby eindelijk in slaap viel.

'Niet veel,' zei Ophélie. Ze zat met een ontspannen gezicht in de zon. De laatste gouden dagen van de zomer waren begonnen, en ze genoten van hun laatste dagen aan het strand. Andrea vond dat Ophélie er beter uitzag dan ze er in maanden had uitgezien. De drie maanden in Safe Harbour hadden haar enorm goedgedaan. Ze vond het jammer haar terug te zien gaan naar de stad en naar de treurige herinneringen in haar huis.

'Hoe staat het met de kinderverkrachter?' vroeg Andrea langs haar neus weg. Ze wist dat ze uiteindelijk vriendschap met hem hadden gesloten, en ze was nog steeds nieuwsgierig naar hem. Ze had hem nog niet gezien. En uit de beschrijving van Pip kwam hij naar voren als een stuk. Ophélie had heel weinig gezegd, wat Andrea verdacht vond. Toch zag Andrea niets heimelijks in haar ogen. Geen betovering. Geen zorgvuldig verborgen agenda. Geen schuld. Ze zag er heel ontspannen uit.

'Hij kan erg goed met Pip opschieten. We zijn laatst met hem uit eten geweest.'

'Dat is vreemd voor een man zonder kinderen,' vond Andrea.

'Hij heeft twee kinderen.'

'Dan kan het kloppen. Heb je hen ook ontmoet?'
'Ze wonen in Nieuw-Zeeland, bij zijn ex-vrouw.'
'Sjonge. Hoe komt dat zo? Haat hij haar? Hoe groot is de schade?' Ze was deskundig op dat gebied en had intussen zowat alles gezien. Mannen die bedrogen waren, bestolen, in de steek gelaten, belogen, belazerd, verlaten, en die daarna elke vrouw in hun leven haatten. Om maar niet te spreken van de mannen die seksueel in de war waren, die nog een relatie hadden, die een volmaakte echtgenote hadden verloren, mannen van middelbare leeftijd die nooit getrouwd waren geweest, en mannen die vergaten te zeggen dat ze nog getrouwd waren. Oudere mannen, jongere mannen, mannen van haar eigen leeftijd. Andrea had ze allemaal gehad. En ze was bereid over een paar grenzen heen te gaan wanneer ze een man vond die ze wel zag zitten. Ook al waren ze beschadigd, soms waren ze toch een tijdlang leuk. Ze vond het alleen wel prettig te weten wat de schade was.
'Ik zou zeggen dat er best een flinke schade is,' zei Ophélie eerlijk, 'en dat vind ik jammer voor hem. Maar het gaat mij niet aan. Hij is nogal beroerd behandeld door zijn ex-vrouw. Ze is er met zijn beste vriend vandoor gegaan en is met hem getrouwd. Ze heeft Matt gedwongen zijn bedrijf te verkopen en ze schijnt ervoor te hebben gezorgd dat hij geen contact meer heeft met zijn kinderen.'
'O, mijn god, wat heeft ze nog meer gedaan? Zijn banden doorgesneden en zijn auto in brand gestoken? Wat was er nog over?'
'Niet veel, zo te horen. Hij heeft veel geld gekregen voor hun reclamebureau, denk ik, maar ik geloof niet dat hij daar veel om geeft.'
'Dat verklaart in elk geval waarom hij zo aardig deed tegen Pip. Hij mist zijn kinderen natuurlijk.'
'Dat is ook zo,' zei Ophélie. Ze dacht aan de dingen die ze besproken hadden op de avond dat hij bij haar was komen eten. Dat had haar beslist diep geraakt.
'Hoe lang geleden is hij gescheiden?' Andrea had een klinische uitdrukking op haar gezicht, en Ophélie begon te lachen.
'Een jaar of tien geleden, geloof ik. Ongeveer. Hij heeft zijn kinderen zes jaar niet gezien, en ook niets van hen gehoord. Ze hebben met hem gebroken.'

'Dan is hij misschien toch een kinderverkrachter. Of zijn ex is een heel speciaal type. Dat lijkt me waarschijnlijker. Heeft hij daarna nog een serieuze relatie gehad?'
'Eén. Die vrouw wilde trouwen en kinderen krijgen. Dat wilde hij niet. Ik denk dat hij te gekwetst is om het nog eens te proberen, en dat kan ik hem niet kwalijk nemen. Wat hij vertelt, is echt te erg voor woorden.'
'Vergeet het maar,' zei Andrea op zakelijke toon. Ze schudde haar hoofd. 'Vertrouw op mij. Te veel ballast. Aan deze man zul je niets hebben.'
'Wel als vriend,' zei Ophélie kalm. Ze wilde niets van Matt behalve zijn vriendschap. Zij wilde evenmin een relatie als hij. Ze had Ted, in haar hoofd en in haar hart. Ze wilde niemand anders.
'Je hebt geen vriend nodig,' zei Andrea nuchter. 'Je hebt mij al. Je moet een man in je leven hebben. En deze is te veel beschadigd. Ik heb zulke kerels meegemaakt. Ze krijgen de boel nooit meer op een rijtje. Hoe oud is hij?'
'Zevenenveertig.'
'Jammer. Maar ik zeg het je: het zou maar tijdverspilling zijn.'
'Ik verspil niets,' zei Ophélie met een kalme vastberadenheid. 'Ik wil geen man in mijn leven. Nu niet en nooit meer. Ik had Ted. Ik wil geen ander.'
'Je had problemen met hem, Ophélie, dat weet je best. Ik wil geen nare herinneringen oproepen, maar er was een jaar of tien geleden toch een klein incident, als je er even over nadenkt...'
Ze keken elkaar in de ogen en Ophélie wendde haar blik af.
'Dat was één keer. Het was een ongelukje. Een vergissing. Hij heeft het nooit meer gedaan.'
'Dat weet je niet. Misschien heeft hij het wel gedaan. Het doet er trouwens niet toe of hij het gedaan heeft of niet. Hij was geen heilige, hij was een man. Een heel, heel moeilijke man die het jou soms niet gemakkelijk heeft gemaakt, bijvoorbeeld met Chad. Alles draaide om hem. Jij bent de enige vrouw die ik ken die het zo lang met hem had kunnen volhouden. Hij was een genie, dat geef ik toe, maar hoe ik ook op hem gesteld was, en hoeveel jij ook van hem hield, soms was hij een rotzak. De enige voor wie hij echt wat voelde was hijzelf. Hij was niet bepaald een geschenk.'

'Voor mij was hij wel een geschenk,' zei Ophélie koppig. Ze was ontsteld over wat Andrea had gezegd, of het nu waar was of niet. Hij was moeilijk geweest, maar mannen van zijn kaliber, geniale mannen, hadden het recht om moeilijk te zijn, zo dacht zij er tenminste over. Andrea was het niet met haar eens. 'Ik heb twintig jaar lang van hem gehouden. Dat zal niet opeens veranderen, en ook niet op den duur.'
'Misschien niet. En ik weet dat hij op zijn manier ook van jou hield,' zei Andrea zacht, bang dat ze te ver was gegaan. Maar Andrea ontzag haar vriendin niet, dat had ze nooit gedaan. Bovendien vond Andrea dat Ophélie zich nu van Ted en van haar misvattingen over hem moest bevrijden om verder te kunnen met haar leven. Ophélie en Ted hadden in de loop van de jaren de nodige geschillen gehad, en het incident waarop ze had gezinspeeld, dat volgens Ophélie een 'vergissing' was geweest, was een verhouding die hij in een zomer had gehad terwijl Ophélie en de kinderen in Frankrijk waren. En dat was een doffe ellende geweest. Om die vrouw was hij bijna bij Ophélie weggegaan, en ze was diep ongelukkig geweest. Andrea was er nooit achter gekomen of het daarna nog wel helemaal hetzelfde was geworden tussen hen. Dat was moeilijk te zeggen. Daarna was Chad ziek geworden, en ging het sowieso slechter tussen hen. Maar die verhouding was natuurlijk niet bevorderlijk geweest voor een goede relatie. Ondanks het feit dat Ophélie bereid was geweest het hem te vergeven. Het was een vrijheid die hij niet alleen had genomen, maar die hij zichzelf had toegestaan. Ted had op elk gebied het gevoel gehad dat hij het recht had om te doen wat hij wilde.
'Waar het nu om gaat is niet hoe goed of slecht hij was, maar dat hij er niet meer is. Hij zal nooit terugkomen. Jij bent hier, hij niet. Je mag alle tijd nemen die je nodig hebt om te herstellen, maar je mag niet altijd alleen blijven.'
'Waarom niet?' Ophélie vroeg het met een treurige uitdrukking op haar gezicht. Ze wilde geen nieuwe man in haar leven. Ze was gewend aan Ted. Het was ook het vertrouwde van het samenzijn met hem. Ze kon zich niet eens indenken dat ze iets met een andere man zou hebben. Ze was met hem samen geweest sinds haar tweeëntwintigste, en sinds haar vierentwin-

tigste was ze met hem getrouwd geweest. Nu was ze tweeënveertig en ze kon zich in de verste verte niet voorstellen dat ze weer helemaal opnieuw zou beginnen. Ze wilde het niet. Het was gemakkelijker om alleen te zijn. Dat was ook Matts conclusie. Ze waren allebei gewond, dat hadden ze met elkaar gemeen.

'Je bent te jong om alleen te blijven,' zei Andrea zacht. Zij was de stem van de rede, en van de toekomst. Ophélie klampte zich hardnekkig vast aan het verleden. En in sommige opzichten had dat verleden nooit bestaan, behalve in haar hart en haar verbeelding. 'Je zult het toch eens los moeten laten. Misschien niet nu. Maar vroeg of laat wel. Je bent pas op de helft van je leven. Je moet er toch niet aan denken dat je altijd alleen zult blijven. Dat is belachelijk en het is doodzonde.'

'Niet als ik het wil,' zei Ophélie koppig.

'Je wilt het niet. Niemand wil dat. Het doet pijn om weer op zoek te gaan, en dat wil je niet. Ik kan het je niet kwalijk nemen. Het is geen pretje, dat zoeken. Ik ben er mijn hele volwassen leven mee bezig geweest. Het is afschuwelijk. Maar toch zal er ooit iemand komen. Een goede vent. Misschien zelfs beter dan Ted.'

Er was niemand beter dan Ted volgens Ophélie, maar ze ging er niet over in discussie met Andrea. 'Ik denk alleen niet dat je kinderverkrachter het antwoord is. Naar wat ik hoor, is hij behoorlijk in de war, of misschien is hij alleen verneukt. Hoe het ook zij, volgens mij is hij niet de man die je nodig hebt, behalve als vriend. Wat dat betreft, heb je volgens mij gelijk. Maar dat betekent dat je toch ooit iemand anders moet zoeken.'

'Ik zal je laten weten wanneer ik eraan toe ben, dan mag je mijn naam op de muren van toiletten schrijven, of flyers uitdelen. Er zit in mijn groep trouwens een man die dolgraag wil hertrouwen. Misschien is hij wel de geschikte figuur.'

'Er zijn wel vreemdere dingen gebeurd. Weduwen ontmoeten mannen op een cruise, of tijdens een schildercursus, of in een rouwgroep. Je zou in elk geval veel met hem gemeen hebben. Hoe heet hij?'

'Meneer Feigenbaum. Hij is een slager met pensioen, hij houdt van opera en toneel, hij is een amateur-kok, hij heeft vier volwassen kinderen en hij is drieëntachtig.'

'Prachtig.' Andrea grijnsde. 'Die is voor mij. Ik merk wel dat je dit niet serieus neemt.'
'Nee, dat is waar, maar ik waardeer het dat je zo bezorgd bent.'
'Dit is nog niets. Ik blijf je achter de vodden zitten.'
'Dat,' zei Ophélie met een op zijn Frans opgetrokken wenkbrauw, 'geloof ik graag.' Hierop werd de baby krijsend wakker.
Terwijl zij op het terras zaten te kletsen was Matt ver weg op het strand bezig Pip zorgvuldig te tekenen. Hij schoot ook twee rolletjes zwartwitfilm vol. Hij verheugde zich erop haar portret te schilderen en had haar beloofd dat het op tijd af zou zijn voor de verjaardag van haar moeder, en waarschijnlijk al veel eerder.
'Ik zal je missen wanneer we hier weggaan,' zei Pip treurig nadat hij de foto's had genomen. Ze vond het heerlijk om hier bij hem te komen zitten en urenlang te praten en te tekenen. Hij was haar beste vriend geworden.
'Ik zal jou ook missen.' Hij meende het. 'Ik kom jou en je moeder in de stad opzoeken. Maar als je weer naar school gaat, zul je het druk hebben met je vriendinnetjes.' Haar leven zou veel gevulder zijn dan het zijne, dat wist hij. Het was onthutsend te beseffen hoe hij erop was gaan rekenen haar bijna dagelijks te zien. Ze had hem een groot deel van de zomer gezelschap gehouden.
'Dat is iets heel anders,' zei Pip berispend. Hun vriendschap was iets bijzonders, en zij was ook afhankelijk geworden van hem. Hij was haar vertrouweling geworden en haar beste vriend, en in sommige opzichten een vervanging van haar vader. Pip vond zelfs dat hij in veel opzichten aardiger voor haar was dan haar vader was geweest. Haar vader had nooit zoveel tijd aan haar besteed als Matt, en hij was ook niet zo lief voor haar geweest. Of voor haar moeder. Hij was altijd prikkelbaar geweest, en was gauw boos geworden, vooral op haar moeder of Chad, niet zo veel op haar. Omdat Pip altijd omzichtig met hem was omgegaan. Ze was een beetje bang voor hem geweest. Alleen toen ze heel jong was, was hij aardiger voor haar geweest, daar had ze prettige herinneringen aan; de laatste jaren minder. 'Ik zal je heel erg missen,' zei ze, bijna in tranen bij de

gedachte eraan. Ze zou het vreselijk vinden hem hier op het strand achter te laten. En Matt vond het vreselijk haar te zien gaan.
'Ik beloof je dat ik naar je toe zal komen wanneer je maar wilt. Dan kunnen we naar de film gaan, of ergens eten, net waar je zin in hebt, zolang je moeder het maar goed vindt.'
'Zij vindt je ook aardig,' zei Pip. Ze kon het gemakkelijk zeggen, het was geen geheim. Haar moeder had het openlijk gezegd en was het met haar eens geweest dat hij erg aardig was. Gedurende een krankzinnig ogenblik kwam hij in de verleiding te vragen hoe haar vader nu echt was geweest. Ondanks alles wat Ophélie had gezegd kon hij zich van Ted geen duidelijk beeld vormen. Het enige portret dat hij voor zijn geestesoog van de man kon schilderen, was dat van een moeilijke, waarschijnlijk egoïstische tiran, die dan wel een genie was geweest, maar hoogstwaarschijnlijk niet erg aardig voor zijn vrouw. Toch had Ophélie hem duidelijk aanbeden, en praatte ze nu over hem als over een heilige. Maar er waren stukjes van de puzzel die niet leken te passen. Vooral in zijn relatie met zijn zoon. Ook had Matt niet het gevoel dat hij veel tijd aan Pip had besteed; dat had ze bijna zelf gezegd, wanneer ze vertelde over bepaalde dingen die gebeurd waren. En hij had zo te horen ook niet veel tijd aan zijn vrouw besteed. Het was moeilijk om het beeld helder te krijgen. Vooral nu hij dood was; dan waren de nabestaanden over het algemeen geneigd de nare dingen te vergeten en de rest op te hemelen. Maar daar wilde hij Pip niet mee confronteren.
'Wanneer ga je weer naar school?' zei hij ten slotte.
'Over twee weken. De dag nadat we teruggaan.'
'Dan zul je weer een druk leven hebben,' zei hij geruststellend, maar ze bleef treurig kijken.
'Mag ik je af en toe opbellen?' vroeg Pip, en hij glimlachte.
'Dat zou ik heel leuk vinden.' Ze was voor hem een geschenk geweest, en ze had de pijn verzacht op een plek in hem die lang een open wond was geweest. Het leek wel toverij, hoe ze het gapende gat opvulde dat zijn eigen kinderen hadden achtergelaten. En hij deed hetzelfde voor haar. Hij was in sommige opzichten de vader die ze nooit had gehad, en die ze zo

graag had willen hebben. Ted was een heel ander soort beest. Ze ging weg nadat hij zijn spullen had ingepakt, en liep terug over het strand. Andrea ging juist weg toen ze thuiskwam.
'Hoe ging het met Matt?' vroeg haar moeder vriendelijk, terwijl Pip Andrea en de baby een kus gaf ten afscheid.
'Heel goed. Je moet de groeten hebben.'
'Denk om wat ik gezegd heb,' hielp Andrea haar herinneren, en Ophélie lachte.
'Ik zei het toch. Meneer Feigenbaum is het antwoord.'
'Reken daar maar niet op. Zulke mannen trouwen binnen een halfjaar met de zus of de beste vriendin van hun vrouw. Jij zult nog steeds niet besloten hebben wat je gaat doen als hij allang hertrouwd is. Het is jammer dat hij zo oud is.'
'Je bent walgelijk,' zei Ophélie. Ze omhelsde haar vriendin en kuste de baby, en toen gingen ze.
'Wie is meneer Feigenbaum?' vroeg Pip nieuwsgierig. Ze had die naam nog nooit gehoord.
'Iemand in mijn groep. Hij is drieëntachtig en hij zoekt een nieuwe vrouw.'
Pip zette grote ogen op. 'Wil hij met jou trouwen?'
'Nee, dat wil hij niet. En ik wil ook niet met hem trouwen. Dus er is niets aan de hand.' Pip had plotseling de neiging haar te vragen of ze ooit met Matt zou willen trouwen. Zij zou graag willen dat ze dat deed, maar na wat haar moeder kortgeleden had gezegd, wist ze dat er niet veel kans op was. Waarschijnlijk helemaal geen kans. Maar hij had tenminste gezegd dat hij hen in de stad zou komen opzoeken, en ze hoopte echt dat hij dat zou doen.
Toen Pip en haar moeder die avond rustig zaten te eten, zei Pip dat Matt had gezegd dat hij af en toe langs zou komen.
'Hij wilde weten of jij dat goed zou vinden.'
'Ik zou niet weten waarom niet,' zei Ophélie kalm. Hij leek betrouwbaar en had bewezen een vriend te zijn. Ze had er nu geen bezwaar tegen, ook al noemde Andrea hem nog steeds 'de kinderverkrachter', maar daar trok ze zich niets van aan. 'Het lijkt me heel leuk. Misschien wil hij een keer bij ons komen eten.'
'Hij zei dat hij met ons uit eten zou gaan, en naar een film, wanneer hij naar de stad komt.'

'Ja, dat klinkt goed,' zei Ophélie zonder er verder bij na te denken terwijl ze de borden in de vaatwasser plaatste en Pip de tv aanzette. Vriendschap met Matt was niet wat Andrea voor haar wilde, maar het kwam Ophélie goed uit. Hun zomer in Safe Harbour was een succes geweest, en Pip en zij hadden een nieuwe vriend gekregen.

10

Hun laatste week was net begonnen toen Matt Ophélie belde om te vragen of ze met hem wilde gaan zeilen, op een dag met stralend zonnig weer. Ze hadden net twee dagen mist gehad, en iedereen was opgelucht nog een laatste uitbarsting van de zomer te zien. Het bleek zelfs de warmste dag van het jaar te zijn. Het was zo heet dat Pip en Ophélie het allebei te erg vonden en besloten hadden naar binnen te gaan voor de lunch. Ze hadden net hun broodjes op toen Matt belde. Pip keek erg slaperig uit haar ogen. Ze was eigenlijk van plan geweest naar Matt te gaan, maar het was bijna te warm om te lopen en de zon stond brandend aan de hemel. Het zou de eerste dag sinds lange tijd zijn dat ze niet naar hem toe ging. Maar ze dacht ook niet dat hij buiten zou zitten schilderen. Het was een goede dag om te zwemmen of te zeilen, zoals Matt zelf ook zei toen hij Ophélie belde.
'Ik heb het je al weken willen vragen,' zei Matt verontschuldigend. Hij kon niet tegen haar zeggen dat hij het te druk had gehad met het maken van schetsen van Pip voor haar portret. 'Het is zo warm dat ik vanmiddag met de boot wil gaan varen. Zou je zin hebben in een zeiltochtje?' Dat leek haar ook een prima idee. Het was te warm om op het terras of op het strand te zitten, en op de oceaan zou tenminste wat wind staan. Het laatste uur was er wat wind opgestoken, en daardoor was hij op het idee gekomen. Hij had de hele dag in huis gezeten om Pip te tekenen, uit het hoofd, en aan de hand van de foto's en schetsen die hij op het strand van haar had gemaakt.
'Dat lijkt me fantastisch,' zei Ophélie enthousiast. Ze had zijn boot nog altijd niet gezien, hoewel ze wist dat hij er erg op gesteld was en had beloofd haar een keer mee te nemen voor ze wegging. 'Waar ligt je boot?'

'Hij ligt aan een particuliere steiger bij een huis aan de kant van de lagune, vlak bij jullie huis. De eigenaars zijn er nooit en ze hebben geen last van de boot. Ze zeggen dat hij bijdraagt aan het uitzicht wanneer ze er zijn. Ze zijn vorig jaar naar Washington verhuisd. Dat kwam mij goed uit.' Hij gaf haar het huisnummer en zei dat hij haar daar over tien minuten zou treffen. Ze vertelde Pip wat ze ging doen en het verbaasde haar dat Pip ongelukkig keek.

'Zal dat wel goed gaan, mam?' vroeg Pip bezorgd. 'Is het veilig? Hoe groot is die boot?' Ophélie was geroerd toen ze dit hoorde en de uitdrukking in haar ogen zag. Zij had omgekeerd precies hetzelfde gevoel. Alles leek nu onheilspellender, en daarom was ze eerder die zomer zo van streek geweest toen Pip verdwenen was op het strand. Ze hadden nu alleen elkaar nog. En gevaar was geen abstract begrip meer voor hen. Het was reëel. En ze beseften allebei dat de mogelijkheid van een tragische afloop bestond. Daardoor was het leven voor hen beiden voorgoed veranderd. 'Ik wil niet dat je gaat,' zei Pip met een angstig stemmetje, terwijl Ophélie probeerde te beslissen wat ze zou doen. Ze konden toch ook niet eeuwig in angst leven. Misschien was het een goed idee om haar te laten zien dat ze een normaal leven konden leiden en dat er niets vreselijks zou gebeuren. Zelf had ze niet het gevoel dat het gevaarlijk was om met Matt te gaan zeilen. Ze was ervan overtuigd dat hij een kundig zeeman was. Ze hadden veel over zeilen gepraat. En hij had vanaf zijn jongensjaren veel gezeild. Zelf had ze al zeker tien jaar niet meer gezeild, maar ze had er toch ervaring mee, in veel verraderlijker wateren dan hier.

'Liefje, ik denk echt dat het prima zal gaan. Je kunt ons vanaf het terras in het oog houden.' Dit leek Pip niet gerust te stellen; ze zag er eerder naar uit of ze ging huilen. 'Wil je echt niet dat ik ga?' Hier had ze helemaal niet op gerekend toen ze tegen hem zei dat ze mee zou gaan. Ze wilde Amy vragen om te komen. Ze had haar zo-even haar huis zien binnengaan, dus ze wist dat ze thuis was. Anders kon Pip ook een paar uurtjes naar haar toe gaan, als Amy iets anders te doen had.

'Maar als je nou verdrinkt?' vroeg Pip met een gesmoorde stem, en Ophélie ging zitten en trok haar zacht op schoot.

'Ik ga echt niet verdrinken. Ik kan heel goed zwemmen. En Matt ook. Ik zal vragen of hij een zwemvest voor me heeft, als je dat wilt.' Pip dacht hier even over na en knikte toen, gerustgesteld. 'Oké.' Ze keek iets geruster, maar raakte toen weer zichtbaar in paniek. 'Maar als er nou een haai komt die de boot aanvalt?' Ophélie kon niet ontkennen dat er in die wateren wel eens haaien waren gesignaleerd, maar er was er die hele zomer niet één geweest.
'Je hebt te veel televisie gekeken. Ik beloof je dat er niets zal gebeuren. Je kunt naar ons kijken. Ik wil alleen een tijdje met hem gaan varen. Wil je soms met ons mee?' Ophélie had eigenlijk niet gewild dat ze meeging, om een aantal van dezelfde redenen, maar dat leek nu een beetje raar. Pip was trouwens niet zo dol op het water. Ze wilde haar niet bang maken. Zeilboten waren iets voor haar, niet voor haar dochter. Pip schudde haar hoofd zodra haar moeder het haar vroeg. 'Weet je wat? Ik zal tegen Matt zeggen dat ik over een uur terug wil zijn. Het is prachtig weer en we zullen terug zijn voor je het weet. Hoe lijkt je dat?'
'Nou, goed dan.' Ze keek er ongelukkig bij en Ophélie voelde zich schuldig. Maar ze wilde echt graag met hem zeilen en zijn boot zien, al was het maar een paar minuten. Ze was in tweestrijd, maar het begon belangrijk te lijken dat ze aan Pip bewees dat ze kon weggaan en terugkomen zonder dat er iets akeligs gebeurde. Dat zou het genezingsproces bij haar bevorderen.
Ze ging een short aantrekken over een badpak, en belde Amy om te vragen of ze op Pip wilde komen passen. De tiener had beloofd dat ze er over een paar minuten zou zijn, en toen Ophélie klaar was om weg te gaan, was ze er. Maar voordat haar moeder wegging, sloeg Pip haar armen om haar heen en drukte haar tegen zich aan. Hierdoor besefte Ophélie hoe hard de dood van haar vader en haar broer bij Pip was aangekomen. Ze had nog nooit zo gedaan. Maar Ophélie was ook nog nooit ergens heen gegaan. Ze had de afgelopen tien maanden voornamelijk huilend op bed gelegen.
'Ik kom gauw terug, dat beloof ik. Als het niet te warm is, kun je vanaf het terras naar ons kijken. Goed?' Ze kuste Pip en liep

vervolgens zo vlug als ze kon naar buiten, terwijl Mousse erbij stond te kwispelen. Ophélie liep nadenkend de weg af naar het huis waar Matt zijn boot had liggen. Zijn auto stond er al. Even later zag ze hem; hij was bezig wat spullen aan boord te brengen. Het was een mooi zeilbootje, in onberispelijke staat. Het was goed te zien met hoeveel liefde hij zijn boot onderhield. Alles aan dek was gelakt, het koper blonk en de huid was dat voorjaar wit geschilderd. De boot had één mast van twaalf meter, met een grootzeil en een fok, en tamelijk veel zeil voor een bootje van deze grootte. Het had een korte boegspriet waardoor het langer leek dan negen meter, een kleine motor en een kleine kajuit die zo laag was dat Matt er niet rechtop kon staan. Hij heette *Nessie II*, naar de dochter die hij in zes jaar niet had gezien. Het elegante zeilbootje was een juweel, en Ophélie stond er vanaf de steiger met een bewonderende glimlach naar te kijken. 'Het is een schoonheid, Matt.' Ze meende het woord voor woord en popelde om met hem te gaan zeilen.
'Ja, hè?' Hij keek aangenaam getroffen. 'Ik wilde echt dat je hem zag voor je wegging.' En ermee zeilen was nog beter. Hij wilde graag vertrekken. Ophélie trok haar sandalen uit en hij hielp haar aan boord. Hij startte de motor en ze hielp hem de lijnen los te maken van de steiger. Even later voeren ze met een flink vaartje door de lagune in de richting van de oceaan. Het was een volmaakte dag voor een zeiltochtje.
'Wat een mooie boot!' zei Ophélie weer; ze bewonderde alle details die hij in zijn vrije tijd met zoveel liefde verzorgde. Het mooie zeilbootje was een van de dingen die vreugde brachten in zijn leven, en hij vond het fijn haar erin te laten delen. 'Wanneer is hij gebouwd?' vroeg Ophélie belangstellend toen ze de monding van de lagune bereikten. Hij voer de oceaan op en zette de motor uit toen ze voelden dat de wind krachtiger werd. Ophélie liet even de heerlijke stilte van de zeilboot tot zich doordringen. Ze voelden de zee onder hen en de wind boven hen terwijl hij het zeil hees. Hij kon de boot gemakkelijk in zijn eentje besturen, maar Ophélie begon hem al te helpen zonder dat hij het vroeg.
'Hij is in 1936 gebouwd,' zei hij trots. 'Ik heb hem inmiddels een jaar of acht. Ik heb hem gekocht van een man die hem sinds

vlak na de oorlog heeft gehad. Hij was in goede staat, maar ik heb er nog een heleboel restauratiewerk aan gedaan.'
'Het is een juweel,' zei Ophélie. Toen herinnerde ze zich wat ze Pip had beloofd. Ze stak haar hoofd in de kajuit en pakte een zwemvest dat daar aan een haak hing. Matt keek lichtelijk verbaasd toen hij zag dat ze het aantrok. Ze had hem verteld dat ze goed kon zwemmen, en dat ze van zeilen hield. 'Ik heb het Pip beloofd,' zei ze als antwoord op de vraag in zijn ogen. En hij knikte, terwijl de wind vat kreeg op de zeilen en ze vooruit schoten. Het was een verrukkelijk gevoel, zo sierlijk als de zeilboot de golven doorkliefde. Ze keken elkaar aan met de lange, trage glimlach van twee zeilers die samen genieten van een volmaakte dag in de boot.
'Vind je het erg als we wat verder de zee op gaan?' vroeg hij, en Ophélie schudde haar hoofd; ze keek helemaal verzaligd. Ze vond het helemaal niet erg, dat ze het strand en de rij huizen erlangs ver achter zich lieten. Ze vroeg zich af of Pip naar hen zat te kijken en hoopte van wel. Het was vast een mooi gezicht. Maar toen ze naast hem zat terwijl hij het roer vasthield, vertelde Ophélie hem hoe Pip had gereageerd voor ze wegging.
'Ik had me geloof ik niet gerealiseerd hoe bezorgd ze is geworden sinds...' Ze maakte de zin niet af, en hij begreep het, terwijl Ophélie haar gezicht naar de zon wendde en haar ogen sloot. Hij wist eigenlijk niet wat mooier was om te zien, zijn geliefde zeilboot of de vrouw naast hem.
Ze voeren een hele tijd zwijgend verder tot het strand nagenoeg uit het gezicht verdwenen was. Ze had Pip beloofd dat ze niet lang weg zouden blijven, maar het was te verleidelijk gewoon maar weg te varen en de wereld achter te laten. Ze was bijna vergeten hoe ontspannend het was om op een mooie boot te varen. Ze wist niets anders dat zo rustgevend was. Ze vond het ook helemaal niet erg dat de wind aanwakkerde. Hij zag tot zijn genoegen dat ze echt kon zeilen, en dat ze ervan genoot, zoals hij had gehoopt. Even wilde ze wel dat ze voorgoed weg konden varen, dat ze nooit terug hoefden. Het gevoel van vrijheid en rust was zo bijzonder. Ze had zich in jaren niet zo gelukkig of tevreden gevoeld, en het was fijn dit samen met hem te beleven.

Ze passeerden een aantal vissersbootjes en wuifden ernaar, en in de verte aan de horizon zagen ze een vrachtschip op weg naar de haven. Ze voeren in de richting van de Farallones toen Matt opzij boog en ergens naar leek te kijken. Ophélie keek in dezelfde richting maar zag niets. Ze vroeg zich af of hij een zeehond of een grote vis had gezien, hopelijk geen haai. Hij gaf het roer aan haar over, ging de kajuit in, pakte een verrekijker en kwam weer naar boven. Met gefronst voorhoofd keek hij door de kijker.

'Wat is er?' Ze was niet bezorgd, alleen nieuwsgierig. Kon ze dat onhandige zwemvest maar uitdoen, maar ze had het Pip beloofd en ze wilde woord houden, uit principe, niet omdat het nodig was.

'Ik dacht daarnet dat ik iets zag,' antwoordde hij. 'Maar ik geloof dat het niets is.' De golven waren iets hoger geworden, wat haar niet stoorde, maar daardoor was het moeilijker om iets te zien. Ze was haar hele leven nog nooit zeeziek geweest; ze hield van de beweging van de boot, ook al was het ruw weer.

'Wat dacht je te zien?' vroeg ze belangstellend. Hij was weer naast haar komen zitten. Hij dacht erover terug te gaan; ze waren een heel eind uit de kust, en hadden al meer dan een uur, bijna twee uur gevaren met een stevige wind in de rug.

'Ik weet niet... het zag eruit als een surfplank, maar daarvoor is het te ver uit de kust, behalve als hij van een boot is gevallen.' Ze knikte, en hij verstelde de zeilen, en juist toen ze de steven wendden, zag zij het ook, ze riep hem iets toe tegen de wind in en wees. Ze pakte de verrekijker en dit keer zag ze niet alleen de plank, maar ook iemand die zich eraan vastklampte. Ze zwaaide wild naar Matt en hij nam vlug de kijker van haar over, knikte, en samen streken ze de zeilen en hij startte de motor en ging zo snel mogelijk op weg naar wat ze gezien hadden. Het strijken van de zeilen in deze pittige wind was minder gemakkelijk dan het eruitzag.

Het kostte een paar minuten om bij de plank te komen, en toen ze er waren, zagen ze dat de man die zich eraan vastklampte, eigenlijk nog maar een jongen was. Hij was bijna buiten bewustzijn, zijn gezicht zag grauw en zijn lippen waren blauw. Het was onmogelijk te raden waar hij vandaan kwam of hoe lang hij al hier was. Het was vele kilometers uit de kust. Ophélie hielp Matt de boot op zijn plaats te houden terwijl hij in de kajuit verdween om een eind stevig touw te halen. Het water werd ruwer en Ophélie voelde haar keel dichtsnoeren toen ze besefte hoe moeilijk het zou worden de jongen in de boot te krijgen. Hem uit het water trekken zou al een herculische prestatie zijn, maar het zou nog moeilijker zijn om eerst het touw om hem heen te krijgen. Toen ze hem naderden, zagen ze dat hij heftig beefde, en hij keek hen aan met wanhoop in zijn ogen.

'Hou vast!' riep Matt hem toe. Hij besefte dat ze het touw niet om hem heen konden doen zolang hij zich aan de plank vastklampte, maar als hij losliet, zou hij misschien verdrinken. Hij had een ingekorte wetsuit aan, die vermoedelijk tot nu toe zijn leven had gered. Terwijl Ophélie met een vuistgroot brok in haar keel naar hem keek, schatte ze zijn leeftijd op een jaar of zestien, even oud als Chad. Ze kon aan niets anders denken dan dat er ergens een vrouw was die op het punt stond haar zoon te verliezen en onnoemelijk veel verdriet te krijgen. Ze zag ook niet hoe ze hem konden redden. Matt had een kleine radio aan boord, maar behalve het vrachtschip, dat kilometers van hen verwijderd was, waren er geen boten te zien, en zelfs de kustwacht zou er te lang over doen om hier te komen. Ze moesten hem zelf redden, wilde hij in leven blijven. Ze konden ook niet nagaan hoe erg hij eraan toe was, of hoe lang hij al in het water had gelegen. Het was voor hen allebei duidelijk dat ze niet veel tijd hadden. Matt pakte nog een zwemvest uit de kajuit en stelde een vraag aan Ophélie voor hij in het water dook. 'Kun je de boot zo nodig zelf terug varen?' Ze knikte zonder te aarzelen. Ze had als jong meisje jarenlang alleen gezeild in Bretagne, vaak in ruw weer, en in veel moeilijker omstandigheden dan deze. Maar hij vond dat hij dit moest weten voor hij haar alleen aan boord achterliet.

Matt maakte een lus in het touw en nam het mee toen hij in het water dook, en de jongen greep zich instinctief aan hem vast, zodat Matt bijna verdronk terwijl hij worstelde om het touw om de jongen heen te krijgen. Het lukte op de een of andere manier om achter hem te komen terwijl de jongen zwak-

jes met zijn armen maaide, en Ophélie het angstige tafereel gadesloeg. Het leek een eeuwigheid te duren voor Matt het touw onder zijn armen door wist te krijgen en hem kon terugslepen naar de boot. Nu zag ze hoe sterk Matt was, hij leverde een onmenselijke inspanning, en toen hij de boot naderde met de jongen, riep hij haar iets toe, en ze begreep het. Hij wierp het uiteinde van het touw omhoog naar haar, en ze wist het op wonderbaarlijke wijze te vangen en maakte het vast aan de lier. Ze wist wat ze moest doen. De enige vraag was nu of ze het kon, en hen beiden kon redden. Ze had er vijf pogingen voor nodig en begon al in paniek te raken toen het touw eindelijk pakte en de lier de jongen langzaam omhoogtrok. Hij had nauwelijks meer genoeg kracht om zich vast te houden, maar dat hoefde ook niet, het touw hield hem onder zijn armen door vast, en ze ving hem op toen hij bijna levenloos op het dek neerviel. Hij was nauwelijks bij bewustzijn en beefde heftig; ze keek weer naar Matt, maakte het touw los rond de jongen en gooide het Matt toe.
Ondanks het woelige water ving hij het moeiteloos op en de lier hees hem omhoog. Het leek een wonder dat het gelukt was, dat ze allebei uit het water in de boot waren gekomen. Toen Matt de situatie bekeek, besloot hij dat het sneller zou zijn om terug te zeilen. De wind was gedraaid en sterk aangewakkerd, dus hij dacht dat hij de kust sneller zou bereiken door te zeilen. Hij hees de zeilen weer, terwijl zij een deken uit de kajuit haalde en er de jongen mee bedekte, terwijl hij haar aankeek met stervende ogen. Ze kende die blik, want ze had hem twee keer gezien bij Chad toen hij een zelfmoordpoging had gedaan. Maar ze zwoer hartgrondig dat ze dit kind zou redden. Hij was kennelijk op zijn surfplank de zee opgegaan en was weggedreven, waarschijnlijk op de getijdenstroom, en was zo ver afgedreven dat hij onmogelijk terug had kunnen komen. Een wonder had hen precies op het goede moment op de juiste plek gebracht. Matt voer met een doelbewuste uitdrukking op zijn gezicht in de richting van de kust, en even later riep hij haar toe dat er een fles cognac in de kajuit stond en dat ze de jongen daar wat van moest geven. Maar Ophélie schudde meteen haar hoofd, wat hij niet begreep. Hij zei het nog eens, omdat

hij dacht dat ze het niet had gehoord. Omdat ze niet wist wat ze anders kon doen, kroop ze onder de deken bij de bibberende jongen en hield hem tegen zich aan in de hoop dat haar eigen lichaamswarmte zou helpen hem in leven te houden tot ze de kust bereikten. Toen wees Matt naar het roer en ging in de kajuit naar de radio. Hij kon de kustwacht sneller bereiken dan hij had verwacht, en vertelde dat hij een medisch noodgeval aan boord had en dat hij op weg was naar de wal. Hij dacht dat hij al aan land zou zijn voor ze bij hem konden komen, en vroeg of ze ervoor konden zorgen dat er op de wal een ambulance klaar zou staan, of hem zo mogelijk per schip konden inhalen. Ze waren halverwege de kust toen de wind begon af te nemen, en hij streek de zeilen weer en startte nogmaals de motor. Nu was het nog maar een recht stuk naar het strand, en het land was duidelijk te zien. Matt keek ingespannen voor zich, en wierp af en toe een blik op Ophélie met de jongen in haar armen. Hij was de laatste twintig minuten buiten bewustzijn geweest en zag eruit alsof hij bijna dood was. Ophélies gezicht was bleek.

'Gaat het wel?' riep hij haar toe, en ze knikte, maar het was voor haar een situatie die ze maar al te goed kende en die haar pijnlijk aan Chad herinnerde. Ze wilde nu niets anders dan deze jongen redden zodat zijn moeder niet hetzelfde zou moeten doormaken als zij. 'Hoe is het met hem?'

'Hij leeft nog.' Ze hield hem tegen zich aan gedrukt, en was zelf doornat onder de deken, maar dat deerde haar niet; ze merkte het niet eens. De zon brandde op hen en hun ontspannen zeiltochtje was een race tegen de dood geworden.

'Waarom heb je hem geen cognac gegeven?' vroeg Matt terwijl hij probeerde de motor sneller te laten lopen. Hij had de boot nog nooit zo zwaar belast, dat was ook nooit nodig geweest, maar hij deed het nog steeds prima.

'Het zou zijn dood hebben betekend,' zei ze met een radeloze uitdrukking op haar gezicht. De jongen was slap en koud in haar armen, maar toch kon ze nog een vage hartslag voelen. Hij was nog niet dood. 'Zijn bloed zou erdoor naar zijn armen en benen gestroomd zijn, en hij heeft het bloed nodig in zijn romp, voor zijn hart.' Ook al voelden zijn ledematen nu ijs-

koud aan, de bloedsomloop die er nog was, zat tenminste op de plaats waar er behoefte aan was.
'Godzijdank dat je dat wist,' zei Matt, terwijl hij een schietgebedje deed om de jongen op tijd terug te krijgen. Inmiddels waren ze bijna bij de monding van de lagune. Nog maar een paar minuten, dan zouden ze hulp krijgen, want toen ze vanaf de oceaan de lagune invoeren, hoorden ze sirenes en zagen ze lichten aan het eind van het dichtstbijgelegen strand. Zonder te aarzelend legde Matt de boot aan bij de steiger van een ander. Er stonden al mensen te kijken, terwijl een zestal ziekenbroeders aan boord sprong. Ophélie rolde opzij en krabbelde overeind op het dek. Snikkend keek ze toe terwijl ze hem onderzochten en op een brancard legden. Een van de ziekenbroeders keek naar haar om en stak glimlachend zijn duim omhoog in een overwinningsgebaar. De jongen leefde nog. Ze beefde heftig toen Matt over het dek naar haar toe stapte en haar in zijn armen nam. Ze snikte terwijl hij dit deed en twee mannen van een brandweerauto aan boord stapten.
'Jullie hebben die jongen zijn leven gered,' zei de oudste brandweerman bewonderend. 'Weet iemand toevallig hoe hij heet?'
Ophélie kon alleen haar hoofd schudden, maar Matt legde uit wat er was gebeurd, en ze noteerden het en feliciteerden hen nogmaals. Het duurde nog een halfuur voor de brandweerauto's vertrokken; toen zette Matt de motor weer aan en ze tuften langzaam naar zijn eigen steiger. Ophélie was te veel aangedaan om ook maar te kunnen spreken, en ze zat trillend naast hem terwijl hij zijn arm stevig om haar schouders hield.
'Het spijt me erg, Ophélie.' Hij begreep heel goed waaraan het haar had doen denken, en hoe het haar had aangegrepen. 'Ik dacht dat we gewoon lekker zouden gaan zeilen.'
'Dat hebben we ook gedaan. We hebben zijn leven gered, en het hart van zijn moeder gespaard.' Als hij bleef leven. Dat was nog niet zeker, maar hij had tenminste een kans. Hij had geen enkele kans gehad op de plek waar ze hem hadden gevonden, zich vastklampend aan zijn surfplank, die ze hadden achtergelaten. Matt had geen tijd willen verspillen met pogingen het ding aan boord te krijgen.
Ze waren allebei uitgeput toen ze de *Nessie II* afmeerden, alles

opruimden, de kajuit afsloten en van boord gingen. Hij moest het dek nog schoonspoelen om het zout eraf te krijgen, maar daar zou hij later voor terugkomen. Tegen de tijd dat alles achter de rug was, waren ze vijf uur weg geweest. Ze had nauwelijks meer genoeg kracht om te lopen toen ze van de steiger af kwamen, en Matt bracht haar met de auto terug naar haar huis. Maar geen van beiden was voorbereid op wat ze daar aantroffen. Pip lag snikkend op haar bed en Amy keek radeloos terwijl ze probeerde haar te troosten. Ze had hen weg zien varen, en toen ze na een uur of twee nog niet terug waren, was Pip ervan overtuigd dat het ergste was gebeurd en dat de boot gezonken of haar moeder verdronken was. Ze was ontroostbaar toen Ophélie haar kamer binnenkwam en Matt vanuit de deuropening ontsteld toekeek.
'Het is goed, Pip... alles is goed... ik ben er weer...' zei Ophélie sussend. Het was afschuwelijk haar in deze toestand aan te treffen, en plotseling voelde ze zich schuldig omdat ze haar had achtergelaten. Alles was heel anders uitgepakt dan ze had verwacht, maar er was wel een leven gered. Het leek een lotsbeschikking dat ze die dag met Matts boot de zee op waren gegaan.
'Je zei dat je over een uur terug zou zijn!' schreeuwde Pip naar haar moeder, terwijl ze zich omdraaide en haar met beschuldigende ogen vol angst aankeek. Zoals Ophélie aangegrepen was door het zien van de stervende jongen die haar aan Chad deed denken, zo hadden Pips angsten haar ervan overtuigd dat ze haar moeder had verloren.
'Het spijt me heel erg... ik wist het niet... er is iets gebeurd.'
'Is de boot omgeslagen?' Pip keek nog angstiger, terwijl Matt de kamer binnenkwam en bij hen kwam staan, en Amy stilletjes wegging. Zij had al uren tevergeefs geprobeerd Pip gerust te stellen, en ze was nog nooit zo dankbaar geweest als toen ze de moeder van het kind zag binnenkomen.
'Nee, de boot is niet gekapseisd,' zei Ophélie zacht terwijl ze Pip tegen zich aan drukte. Dit was precies wat ze nodig had. Woorden waren niet genoeg. 'En ik had een zwemvest aan, zoals ik beloofd had.'
'Ik ook,' zei Matt. Hij wist niet of hij hier welkom was of een indringer bij het weerzien van moeder en angstig kind.

'We hebben een eind uit de kust een jongen in zee gevonden, met een surfplank, en Matt heeft hem gered.' Pips ogen werden groot toen ze dit vertelde.
'We hebben hem samen gered,' corrigeerde Matt. 'Je moeder heeft zich fantastisch geweerd.' Nu hij eraan terugdacht, was hij nog meer onder de indruk dan toen het gebeurde. Ze was kalm gebleven en had gedaan wat er gedaan moest worden. Zonder haar hulp had hij de jongen niet kunnen redden.
Ze vertelden Pip precies wat er gebeurd was, en het lukte Ophélie zich te vermannen zodat ze haar kon geruststellen. En een tijdje later, toen ze allemaal hete thee zaten te drinken, belde Matt het ziekenhuis, en hij kreeg te horen dat de toestand van de jongen ernstig was, maar voorlopig stabiel. Het zou nog een tijd duren voor hij buiten gevaar was, maar het zag ernaar uit dat hij het zou kunnen halen, en zijn ouders waren bij hem in het ziekenhuis. Matt had tranen in zijn ogen toen hij hun dit vertelde, en Ophélie moest even haar ogen dichtdoen. Zij dacht aan de tragedie die was afgewend, en ze was daar diep dankbaar om. Een vrouw die ze nooit zou kennen, waren een tragedie en een gebroken hart bespaard. Ophélie was blij dat ze de jongen hadden kunnen redden.
Toen Matt een uur later wegging, was Pip al aanmerkelijk gekalmeerd, maar ze zei dat ze niet wilde dat haar moeder ooit weer ging zeilen. Het was voor alle betrokkenen duidelijk hoe traumatisch deze middag voor Pip was geweest, ook al omdat ze niet wist wat er gebeurd was. Ze zei dat ze de sirenes had horen langskomen op weg naar de landtong, en dat ze toen zeker had geweten dat haar moeder en Matt dood waren. Het was voor haar een afgrijselijke dag geweest, en Matt verontschuldigde zich weer bij hen allebei vanwege de traumatische gebeurtenissen. Het was ook voor hem niet gemakkelijk geweest, en Ophélie wist heel goed dat Matt had kunnen verdrinken tijdens zijn pogingen de jongen in het water te redden. Ze hadden allebei dood kunnen zijn, en ze zou niets hebben kunnen doen om hem te helpen. Ze waren op een haar na ontsnapt aan een tragedie, en dat was een akelig idee. Kort nadat Matt was thuisgekomen belde hij haar.
'Hoe gaat het met haar?' vroeg hij. In zijn stem hoorde ze be-

zorgdheid en uitputting. Hij was teruggegaan om de boot schoon te spuiten maar kon daarbij nauwelijks zijn armen opheffen. Hij had tot op dat moment niet beseft hoe koud hij het had, of hoe het gebeurde hem had aangegrepen.
'Het gaat nu wel goed met haar,' zei Ophélie kalm. Ze had zelf ook een warm bad genomen en ze voelde zich beter, hoewel ze net zo moe was als hij. 'Ik geloof dat ik hier niet de enige ben die zich eerder zorgen maakt dan vroeger.' Voor Pip was de angst om haar moeder te verliezen haar ergste nachtmerrie, en ze wist beter dan wie ook hoe gemakkelijk het kon gebeuren. Ze zou zich nooit meer helemaal veilig voelen. De onschuld van haar kindertijd was in een belangrijk opzicht tien maanden geleden geëindigd.
'Je was geweldig,' zei Matt zacht.
'Jij ook,' zei ze, nog vol ontzag voor wat hij had gedaan en de vastbeslotenheid waarmee hij het had gedaan. Hij had geen ogenblik geaarzeld om zijn leven te wagen voor de onbekende jongen.
'Als ik ooit van plan ben om overboord te vallen, zorg ik dat ik jou meeneem,' zei hij vol bewondering. 'En godzijdank dat je dat wist van die cognac; als het aan mij had gelegen was hij nu dood geweest. Ik zou het in zijn keel hebben gegoten.'
'Een cursus eerste hulp, en een stukje propedeuse voor geneeskunde, anders had ik het ook niet geweten. Het is goed afgelopen, dat is het enige wat telt.' Door hun samenwerking was hij gered.
Matt belde later die avond nog een keer naar het ziekenhuis om te horen hoe het met de jongen was, en belde daarna Ophélie om te zeggen dat het goed ging. De volgende morgen was zijn toestand bevredigend, en zijn ouders hadden zowel Matt als Ophélie gebeld om hen uitvoerig te bedanken voor hun heldhaftig optreden. Ze waren ontzet over wat er gebeurd was, en zijn moeder had Ophélie snikkend bedankt. Ze had geen idee hoe goed Ophélie bekend was met de tragedie die was afgewend. Beter dan zijzelf.
De volgende ochtend stond het verhaal in de kranten, en Pip las het haar moeder voor bij het ontbijt. Toen keek ze Ophélie aan met reusachtige ogen die zich als messen in de ogen van haar moeder boorden.

'Beloof me dat je nooit meer zoiets zult doen... ik kan niet... ik zou niet meer... als jij...' Ze kon het niet uitspreken, en Ophélie kreeg tranen in haar ogen toen ze haar aankeek en knikte. 'Ik beloof het. Ik zou zonder jou ook niet kunnen leven,' zei ze zacht. Ze vouwde de krant op en knuffelde Pip. Even later liep het kind het terras op en ging naast Mousse zitten, verloren in haar eigen gedachten, en stil uitkijkend over de oceaan. De vorige dag was te beangstigend geweest om er ook maar aan te denken. Ophélie stond in de woonkamer en huilde zacht terwijl ze naar haar keek. Ze zei een dankgebed omdat alles toch nog goed was afgelopen.

11

Op hun laatste avond in Safe Harbour ging Matt met Pip en Ophélie uit eten. Ze hadden zich hersteld van de traumatische ervaring en zagen er alle drie ontspannen uit. De geredde jongen was de vorige dag uit het ziekenhuis naar huis gegaan en had Ophélie en Matt opgebeld om hen zelf te bedanken. Ophélies vermoeden hoe het was gebeurd, klopte. Het tij had hem kilometers ver meegevoerd.

Ze gingen weer in het dorp eten bij de Lobster Pot, en het was heel gezellig. Alleen keek Pip bijna de hele avond treurig. Ze vond het vreselijk afscheid te nemen van haar vriend. Haar moeder en zij hadden die middag hun spullen ingepakt en ze zouden de volgende morgen naar huis gaan. Pip had thuis nog een paar dingen te doen, voor ze weer naar school ging.

'Het zal hier wel akelig stil worden zonder jullie beiden,' zei Matt goedgemutst toen ze het toetje op hadden. De meeste zomergasten zouden dat weekend vertrekken. De maandag daarop was het Labor Day. En dinsdag moest Pip weer naar school.

'We huren hier volgend jaar weer een huis,' zei Pip beslist. Ze had haar moeder al zover gekregen dat ze dit had beloofd, hoewel Ophélie eigenlijk vond dat ze de volgende zomer weer naar Frankrijk moesten, op zijn minst een paar weken. Maar het idee iets te huren in Safe Harbour stond haar ook wel aan, zo mogelijk hetzelfde huis, of een ander. Ze waren heel tevreden over het huis dat ze nu hadden, hoewel anderen het te klein hadden gevonden. Maar voor hen was het heel geschikt.

'Ik kan de markt voor je in de gaten houden als je wilt, wat er zoal vrij komt. Ik ben hier toch. Voor het geval dat je volgend jaar iets groters wilt.'

'Ik geloof dat het huis dat we nu hadden, ons goed is bevallen,'

zei ze terwijl ze hem glimlachend aankeek. 'Als ze het weer aan ons willen verhuren. Ik geloof niet dat ze het erg waarderen dat we Mousse meebrengen.' Maar die had gelukkig geen schade aangericht. Het enige wat hij deed, was verharen. En de volgende dag zou er een schoonmaakdienst komen om het huis schoon te maken. Pip en zij waren tamelijk netjes.
'Ik verwacht een heleboel tekeningen te zien te krijgen wanneer ik in de stad op bezoek kom. En vergeet dat feest voor vaders en dochters niet,' hielp hij Pip herinneren, en ze lachte breed. Ze vond het fijn dat hij het nog wist, en ze geloofde echt dat hij zou komen. Haar eigen vader was nooit meegegaan. Hij moest werken. Eén keer had ze haar broer meegenomen. En een andere keer een vriend van Andrea. Ted had een hekel gehad aan evenementen op school; hij had er ruzie over gemaakt met haar moeder. Ze hadden vaak ruzie gehad, over van alles, alleen wilde haar moeder daar nu niet meer aan herinnerd worden. Toch was het zo, of ze het toegaf of niet. Maar Pip was ervan overtuigd dat Matt woord zou houden, dat hij mee zou gaan naar het feest en er zelfs voor zou zorgen dat het voor haar leuk werd.
'Dan moet je wel een das om,' zei Pip voorzichtig. Ze hoopte dat hij hierdoor niet van gedachten zou veranderen, en hij glimlachte.
'Ik geloof dat ik er nog wel ergens een heb. Die zit waarschijnlijk om een gordijn, om dat opzij te houden.' Eigenlijk had hij er een heleboel, alleen had hij niet meer zo vaak de gelegenheid om er een om te doen, hoewel hij die gelegenheden wel had kunnen hebben als hij het had gewild. Maar hij wilde het niet. Hij ging alleen naar de stad voor een bezoek aan de tandarts of een gesprek met zijn bankier of zijn advocaat. Maar hij was zeker van plan om bij Ophélie en Pip op bezoek te gaan. Zij waren belangrijk voor hem. En door wat Ophélie en hij eerder die week hadden meegemaakt, voelde hij zich dichter bij haar staan dan ooit.
Hij bracht hen terug naar huis en Ophélie vroeg hem binnen te komen voor een glas wijn. Hij nam de uitnodiging graag aan. Ze schonk een glas rode wijn voor hem in terwijl Pip haar pyjama ging aantrekken. De huiselijke sfeer beviel hem goed en

hij vroeg aan Ophélie of hij het haardvuur zou aansteken. De avonden waren hier altijd koel, en ondanks de warme septemberdagen rook het 's nachts al naar de herfst.
'Een vuurtje zou fijn zijn,' zei ze, terwijl Pip weer binnenkwam om hen beiden een nachtzoen te geven. Ze beloofde dat ze hem gauw zou bellen. Hij had haar zijn telefoonnummer al gegeven, en Ophélie had het ook voor het geval dat Pip het kwijt zou raken. Hij knuffelde Pip even en bukte zich om het vuur aan te maken, terwijl Mousse naar hem keek, en hij besefte dat hij zelfs de hond zou missen. Hij was vergeten hoe het was om een gezin om zich heen te hebben, en hij wilde zichzelf niet toegeven hoe prettig hij dat vond.
Het vuur laaide al hoog op toen Ophélie terugkwam nadat ze Pip in bed had gestopt. Dat was een traditie die ze de laatste paar weken nieuw leven had ingeblazen. En terwijl ze in het vuur zat te staren, besefte ze hoeveel er was veranderd in de drie maanden dat ze hier waren geweest. Ze voelde zich bijna weer een mens, hoewel ze haar zoon en haar man nog steeds miste. Maar de pijn van hun afwezigheid was nu iets draaglijker dan drie maanden geleden. Tijd maakte wel degelijk iets uit, al was het ook maar weinig.
'Wat kijk je ernstig,' zei hij, terwijl hij naast haar kwam zitten en een slokje nam van de wijn die ze voor hem had ingeschonken. Het was het laatste restje van de fles die hij voor haar had meegebracht. Ze dronk heel weinig, vooral voor een Française.
'Ik bedacht juist hoe veel beter ik me nu voel dan toen ik hier aankwam. Het heeft ons allebei goed gedaan. Pip lijkt ook gelukkiger. Grotendeels dankzij jou. Jij hebt haar een goede zomer gegeven.' Ze keek hem met een dankbare glimlach aan.
'Ze heeft mij ook een goede zomer gegeven. En jij ook. Iedereen heeft vrienden nodig. Dat vergeet ik soms.'
'Je hebt hier een erg eenzaam leven, Matt,' zei ze, en hij knikte. De laatste tien jaar had hij het zo gewild. Maar nu leek het hem voor het eerst in lange tijd eenzaam.
'Dat is goed voor mijn werk, of zo. Dat hou ik mezelf tenminste voor. En het is dicht genoeg bij de stad. Ik kan er altijd heen als ik wil.' Nu zou hij er ook heen gaan om hen op te zoeken,

maar hij besefte tot zijn schrik dat het, ook al was de stad dichtbij, al meer dan een jaar geleden was dat hij er was geweest. De tijd glipte soms gewoon weg terwijl je niet keek, en de jaren ook.
'Ik hoop dat je ons vaak komt opzoeken. Ondanks mijn kookkunst,' lachte ze.
'Ik ga wel met je uit eten,' zei hij plagerig, maar hij meende het wel. Hij genoot van het vooruitzicht. Het was iets om je op te verheugen, waardoor de klap van hun weggaan werd verzacht. Hij wist dat die hem de volgende morgen als een moker zou treffen. 'Wat ga je zelf doen wanneer Pip weer naar school is?' vroeg hij met een bezorgde blik. Hij wist dat ze zich eenzaam zou voelen. Ze was niet gewend zoveel tijd ter beschikking te hebben als ze had nu ze alleen voor Pip hoefde te zorgen. Ze was eraan gewend twee kinderen te hebben, en een man.
'Misschien volg ik je raad op en zoek ik een of ander soort vrijwilligerswerk bij een opvanghuis voor daklozen.' Ze had met plezier het materiaal gelezen dat Blake Thompson, de groepsleider, haar had gegeven. Het leek interessant en het trok haar aan.
'Dat zou heel goed voor je zijn. Je kunt ook altijd hierheen komen om met me te lunchen, als je niets anders te doen hebt. Het is hier mooi in de winter.' Dat vond zij ook. Ze hield van het strand in alle jaargetijden, en het was een aanlokkelijke uitnodiging. Het idee hun vriendschap voort te zetten beviel haar. En wat Andrea er ook van vond, het kwam hun allebei goed uit zo, dit was wat ze wilden.
'Dat lijkt me heel leuk.' Ophélie glimlachte naar hem.
'Ben je blij dat je naar huis gaat?' vroeg hij, en ze staarde in het vuur met een nadenkende uitdrukking op haar gezicht.
'Nee, helemaal niet. Ik vind het vreselijk om terug te gaan naar dat huis, hoewel ik het tot nu toe altijd een fijn huis heb gevonden. Maar het is nu zo leeg. Het is te groot voor ons tweeën, alleen, het is vertrouwd. Ik wilde vorig jaar geen overhaaste beslissingen nemen, waar ik later spijt van zou krijgen.' Ze vertelde hem niet dat de kasten in hun slaapkamer nog altijd vol hingen met Teds kleren, en dat Chads spullen nog allemaal in zijn kamer waren. Ze kon het niet over haar hart krijgen er afstand van te doen. Andrea had al tegen haar gezegd dat het niet

gezond was, maar voorlopig wilde Ophélie het zo. Ze was er nog niet aan toe dingen te veranderen, althans, dat was ze nog niet geweest. Ze vroeg zich af of ze er nu anders over zou denken, na deze zomer. Dat wist ze nog niet.

'Ik denk dat het verstandig was om niet te snel iets te doen. Je kunt het huis altijd nog verkopen als je dat echt wilt. Het is waarschijnlijk goed voor Pip dat ze niet ook nog een traumatische verhuizing hoeft te verwerken. Het zou een grote verandering voor haar zijn, als jullie daar al een tijd wonen.'

'Sinds haar zesde, en ze vindt het er heerlijk. Meer dan ik.'

Ze bleven nog een tijdje zwijgend zitten, genietend van elkaars gezelschap, ook al werd er niet gepraat. Toen hij zijn wijn op had, stond hij op en zij deed hetzelfde. Intussen begon het vuur al langzaam uit te gaan.

'Ik bel je volgende week,' zei hij en dat vond ze een geruststellende gedachte. Hij was een sterke, betrouwbare mannelijke figuur in haar leven, als een soort broer. 'Bel me als je iets nodig hebt, of als ik iets voor jou of voor Pip kan doen.' Hij wist dat hij zich zorgen zou maken over hen.

'Dank je wel, Matt,' zei ze zacht. 'Voor alles. Je bent een fantastische vriend geweest, voor ons allebei.'

'Ik ben van plan dat te blijven,' zei hij, en hij legde zijn arm om haar heen toen ze met hem meeliep naar zijn auto.

'Wij ook. Pas goed op jezelf. Wees niet te eenzaam daar buiten, dat is niet goed voor je. Kom ons opzoeken in de stad, dat zal je afleiding geven.' Nu ze meer wist over zijn levensloop kon ze zich voorstellen hoe alleen hij zich soms moest voelen, net als zij. Zoveel mensen van wie ze hadden gehouden waren uit hun leven verdwenen, door de dood en door echtscheiding, door omstandigheden die ze geen van beiden hadden gewild. De eb en vloed van het leven voerden mensen, plaatsen en gekoesterde ogenblikken maar al te snel weg, zoals de oceaan de jongen had meegevoerd die ze een paar dagen geleden hadden gered.

'Welterusten,' zei hij zacht; hij wist niet wat hij anders tegen haar moest zeggen. Hij wuifde terwijl hij wegreed en zag haar teruglopen en naar binnen gaan; toen reed hij terug naar zijn huisje aan het strand. Hij zou willen dat hij dapperder was, en dat het leven anders was dan het was.

12

'Dag huis,' zei Pip plechtig toen ze naar buiten gingen. Ophélie sloot de deur af en gooide bij het verlaten van het terrein de sleutels in de brievenbus van de beheerder. De zomer was voorbij. Toen ze langs het kronkelweggetje reden waaraan Matt woonde, was Pip vreemd zwijgzaam. Ze zei niets tot ze over de brug reden, toen wendde ze zich tot haar moeder. 'Waarom vind je hem niet leuk?' zei ze bijna boos. Haar stem klonk beschuldigend. Ophélie had geen idee over wie ze het had.
'Wie vind ik niet leuk?'
'Matt. Volgens mij vindt hij jou wel leuk.' Pip zat haar woest aan te kijken, waardoor haar moeder helemaal in de war raakte.
'Ik vind hem ook leuk. Waar heb je het toch over?'
'Ik bedoel als man... je weet wel... om verkering mee te hebben.'
Ze waren bijna bij het tolhuisje en Ophélie grabbelde in haar tas naar geld; toen keek ze even naar haar dochter. 'Ik wil geen verkering. Ik ben een getrouwde vrouw,' zei ze beslist terwijl ze het geld vond.
'Nee, dat ben je niet. Je bent een weduwe.'
'Dat is hetzelfde. Bijna hetzelfde. Waar heb ik dit aan te danken? En nee, ik geloof niet dat hij mij leuk vindt "om verkering mee te hebben". En al was dat zo, dan zou het nog niets uitmaken. Hij is onze vriend, Pip. Laten we dat niet bederven.'
'Waarom zou dat het bederven?' Haar stem had een koppige klank. Ze had er de hele ochtend over nagedacht. En ze miste hem nu al.
'Dat zou gewoon gebeuren. Geloof me. Ik ben een volwassen

mens. Ik weet het. Als we verkering kregen, zou iemand zich gekwetst of ongelukkig voelen, en dan zou alles afgelopen zijn.'
'Is er altijd iemand die zich gekwetst gaat voelen?' Pip keek teleurgesteld. Dit was geen bemoedigende informatie.
'Bijna altijd. En dan vind je elkaar niet meer zo leuk, en je blijft ook geen vrienden meer. Dan zou hij jou ook niet meer komen opzoeken.' Ophélie was heel uitgesproken in haar mening over dit onderwerp.
'En als jullie met elkaar trouwden? Dan zou dat niet gebeuren.'
'Ik wil niet opnieuw trouwen. En hij ook niet. Hij heeft veel verdriet gehad toen zijn vrouw bij hem wegging.'
'Heeft hij dat tegen je gezegd? Dat hij niet nog eens wil trouwen?' Het klonk argwanend. Het leek Pip niet waarschijnlijk.
'Min of meer. We hebben het over zijn huwelijk en zijn echtscheiding gehad. Het klonk allemaal erg traumatisch.'
'Heeft hij gevraagd of je met hem wilde trouwen?' Ze keek opeens hoopvol.
'Nee, natuurlijk niet. Doe niet zo raar.' Het was een belachelijk gesprek, vanuit Ophélies oogpunt.
'Hoe weet je dan dat hij er zo over denkt?'
'Dat weet ik gewoon. Bovendien wil ik niet hertrouwen. Ik voel me nog steeds getrouwd met je vader.' Ze vond zelf dat dit nobel klonk, maar Pip werd er boos om, wat haar moeder verbaasde.
'Maar die is dood, en hij komt niet terug. Ik vind dat je met Matt moet trouwen, dan kunnen we hem bij ons houden.'
'Misschien wil hij helemaal niet "gehouden" worden, nog afgezien van wat ik wil. Waarom trouw jij niet met hem? Hij zou volgens mij heel goed bij je passen.' Ze plaagde haar, om een eind te maken aan de pijnlijke situatie. Ze vond het vervelend als iemand tegen haar zei dat Ted dood was en nooit terug zou komen. Ze dacht aan niets anders, had de afgelopen elf maanden nergens anders aan gedacht. Het was bijna niet te geloven dat het nu al bijna een jaar geleden was. In sommige opzichten voelde het als een eeuwigheid, in andere opzichten nog maar een paar minuten.
'Ik denk ook dat hij goed bij me zou passen,' zei Pip nuchter, 'en daarom moet jij met hem trouwen.'

'Misschien zou hij wel iets in Andrea zien,' zei Ophélie om haar af te leiden, maar er waren wel gekkere dingen gebeurd. Plotseling vroeg ze zich af of ze die twee met elkaar in contact moest brengen, maar Pip had er meteen een duidelijke, negatieve mening over. Bovendien wilde ze hem niet kwijtraken. Ze wilde Matt voor hen beiden.
'Nee, vast niet,' zei Pip beslist. 'Hij zou een hekel aan haar hebben. Ze is veel te sterk voor hem. Ze houdt ervan iedereen te commanderen, ook mannen. Daarom gaan ze altijd bij haar weg.' Het was een interessante visie, en Ophélie wist dat haar dochter er niet helemaal naast zat. Pip had in de loop van de jaren heel wat gesprekken tussen haar ouders over Andrea beluisterd, en had zelf ook conclusies getrokken. Andrea had iets over zich dat mannen in hun mannelijkheid bedreigde, en ze was te onafhankelijk. Daarom had ze naar een spermabank moeten gaan om een kind te krijgen. Er was tot nu toe niet één man geweest die zo'n nauwe band met haar wilde aangaan. Maar het was een verbluffende constatering voor een kind van Pips leeftijd, en Ophélie was het niet met haar oneens, al zei ze dat niet. Ze was onder de indruk van haar wijsheid. 'Hij zou veel gelukkiger zijn met jou en mij,' zei Pip bescheiden, en toen begon ze te giechelen. 'Misschien moeten we het de volgende keer dat we hem zien aan hem vragen.'
'Dat zal hij vast enig vinden. Waarom zeggen we het niet gewoon tegen hem. Of we bevelen hem met ons te trouwen. Dan moet hij wel.' Ophélie moest ook lachen.
'Ja,' grijnsde Pip, 'dat lijkt me leuk.' Ze kneep haar ogen dicht tegen de zon terwijl ze erover nadacht. Het leek haar zo te zien fantastisch.
'Je bent een klein monster,' zei haar moeder plagend, en een paar minuten later waren ze bij hun huis, en Ophélie opende de deur. Ze was drie maanden niet in het huis geweest. Ze was er met opzet niet heen gegaan wanneer ze in de stad was, en had hun post laten doorsturen naar Safe Harbour. Dit was de eerste keer dat ze er terug was sinds ze waren weggegaan. En de werkelijkheid van hun situatie drong zich als een exprestrein aan haar op toen ze binnenkwamen. Op de een of andere manier had ze zichzelf toegestaan in een uithoek van haar geest te

geloven dat Ted en Chad er zouden zijn wanneer ze terugkwamen, dat ze op hen wachtten. Alsof dit een reisje was geweest, en de ellende van het afgelopen jaar een slechte grap. Chad zou lachend de trap afkomen en Ted zou haar in de deuropening van hun slaapkamer staan opwachten met die uitdrukking op zijn gezicht waar ze nog altijd vlinders van in haar buik kreeg. Dat spannende gevoel was gedurende hun hele huwelijk blijven bestaan. Maar het huis was leeg. Er viel niet te ontkomen aan de waarheid. Pip en zij waren voorgoed alleen.
Ze bleven allebei in de voordeur staan; hetzelfde besef drong tegelijkertijd tot hen door, en ze kregen tranen in de ogen terwijl ze elkaar omarmden.
'Ik vind het hier akelig,' zei Pip zacht, en ze klampte zich aan haar vast.
'Ik ook,' fluisterde haar moeder.
Geen van beiden wilde naar boven gaan, of naar hun eigen slaapkamer. Het was domweg te afschuwelijk om de werkelijkheid onder ogen te zien. En Matt was voorlopig even vergeten. Hij had zijn eigen leven, zijn eigen wereld. Zij hadden het hunne. Ze konden er niet onderuit.
Ophélie liep terug naar de auto en haalde de tassen eruit, en Pip hielp haar ze de trap op te slepen. Zelfs dat viel hun zwaar. Ze waren allebei klein van stuk en de tassen waren zwaar, en er was niemand om hen te helpen. Ophélie was buiten adem toen ze Pips twee tassen in haar kamer neerzette.
'Ik zal ze dadelijk voor je uitpakken,' zei Ophélie. Ze probeerde vast te houden aan de stappen die ze de afgelopen zomer had gezet, maar ze voelde zich meteen weer wegzakken in een zwart gat nu ze terug waren in het huis waarin ze vroeger samen met haar zoon en haar man had gewoond. Het leek wel alsof de helende maanden in Safe Harbour er niet geweest waren.
'Dat kan ik zelf wel, mam,' zei Pip treurig. Zij voelde het ook. In een bepaald opzicht was het nu erger. Ophélie was weer wat opgeleefd en ze had weer gevoelens. Het jaar van de robot was beter geweest.
Nu sleepte Ophélie haar eigen tassen naar boven, en toen ze de kast opende, zonk de moed haar in de schoenen. Alles was er

nog. Elk jasje, elk pak, elk overhemd, elke das, alle schoenen die hij ooit had gedragen, zelfs die oude afgetrapte loafers die hij al had sinds zijn studietijd. Het was net of ze een nachtmerrie opnieuw beleefde. Ze durfde Chads kamer niet eens binnen te gaan, ze wist dat ze dat niet aan zou kunnen. Dit was al erg genoeg, en terwijl ze haar spullen uitpakte, voelde ze dat ze weer begon af te glijden. Het was beangstigend.

Tegen etenstijd waren ze allebei bedrukt, bleek en uitgeput, en ze schrokken toen de telefoon ging. Ze hadden net besloten dat ze nog niet gingen eten, hoewel Ophélie wist dat het kind toch een keer moest eten, of ze nu honger had of niet. Zelf vond ze het geen punt een maaltijd over te slaan.

Ophélie maakte geen aanstalten om op te staan, ze wilde niemand spreken, daarom nam Pip de telefoon op. Haar gezicht klaarde langzaam op toen ze zijn stem hoorde.

'Hoi, Matt. Wel goed,' zei ze in antwoord op zijn vraag hoe het ging, maar hij hoorde al aan haar stem dat het niet goed ging, en terwijl haar moeder toekeek, begon ze opeens te huilen. 'Nee, het gaat niet goed, het is vreselijk. Het is hier afschuwelijk. We vinden het afschuwelijk.' Doordat ze de wijvorm gebruikte, ging haar mededeling ook over haar moeder, en Ophélie dacht erover haar tot de orde te roepen, maar dat deed ze niet. Als hij hun vriend zou worden, mocht hij ook wel weten hoe slecht het ging.

Pip luisterde een tijd en knikte telkens, maar de tranen waren tenminste opgehouden. Terwijl ze luisterde, ging ze zitten op een keukenstoel. 'Oké. Ik zal het proberen. Ik zal het tegen mijn moeder zeggen... ik kan niet... ik moet morgen naar school. Wanneer kom je?' Ophélie wist niet wat er aan de andere kant gezegd werd, maar ze zag dat Pip blij was met het antwoord. 'Oké... ik zal het haar vragen...' Ze wendde zich naar Ophélie terwijl ze het spreekgedeelte netjes met haar hand afdekte. 'Wil je met hem praten?' Maar Ophélie schudde haar hoofd en fluisterde.

'Zeg maar tegen hem dat ik bezig ben.' Ze wilde met niemand praten. Ze voelde zich te ongelukkig, en ze wist dat ze niet opgewekt kon doen. Pip vond het misschien prettig om tegen zijn schouder uit te huilen, maar zij kon dat niet. Het leek haar niet gepast om dat te doen, en daarom wilde ze het niet.

'Oké,' zei Pip weer tegen Matt, 'ik zal het tegen haar zeggen. Ik bel je morgen.' Ophélie begon zich af te vragen of het wel verstandig was dagelijks contact te hebben met Matt, maar het kon misschien geen kwaad. Als Pip zich er maar door getroost voelde. Zodra ze had opgehangen, bracht Pip verslag uit van het gesprek. 'Hij zei dat het normaal is dat we ons zo voelen omdat we hier met mijn broer en mijn vader hebben gewoond, en dat we ons gauw weer beter zullen voelen. Hij zei dat we vanavond iets leuks moeten gaan doen, bijvoorbeeld Chinees eten of een pizza bestellen, of uitgaan. En muziek opzetten. Vrolijke muziek. Flink hard. En als we te ongelukkig zijn, moeten we bij elkaar gaan slapen. Hij zei dat we morgen samen moeten gaan shoppen en dat we iets geks moeten kopen, maar ik heb gezegd dat ik niet kon omdat ik naar school moet. Maar de andere dingen die hij voorstelde, leken wel aardig. Heb je zin om Chinees te bestellen, mam?' Ze hadden de hele zomer niet Chinees gegeten, terwijl ze het allebei lekker vonden. Het was in elk geval wat anders, en dat was Matts opzet ook.
'Niet echt, maar het was lief van hem om het voor te stellen.' Pip was vooral ingenomen met het idee muziek op te zetten. Opeens bedacht Ophélie zich. Waarom niet eigenlijk? Misschien zou het helpen. 'Heb jij zin in Chinees eten, Pip?' Het leek raar, omdat ze geen van beiden honger hadden.
'Best wel; laten we loempia's bestellen. En gebakken wontons.'
'Ik heb liever dim sum,' zei Ophélie nadenkend; ze ging op het aanrecht zoeken naar het telefoonnummer dat ze gebruikten om Chinees eten te laten bezorgen, en vond het.
'Ik wil ook gebakken rijst met garnalen,' zei Pip terwijl haar moeder de Chinees belde en de bestelling deed. En een halfuur later werd er gebeld en kwam het allemaal, en ze gingen in de keuken zitten en aten ervan. Intussen had Pip gruwelijke muziek opgezet, zo hard als ze konden verdragen. Maar ze moesten allebei toegeven dat ze zich beter voelden dan een uur tevoren.
'Het was wel een raar idee,' zei haar moeder met een schaapachtig lachje, 'maar het was lief van hem om het voor te stellen.' En het had ook gewerkt, beter dan ze wilde toegeven. Het was een beetje gênant dat ze met Chinees eten en een cd van

Pip iets van de pijn hadden kunnen verzachten van het ontstellende verdriet waarmee ze moesten leven. Zelfs van een afstand had hij hen allebei weten op te fleuren.
'Mag ik vannacht bij je slapen?' vroeg Pip aarzelend toen ze de trap opliepen nadat ze de keuken hadden opgeruimd en de restjes in de koelkast hadden gezet. Alice, de werkster, had genoeg etenswaren voor hen gehaald om de volgende dag te kunnen ontbijten, en Ophélie ging de volgende ochtend boodschappen doen. Ze keek onthutst over Pips verzoek. Ze had het hele afgelopen jaar niet één keer aan haar moeder gevraagd of ze bij haar mocht slapen. Ze was bang geweest dat ze haar moeder zou storen, en Ophélie had het nooit aangeboden omdat ze zelf zo intens verdrietig was.
'Ik vind het best. Weet je zeker dat je dat wilt?' Het was een idee van Matt geweest, maar Pip vond ook dit een goed idee.
'Ik zou het fijn vinden.' Ze namen elk een bad in hun eigen badkamer, en daarna kwam Pip in pyjama haar moeders slaapkamer binnen. Opeens leek het een logeerpartij, en Pip klom giechelend in het bed van haar moeder. Op de een of andere manier had Matt per afstandsbediening de hele sfeer van deze avond veranderd. Pip zag er zielsgelukkig uit toen ze in het grote bed tegen haar moeder aan ging liggen, en een paar minuten later sliep ze al. Voor Ophélie was het een schok te merken hoe troostrijk het was het kleine lichaam tegen zich aan te voelen. Ze vroeg zich af waarom ze hier niet eerder op was gekomen. Ze konden het niet elke nacht doen, maar het was beslist een aantrekkelijke mogelijkheid op nachten zoals deze. Nog een paar minuten later sliep ze even vast als haar dochter.
Ze schrokken allebei wakker toen de wekker ging. Ze waren vergeten waar ze zich bevonden en waarom ze samen in één bed sliepen, maar toen herinnerden ze het zich weer. Ze hadden alleen geen tijd om weer gedeprimeerd te raken, want ze moesten zich haasten om op tijd klaar te zijn. Pip ging haar tanden poetsen terwijl Ophélie naar beneden holde om het ontbijt te maken. Ze zag het Chinese eten in de koelkast staan. Ze pakte glimlachend een gelukskoekje, brak het open en at het op.
'Je zult het hele jaar geluk en voorspoed hebben,' stond op het strookje papier, en Ophélie lachte voor zich heen. 'Bedankt.

Dat kan ik goed gebruiken.' Ze begoot cornflakes met melk voor Pip, schonk voor hen allebei sinaasappelsap in glazen en stopte een boterham in de broodrooster. Daarna maakte ze een kop koffie voor zichzelf. Pip kwam vijf minuten later in haar schooluniform de trap af, terwijl Ophélie de ochtendkrant van de stoep opraapte. Ze had hem de hele zomer nauwelijks gelezen, en hem eigenlijk niet gemist. Er waren geen spannende dingen gebeurd, maar toch keek ze hem even door, en rende toen naar boven om zich aan te kleden zodat ze Pip met de auto naar school kon brengen. Het ging er 's ochtends altijd een beetje hectisch aan toe, maar dat vond ze wel prettig, dan hoefde ze nergens aan te denken.

Twintig minuten later zat ze in de auto, met Mousse, om Pip naar school te brengen, en het kind keek glimlachend naar buiten en toen weer naar haar moeder.

'Weet je, die ideeën van Matt hebben gisteravond echt gewerkt. Ik vond het fijn om bij je te slapen.'

'Ik vond het ook fijn,' gaf Ophélie toe. Fijner dan ze had verwacht. Het was een stuk minder eenzaam dan helemaal alleen in haar grote bed te liggen rouwen om haar echtgenoot.

'Gaan we het nog eens een keer doen?' Pip keek hoopvol.

'Met alle genoegen.' Ophélie keek haar met een glimlach aan. Ze waren al dicht bij de school.

'Ik moet hem straks opbellen om hem te bedanken,' zei Pip, en toen stond de auto stil en gaf Ophélie haar haastig een kus, wenste haar veel plezier op school, en Pip wuifde en was weg naar haar vriendinnen, haar dag en haar leraren. Ophélie glimlachte nog steeds bij zichzelf terwijl ze terugreed naar het veel te grote huis aan Clay Street. Ze was zo gelukkig geweest toen ze hierheen verhuisden, en nu maakte het haar zo vreselijk ongelukkig. Maar ze moest het toegeven, gisteravond was het beter gegaan dan ze had verwacht. En ze was dankbaar voor Matts inbreng en zijn creatieve ideeën.

Ze liep langzaam met Mousse de stoep op, en zuchtte toen ze de voordeur ontsloot. Ze moest nog wat dingen uitpakken, ze moest kruidenierswaren bestellen en ze wilde die middag bij de opvang voor daklozen langsgaan. Dat was genoeg om haar bezig te houden tot ze om halfvier Pip uit school ging halen. Maar toen ze

langs Chads kamer liep, kon ze het niet laten. Ze opende de deur en keek naar binnen. De rolgordijnen waren neergetrokken en het was er donker, en zo leeg en treurig dat haar hart brak. Zijn posters hingen er nog, al zijn schatten stonden er. De foto's van hem met zijn vrienden, de trofeeën van de sportwedstrijden waaraan hij had meegedaan toen hij jonger was. Maar de kamer zag er anders uit dan toen ze hem het laatst had gezien. Hij had iets droogs, als een afgevallen blad dat langzaam doodging, en er hing een muffe geur. Net als altijd liep ze naar zijn bed en legde haar hoofd op zijn kussen. Ze kon hem nog ruiken, een vage geur. Toen gebeurde datgene wat altijd gebeurde wanneer ze zijn kamer binnenging: ze begon onhoudbaar te snikken. Daar zouden Chinees eten of harde muziek niets aan veranderen. Die stelden het onvermijdelijke lijden alleen maar uit, van weer te beseffen dat Chad nooit meer thuis zou komen.
Ze moest zich er uiteindelijk losscheuren en ging terug naar haar eigen slaapkamer, met een leeg en uitgeput gevoel. Maar ze weigerde eraan toe te geven. Ze zag Teds kleren weer hangen en dat werd haar bijna te veel. Ze bracht een mouw naar haar gezicht, en het ruige tweed voelde ongelooflijk vertrouwd aan. Ze kon zijn aftershave nog ruiken en ze kon hem bijna horen. Het was bijna niet te verdragen. Maar ze dwong zich er niet aan toe te geven. Het mocht niet. Dat wist ze nu. Ze kon zich niet veroorloven weer in een robot te veranderen, op te houden met voelen, of zich door haar emoties te laten kapotmaken. Ze moest leren met pijn te leven, en door te gaan ondanks de pijn. Alleen al omwille van Pip moest ze volhouden. Ze was dankbaar dat er die middag een bijeenkomst van de groep was en dat ze met hen kon praten. De groep zou binnenkort afgelopen zijn, en ze wist niet goed wat ze zonder die mensen en hun steun zou moeten doen.
In de groep vertelde ze van de vorige avond, het Chinese eten en de harde muziek, en Pip die bij haar in bed had geslapen. Daar zagen ze niets verkeerds in. Ze zagen nergens iets verkeerds in, zelfs niet in het streven naar een nieuwe relatie, hoewel ze volhield dat ze daar niet aan toe was, dat ze dat niet wilde. Iedereen was in een andere fase van zijn of haar rouwproces. Toch gaf het troost het met hen te delen.

'En, meneer Feigenbaum, hebt u al een vriendin?' vroeg ze hem plagend terwijl ze samen het gebouw uit liepen. Ze vond hem heel aardig. Hij was eerlijk, openhartig en vriendelijk, en hij was bereid veel te doen om te herstellen, meer dan de meeste anderen.
'Nog niet, maar er wordt aan gewerkt. En hoe staat het met jou?' Hij was een hartelijk, kort en dik mannetje met roze wangen en een massa wit haar. Hij leek op een hulpje van de kerstman.
'Ik wil geen verkering. U praat al net als mijn dochter.' Ze lachte naar hem.
'Dat is een verstandig meisje. Als ik veertig jaar jonger was, jongedame, zou je nog eens wat met mij kunnen beleven. En je moeder? Is die al voorzien?' Ophélie lachte maar weer, en ze namen wuivend afscheid van elkaar.
Daarna ging Ophélie bij het opvangcentrum voor daklozen langs. Het was gevestigd in een smal achterafstraatje in South of Market, een tamelijk sjofele buurt, maar ze hield zichzelf voor dat ze moeilijk kon verwachten dat het in Pacific Heights was. De mensen die ze bij de receptie zag, en die door de gangen liepen, waren allemaal heel vriendelijk. Ze zei tegen hen dat ze een afspraak wilde maken om zich als vrijwilliger te melden, en ze vroegen of ze de volgende morgen terug kon komen. Ze had kunnen bellen om een afspraak te maken, maar ze wilde het zien. En toen ze wegging, stonden er buiten twee oude mannen met winkelwagentjes die alles bevatten wat ze bezaten, terwijl een vrijwilliger hun piepschuimen bekertjes vol dampende koffie aanreikte. Dat zag ze zichzelf ook nog wel doen. Het leek niet erg ingewikkeld, en het zou haar misschien goed doen zich nuttig te voelen. Beter dan huilend thuis te zitten en aan Teds jasjes en Chads kussen te ruiken. Ze mocht zichzelf domweg niet toestaan dat te doen, dat wist ze heel goed. Niet weer. Niet nog een jaar. Het afgelopen jaar waarin ze om hen had gerouwd, was een nachtmerrie geweest en ze was er bijna aan onderdoor gegaan. Ze moest dit jaar op de een of andere manier beter maken. Over vier weken zou hun dood een jaar geleden zijn, en hoewel ze ertegen opzag, wist ze dat ze het in het tweede jaar van hun rouw beter moest doen. Niet alleen

voor zichzelf, maar ook voor Pip. Dat was ze aan haar verplicht. Misschien zou het werken bij de daklozenopvang haar helpen. Ze hoopte het maar.
Ze was op weg naar de school om Pip op te halen en stond stil voor een stoplicht toen ze een blik wierp in de etalage van een schoenenzaak. Eerst keek ze niet echt, maar toen zag ze iets waardoor ze moest glimlachen. Het waren reusachtige, pluizige pantoffels voor volwassenen die figuren uit Sesamstraat voorstelden. Grote, blauwe pantoffels van Grover en een paar rode van Elmo. Ze waren prachtig, en zonder erbij na te denken parkeerde ze de auto dubbel, en rende de schoenenzaak binnen. Ze kocht Grover voor zichzelf en Elmo voor Pip, en toen rende ze weer terug naar de auto met de pantoffels in een plastic tas. Ze was nog net op tijd bij de school om te zien dat Pip naar buiten kwam en op weg ging naar de hoek waar ze altijd op haar moeder wachtte. Pip zag haar zodra ze daar aankwam. Ze zag er vermoeid en een beetje verfomfaaid uit, maar wel opgetogen.
Ze sprong in de auto met een grote grijns op haar gezicht, blij haar moeder te zien. 'Ik heb leuke leraren. Ik vind ze allemaal aardig behalve een, juffrouw Giulani, dat is een trut en ik haat haar. Maar de anderen zijn allemaal vet cool, mam.' Nu leek ze geen minuut ouder dan elf jaar, en Ophélie lachte haar geamuseerd toe.
'Het doet me genoegen dat ze cool zijn, Mademoiselle Pip,' zei ze, terugvallend op het Frans. Toen wees ze naar de tas op de achterbank. 'Ik heb een cadeautje voor ons gekocht.'
'Wat dan?' Pip keek verheugd terwijl ze de tas naar voren haalde en erin keek; toen gaf ze een gilletje van plezier en keek haar moeder verbaasd aan. 'Je hebt het gedaan! Je hebt het gedaan!'
'Wat heb ik gedaan?' Ophélie wist even niet waar ze op doelde.
'Je hebt iets geks gekocht! Weet je het niet meer? Dat zei Matt gisteravond toch? Hij zei dat we vandaag moesten gaan winkelen en iets geks kopen. En ik zei dat ik naar school moest, dus dat het niet kon. Maar jij hebt het toch gedaan! Mam, je bent een schat!' Ze trok de Elmo-pantoffels meteen over haar schoolschoenen aan en zag er dolgelukkig uit. Ophélie staarde haar verbaasd aan. Ze wist niet of er een onderbewust bericht

was doorgekomen of dat het puur toeval was, maar toen ze de pantoffels kocht, had ze geen seconde aan hem gedacht of aan wat hij gezegd had. Ze vond het gewoon leuke pantoffels. Maar gek waren ze zeker. En Pip was er dolblij mee. 'Jij moet ze ook aantrekken wanneer we thuiskomen. Beloof je dat?'
'Ik beloof het,' zei Ophélie plechtig en ze glimlachte terwijl ze naar huis reden. Het was toch een heel redelijke dag geworden. En ze verheugde zich op haar afspraak bij het opvanghuis. Ze vertelde Pip tijdens de rit naar huis dat ze er geweest was, en die was onder de indruk en blij te zien dat het beter ging met haar moeder. De zwarte gaten leken niet meer zo donker en diep als eerst, en Ophélie kon er sneller uit komen. In de groep hadden ze tegen haar gezegd dat het zo zou gaan, maar ze had het niet geloofd. Nu begon het toch beter te gaan.
Toen ze thuis waren, zorgde Pip ervoor dat Ophélie de Groverpantoffels aantrok, en nadat ze een glas melk had gedronken en een appel en een koek had gegeten, belde ze Matt voor ze haar huiswerk ging maken. Hij kwam om deze tijd terug van het strand, en haar moeder was ergens boven, waarschijnlijk in haar kamer, dacht Pip, terwijl ze op een keukenkruk zat en wachtte tot hij de telefoon opnam. Hij kwam net binnen en klonk een beetje buiten adem, alsof hij had gerend om de telefoon op te nemen.
'Ik bel om je te zeggen hoe slim je bent,' kondigde ze aan, en hij glimlachte zodra hij haar hoorde.
'Ben jij dat, miss Pip?'
'Ja, ik ben het. En jij bent een genie. We hebben Chinees eten besteld, en ik heb mijn beste cd opgezet, zo hard als het mocht van mijn moeder. En ik heb vannacht bij haar in bed geslapen, en we vonden het heel fijn... en vandaag heeft ze voor ons allebei Sesamstraatpantoffels gekocht. Grover voor haar, en Elmo voor mij. En ik heb leuke leraren, op eentje na, die walgelijk is.' Hij hoorde aan haar stem hoeveel beter het ging dan de vorige avond, en hij voelde zich alsof hij een grote prijs had gewonnen. Ze maakte hem beschamend gelukkig.
'Ik wil die pantoffels zien. Ik ben jaloers. Ik wil ze ook.'
'Jouw voeten zijn te groot, anders zou ik mijn moeder vragen ze voor je te kopen.'

'Dat is erg jammer. Ik heb Elmo altijd heel leuk gevonden. En Kermit.'
'Ik ook. Maar ik vind Elmo leuker.' Ze ratelde door over school, over haar vriendinnen en haar leraren, en na een poos zei ze dat ze huiswerk moest maken.
'Doe dat. Doe de groeten aan je moeder. Ik bel jullie morgen,' beloofde hij. Hij had hetzelfde gevoel als vroeger wanneer hij zijn kinderen opbelde. Blij en bedroefd, opgewonden en hoopvol, alsof er iets was om voor te leven. Hij moest zichzelf eraan herinneren dat ze niet zijn dochter was. Ze hingen allebei met een glimlach op, en Pip keek op weg naar haar kamer naar binnen bij haar moeder.
'Ik heb met Matt gepraat en hem verteld van de pantoffels. Je moest de groeten hebben,' zei Pip triomfantelijk, en Ophélie keek haar glimlachend aan vanuit haar kamer.
'Dat is aardig van hem.' Ophélie zag er niet opgewonden uit, alleen tevreden en kalm.
'Mag ik vannacht weer bij je slapen?' vroeg Pip bijna verlegen. Ze had de Elmo-pantoffels aan en had haar schoenen uitgedaan. En Ophélie had de Grovers aan, zoals ze had beloofd.
'Is dat weer een idee van Matt?' vroeg ze nieuwsgierig.
'Nee, van mij.' Pip zei het heel eerlijk. Hij had dit keer geen ideeën geopperd. Dat hoefde ook niet. Hij had hen de vorige avond geholpen, en nu konden ze zichzelf voorlopig wel redden.
'Het lijkt me prima,' zei Ophélie, en Pip huppelde weg naar haar kamer om haar huiswerk te maken.
Het werd weer een goede nacht voor allebei. Ophélie wist niet hoe lang ze met de nieuwe regeling zouden doorgaan, maar ze vonden het allebei prettig. Ze begreep niet waarom ze hier niet eerder aan had gedacht. Het loste talloze problemen op en gaf hun beiden troost. Nu moest ze onwillekeurig denken aan de positieve veranderingen die Matt in hun leven had gebracht.

13

Ophélie had om kwart over negen afgesproken bij het Wexlercentrum. Ze bracht eerst Pip naar school en ging meteen daarna op weg naar de wijk South of Market. Ze had een oud, afgeleefd zwart leren jack en een spijkerbroek aangetrokken, en op weg naar school zei Pip dat ze er leuk uitzag.
'Ga je ergens naartoe, mam?' vroeg ze. Zelf had ze een witte matrozenbloes aan en een marineblauwe plooirok; dat was haar schooluniform. Ze vond het vreselijk om dit aan te hebben, maar Ophélie had altijd gevonden dat het een oplossing was voor veel problemen. Ze hoefde op dat uur in de morgen niet meer te bedenken wat het kind aan moest. Pip zag er lief en jong in uit. Ze droeg er een marineblauwe stropdas bij als er op school een belangrijk evenement was, en haar rode krullen leken er een volmaakt accent aan te geven.
'Ja, ik ga ergens naartoe,' zei Ophélie met een kalme glimlach. Ze had de twee nachten dat ze samen in haar bed hadden geslapen heerlijk gevonden. Het dempte de pijn van de eenzaamheid, en de ochtenden waren niet meer zo'n kwelling. Ze wist niet waarom ze niet eerder op het idee was gekomen, voornamelijk omdat ze Pip niet wilde belasten met haar verdriet, maar het bleek voor hen allebei een zegen te zijn. Ze was Matt dankbaar dat hij het idee had aangedragen. Naast Pip had ze voor het eerst in maanden echt goed geslapen, en het wakker worden terwijl Pip haar knuffelde en van vlakbij in haar ogen keek, was het heerlijkste dat haar sinds de dood van Ted was overkomen. Hij was 's ochtends lang niet zo gezellig en vriendelijk geweest, en lekker in bed liggen knuffelen of na het wakker worden tegen haar zeggen dat hij van haar hield, daar was hij nooit sterk in geweest.

Nu vertelde ze Pip over het Wexlercentrum, wat er gedaan werd en dat ze hoopte er vrijwilliger te worden.
'Als ze me willen hebben.' Ze had geen idee wat ze zouden willen dat ze deed, en of ze haar wel konden gebruiken. Misschien zouden ze haar de telefoon laten aannemen.
'Ik zal je er alles over vertellen wanneer ik je vanmiddag kom halen,' beloofde ze toen ze Pip op de hoek afzette. Ze zag haar met haar vriendinnen de oprijlaan van de school in lopen. Ze was zo druk in gesprek dat ze zich niet eens omdraaide om te wuiven.
Ophélie vond een parkeerplaats in Folsom Street en liep de steeg in waar het Wexlercentrum was, en in het voorbijgaan zag ze een stel dronken kerels tegen een muur zitten. Ze hoefden niet ver te lopen om bij het Centrum te komen, maar het was blijkbaar al te veel moeite voor hen om op te staan. Ze keek even naar hen, maar ze schenen haar niet te zien; ze leken op te gaan in hun eigen privé-wereld, of liever hun privé-hel. Ophélie liep hen met gebogen hoofd voorbij, en had in stilte medelijden met hen.
Ze liep dezelfde hal binnen die ze de vorige dag al had gezien. Het was een grote, open ruimte met posters aan muren waar de verf van afschilferde. Er was een lange balie en een andere receptioniste dan ze had gezien. Dit was een Afro-Amerikaanse vrouw van middelbare leeftijd die zowel de balie als de telefoons bemande. Ze zag er competent en vriendelijk uit en had stijf gevlochten, grijzend haar. Ze keek afwachtend naar Ophélie op. Hoewel ze eenvoudige kleren aanhad, zag ze er goed verzorgd en opgemaakt uit, zodat ze niet op haar plaats leek in de armoedige ruimte. Geen van de meubelen paste bij elkaar en alles zag er gebutst uit. Ze vermoedde dat ze alles bij de kringloopwinkel hadden gehaald. In de hoek stond een koffieapparaat met piepschuimen bekertjes.
'Kan ik u helpen?' vroeg de vrouw achter de balie vriendelijk.
'Ik heb een afspraak met Louise Anderson,' zei Ophélie zacht. 'Ik geloof dat zij over de vrijwilligers gaat.' Hierop glimlachte de vrouw achter de balie.
'Inderdaad, en ook over de marketing, de donaties, het bestellen van levensmiddelen, de financiën, de pr en het aannemen

van nieuwe krachten. We hebben hier allemaal een heleboel petten op.' Het leek Ophélie allemaal interessant, en ze liep even door de ruimte rond en bekeek de posters en de lectuur terwijl ze wachtte. Ze hoefde niet lang te wachten. Twee minuten later kwam een jonge vrouw de ruimte binnenstuiven. Ze had knalrood haar net als dat van Pip en droeg het in twee lange vlechten op haar rug, met de ene vlecht boven de andere. Ze had kennelijk een enorme bos haar. Ze had legerkistjes aan, een spijkerbroek en een houthakkershemd, maar desondanks was ze duidelijk mooi en zag ze er heel vrouwelijk uit. Ze had de lenige gratie van een danseres en was klein van stuk, net als Ophélie en Pip. Maar ze straalde energie uit, en vriendelijkheid, enthousiasme en kracht. Ze leek iemand die van aanpakken wist, wat wees op zelfvertrouwen en soepelheid.

'Mevrouw Mackenzie?' vroeg ze met een hartelijke glimlach toen Ophélie opstond om haar te begroeten en knikte dat zij dat was. 'Wilt u mij volgen?' Ze liep met snelle, besliste passen naar een kamer achterin, waar een hele muur in beslag werd genomen door een prikbord. Er hingen papiertjes aan, bulletins, aankondigingen, berichten van overheidsinstellingen, foto's en een eindeloze lijst projecten en namen. Het was verbijsterend om te zien wat ze vermoedelijk allemaal op haar bordje had. Aan de tegenoverliggende muur hingen foto's van mensen die bij het Centrum werkten, en met haar kleine bureau, haar stoel en twee stoelen voor bezoekers was de kleine, zonnige kamer al bijna vol. De kamer was net als zij klein, opgewekt, tjokvol informatie en zichtbaar efficiënt.

'Wat brengt u bij ons?' vroeg Louise Anderson terwijl ze Ophélie met een warme glimlach aankeek. Zij was duidelijk niet het normale type vrijwilliger; dat waren meestal studenten, of afgestudeerden die een stage liepen om een graad in maatschappelijk werk te behalen, of mensen die op de een of andere manier iets met dit werk te maken hadden.

'Ik wil me graag aanmelden als vrijwilliger,' zei Ophélie met een verlegen gevoel.

'We kunnen alle hulp gebruiken die we kunnen krijgen. Waar bent u goed in?' Door deze vraag was ze even uit het veld geslagen. Ze had geen idee, en ze wist al helemaal niet wat ze no-

dig hadden, wat ze voor hen kon doen. Ze had het gevoel dat ze hier niet hoorde. 'Of misschien moet ik zeggen, wat vindt u leuk om te doen?'
'Ik weet het eigenlijk niet. Ik heb twee kinderen.' Haar gezicht vertrok even pijnlijk toen ze dit zei, maar het zou een zielige indruk maken als ze het corrigeerde, dacht ze, dus ze liet het maar zo. 'Ik ben achttien jaar getrouwd... nou ja, geweest...' Ze was dapper genoeg om dat tenminste te zeggen. 'Ik kan autorijden, winkelen, schoonmaken, de was doen, ik kan redelijk goed met kinderen omgaan, en met honden.' Het klonk idioot, zelfs in haar eigen oren, maar ze had er in geen jaren over nagedacht wat ze nu eigenlijk kon. En nu klonk het allemaal zo onnozel en beperkt. 'Ik heb een tijd biologie gestudeerd. En ik weet het een en ander van energie-technologie; dat was het vak van mijn man,' weer een nutteloos stukje informatie waar ze natuurlijk niets aan hadden, 'en ik heb enige ervaring in het omgaan met familieleden van mensen met een geestesziekte.' Ze dacht aan Chad. Meer kon ze niet bedenken terwijl ze Louise Anderson in de ogen keek.
'Bent u op dit moment bezig met een echtscheidingsprocedure?' vroeg miss Anderson. Het was haar niet ontgaan dat ze had gezegd dat ze getrouwd was geweest, en dat 'was' had ze ook gehoord.
Ophélie schudde haar hoofd. Ze probeerde er normaal uit te zien, niet bang, maar dat was ze wel. Het was een angstige ervaring hier te zitten en het gevoel te hebben niets te kunnen en nutteloos te zijn. Maar de vrouw achter het bureau keek haar aan met een open blik vol respect. Ze moest alleen meer weten.
'Mijn man is een jaar geleden overleden,' zei ze terwijl ze bijna hoorbaar slikte, 'en mijn zoon ook. Ik heb een dochter van elf. En veel vrije tijd.'
'Ik vind het heel naar dat u uw zoon en uw man hebt verloren,' zei de vrouw welgemeend, en ging verder. 'Uw ervaring met geestesziekte zou u hier goed van pas kunnen komen. Veel van de mensen die we hier zien, zijn geestesziek. Dat is vaak een feit bij het verschijnsel daklozen. Als ze te ziek zijn, verwijzen wij hen naar de juiste instellingen en klinieken. Maar als

ze betrekkelijk goed functioneren, nemen we hen op. De meeste opvanghuizen hanteren maatstaven waardoor mensen die bizar gedrag vertonen worden uitgesloten, zodat een groot deel van de daklozenpopulatie niet in aanmerking komt voor opvang. Het is eigenlijk een belachelijke regel, maar het maakt het werken wel gemakkelijker voor de opvanghuizen. Wij zijn daar tamelijk soepel in, maar het gevolg is dat we hier soms behoorlijk zieke mensen zien.'

'Wat gebeurt daarmee?' vroeg Ophélie met een bezorgd gezicht. Ze vond deze vrouw aardig en hoopte haar beter te leren kennen. Ze had een kalme maar krachtige energie die de kamer leek te vullen. En de passie waarmee ze dit werk deed, was besmettelijk. Ophélie vond het opwindend hier te zijn en misschien voor hen te zullen werken, al was het maar als vrijwilliger.

'De meesten van onze cliënten gaan na een paar nachten weer de straat op. Gezinnen blijven, maar gaan veelal door naar vaste opvangadressen. Dat zijn wij niet. Wij zijn een tijdelijke voorziening. Wij zijn een pleister op de wonde van het verschijnsel daklozen. We laten hen zo lang mogelijk blijven, we proberen hen te verwijzen naar instellingen, of naar de langetermijnopvang, of in het geval van kinderen naar de pleegzorg. We proberen zoveel mogelijk in hun behoeften te voorzien, we zorgen voor kleding, voor onderdak, voor medische hulp als ze die nodig hebben; we vragen een uitkering voor hen aan wanneer ze daarvoor in aanmerking komen. We zijn eigenlijk een soort Eerste Hulp. We geven hun veel aandacht en zorg, en informatie, een bed, eten, een hand om vast te houden. Dat vinden we prettig omdat we op deze manier meer mensen kunnen helpen, maar er zijn ook veel problemen die we niet kunnen oplossen. Soms is het hartverscheurend, maar we kunnen niet alles. We doen wat we kunnen, en dan gaan ze weer.'

'Zo te horen doen jullie al heel veel,' zei Ophélie met bewondering in haar ogen.

'Niet genoeg. Dit werk is hartverscheurend. Je probeert een oceaan leeg te scheppen met een theekopje, en elke keer dat je denkt dat je iets hebt bereikt, loopt de oceaan in een oogwenk weer vol. Ik heb nog het meest te doen met de kinderen. Die zitten

in hetzelfde schuitje als de anderen, maar ze hebben een grotere kans om te verdrinken, terwijl het niet hun schuld is. Zij zijn de slachtoffers in dit verhaal, maar de volwassenen zijn ook vaak slachtoffers.'
'Mogen de kinderen bij hun ouders blijven?' Het deed Ophélie pijn aan hen te denken. Ze kon zich niet eens voorstellen dat Pip op haar leeftijd een zwervend leven op straat zou leiden, maar veel van die kinderen waren nog jonger, en soms waren ze zelfs op straat geboren. Het was een tragedie van deze tijd. Toch was Ophélie, toen ze dit allemaal hoorde, blij dat ze was gekomen. Het was voor haar de juiste keuze geweest, en ze was Blake dankbaar dat hij haar op deze mogelijkheid had gewezen. Ze verheugde zich erop bij het Wexlercentrum te komen werken.
'De kinderen mogen alleen bij hun ouders, of ouder, dat kan ook het geval zijn, blijven als ze worden aangenomen bij een langetermijnopvang voor gezinnen, of bij een soort Blijf-van-mijn-lijfhuis, voor mishandelde moeders en kinderen. Ze mogen niet op straat blijven; zodra de politie hen ziet, worden ze overgedragen aan de kinderbescherming en in een pleeggezin geplaatst. Het is geen leven voor een kind op straat. Elk jaar komt een kwart van ons cliëntenbestand op straat om het leven, door het weer, ziekte, ongelukken, verwondingen, geweld. Een kind houdt het nog niet half zo lang vol als een volwassene. Kinderen zijn beter af in een pleeggezin,' maar dat leek Ophélie ook treurig. 'Hebt u enig idee op welke tijden u zou willen werken? Overdag, 's nachts? Overdag lijkt me, als u een alleenstaande moeder bent met een schoolgaand kind.' De term 'alleenstaande moeder' kwam bij haar aan als een stomp in de maagstreek. Zo had ze nog nooit aan zichzelf gedacht, maar ze was er nu een, hoe afschuwelijk ze het ook vond.
'Ik ben dagelijks van negen tot drie uur beschikbaar. Ik weet niet... misschien twee of drie dagen per week?' Het leek haar zelf erg veel, maar ze had niets anders te doen, en veel te veel vrije tijd. Ze kon ook niet de godganse dag met Mousse in het park wandelen. Dit kon haar dagen een doel geven, terwijl ze er een ander mee hielp. Dat idee beviel haar wel.
'Wat ik altijd graag met vrijwilligers doe,' zei Louise eerlijk ter-

wijl ze een van haar vlechten teruggooide over haar schouder, 'is hen eerst eens goed naar ons werk laten kijken. Zonder franje. Gewoon hoe het gaat. U kunt een paar dagen met ons meelopen en dan kijken hoe u erover denkt. Of u denkt dat dit is wat u zoekt en wat u wilt doen. Daarna, als we wederzijds het gevoel hebben dat het klikt, geven we u een opleiding van een week, of hoogstens twee weken, afhankelijk van welke activiteit u aanspreekt, en daarna zetten we u aan het werk. Het is hard werken,' waarschuwde ze, en dat meende ze. 'Hier wordt niet gelummeld. Het fulltime personeel maakt vaak dagen van twaalf uur, soms meer als we met een crisis te maken hebben, wat nogal eens voorkomt. Zelfs de vrijwilligers werken zich uit de naad terwijl ze hier zijn.' Ze grijnsde. 'Hoe klinkt dat u in de oren?'

'Fantastisch, eerlijk gezegd.' Ophélie keek haar lachend aan, plotseling vol hoop. 'Het klinkt precies als wat ik nodig heb. Ik hoop alleen dat ik ook ben wat u nodig hebt.'

'Dat zullen we wel zien.' Louise stond op en lachte breed. 'Ik probeer niet je af te schrikken, Ophélie. Ik wil alleen eerlijk zijn. Ik wil niet dat je de indruk krijgt dat het gemakkelijker is dan het is. We werken hier met veel plezier, maar sommige dingen die we doen zijn domweg vreselijk, smerig, deprimerend, gruwelijk, gevaarlijk en uitputtend. Op sommige dagen ga je met een goed gevoel naar huis, maar op andere dagen huil je jezelf in slaap. Wij zien zowat alles wat er op straat te zien valt. En ik weet niet of dat je zou interesseren, maar we hebben ook een buitenploeg.'

'Wat doet die?' Ophélie was geïntrigeerd.

'Ze rijden rond in twee busjes die ons geschonken zijn en ze zoeken mensen op straat op, mensen die geestelijk of lichamelijk te ziek zijn om naar ons toe te komen. Daarom gaan wij naar hen toe. We brengen hun eten, kleren, medicijnen; als ze te ziek zijn proberen we hen te laten opnemen in een ziekenhuis, of een afkickprogramma, of een opvanghuis. Er zijn een heleboel mensen die te veel in de war zijn om hierheen te kunnen komen. Hoe laagdrempelig we ook proberen te zijn, er zijn nog altijd mensen die te bang, of te gekwetst, of te rechteloos zijn om hulp te vragen. We hebben elke nacht minstens

één hulpbusje op straat om naar hen op zoek te gaan. Twee busjes, als we genoeg mensen hebben om ze te bemannen. Die gaan naar de cliënten die ons het allermeest nodig hebben. De mensen die zelf naar ons toe komen, kunnen tenminste nog een beetje helder denken en op eigen benen staan. Met sommige mensen die op straat leven, gaat het redelijk goed, maar ze hebben hulp nodig en zijn misschien te bang om te proberen die te krijgen. Ze vertrouwen ons niet, ook al hebben ze misschien van ons gehoord. Soms doen we buiten niets anders dan bij hen zitten en met hen praten. Zelf probeer ik altijd de weglopers van de straat te krijgen. Maar vaak is datgene waarvoor ze zijn weggelopen, erger dan wat ze op straat tegenkomen. Er gebeuren beroerde dingen in deze wereld. Wij zien daar dagelijks een groot deel van, althans de gevolgen ervan, vooral 's nachts. Overdag gaat het wat rustiger toe. Maar daarom gaan we er juist 's nachts naartoe, dan hebben ze ons het hardst nodig.'
'Dat lijkt me nogal gevaarlijk werk,' zei Ophélie praktisch. Ze dacht niet dat ze zich daaraan moest wagen, vanwege Pip. Bovendien wilde ze 's nachts bij haar thuis zijn.
'Het is zeker gevaarlijk. We gaan 's avonds zo rond zeven, acht uur op pad, en we gaan lang door, en doen wat er gedaan moet worden. Het is een paar keer nog maar net goed afgelopen. Maar tot nu toe is niemand van onze buitenploeg echt iets overkomen. Ze weten heel goed wat er op straat allemaal gebeurt.'
'Zijn ze gewapend?' vroeg Ophélie. Ze was onder de indruk. Dit waren moedige mensen die prachtig werk deden.
Louise begon te lachen en schudde haar hoofd. 'Hun hoofd en hun hart, dat zijn hun enige wapens. Je moet het willen, dat werk buiten. Vraag me niet waarom of hoe, maar het moet voor jou persoonlijk, diep vanbinnen, het risico waard zijn. Maar jij hoeft je daar geen zorgen over te maken. Je kunt hier binnen ook genoeg voor ons doen.' Ophélie knikte; het straatwerk leek haar zo te horen gevaarlijk. Te gevaarlijk voor een alleenstaande moeder, om met Louise te spreken, een moeder die de verantwoordelijkheid droeg voor een kind. 'Wanneer wil je beginnen?'
Ophélie dacht er even over na. Ze kon zelf over haar tijd be-

schikken, en ze hoefde Pip pas na drieën op te halen. 'Wanneer het jullie uitkomt. Ik heb alle tijd.'
'Nu meteen, zou dat gaan? Je kunt Miriam helpen achter de balie. Zij kan je laten kennismaken met iedereen die daar langskomt, en ze kan je een heleboel uitleggen over wat hier gebeurt. Hoe lijkt je dat?'
'Geweldig.' Met een gevoel van opwinding volgde Ophélie Louise naar de balie in de hal, en Louise legde aan Miriam uit wat haar voor ogen stond. De vrouw met het grijze haar keek opgetogen.
'Ik kan je hulp vandaag goed gebruiken.' Ze straalde. 'Ik heb hier een hele berg paperassen die opgeborgen moeten worden, al onze maatschappelijk werkers hebben gisteravond al hun spullen hier gedumpt op mijn bureau. Dat doen ze nou elke keer als ik weg ben!' Het waren dossiers, mappen, brochures over behandelingsprogramma's en over andere opvangadressen waarnaar ze verwezen. Het was echt een berg. Meer dan genoeg om Ophélie aan het werk te houden tot drie uur, en nog dagen daarna.
Ze hield de hele dag nauwelijks op met werken en het leek wel of er om de vijf minuten iemand binnenkwam of naar buiten ging; iedereen kwam langs de balie. Ze hadden verwijzingsadressen nodig, informatie over bepaalde cliënten. Telefoonnummers, documenten, invulformulieren voor nieuwe cliënten, en soms kwamen ze alleen even gedag zeggen. Steeds wanneer het kon, stelde Miriam Ophélie voor aan de mensen die er werkten. Het was een groep mensen die haar interessant leek. De meesten waren jong, al waren er ook een paar die even oud waren als Ophélie of zelfs ouder. En kort voor ze wegging, kwamen er twee jonge mannen binnen die er anders uitzagen dan de rest, met tussen hen in een slanke jonge vrouw van Latijns-Amerikaanse herkomst. Miriam lachte breed toen ze hen zag. Een van de mannen was een Afro-Amerikaan, de ander een Aziaat. Ze waren allebei knap, jong en lang.
'Daar hebben we onze luitjes uit *Top Gun*, zo noem ik ze tenminste.' Ze wendde zich met een brede lach naar het drietal. Het viel Ophélie op dat de jonge vrouw bijzonder knap was, ze zag eruit als een fotomodel. Maar toen ze haar hoofd opzij

draaide, zag Ophélie dat ze een lelijk litteken had over haar hele wang. 'Wat doen jullie hier zo vroeg?'
'We komen een van de busjes nakijken, we hadden er vannacht problemen mee. En we moeten wat spullen inladen voor vanavond.' Miriam stelde haar aan hen voor als een nieuwe vrijwilligster die kwam kijken of het werk iets voor haar was. 'Geef haar maar aan ons,' zei de Aziatische man met een grijns. 'We komen een man tekort sinds Aggie weg is.' Aggie was zo te horen helemaal geen man, en ze deden alledrie heel vriendelijk tegen Ophélie. De Aziaat heette Bob, de Afro-Amerikaanse man was Jefferson en de naam van het Latijns-Amerikaans uitziende meisje was Milagra, alleen noemden de twee mannen haar Millie. Na een paar minuten gingen ze weg naar de garage achter het gebouw waar de busjes stonden.
'Wat doen zij?' vroeg Ophélie belangstellend terwijl ze weer verder ging met de dossierkasten achter de balie.
'Dat is onze buitenploeg. Zij zijn hier de helden. Ze zijn allemaal een beetje geschift, en erg wild. Ze gaan elke nacht op pad, vijf nachten per week. We hebben een weekendploeg die het overneemt wanneer zij er niet zijn. Maar het is niet te geloven wat deze lui doen. Ik ben één keer met ze mee geweest, het was hartverscheurend... en ook doodeng.' Haar ogen drukten genegenheid en respect uit.
'Is het niet gevaarlijk voor een vrouw om met hen mee te gaan?' Ophélie was duidelijk onder de indruk. Ze vond hen ook helden.
'Millie weet van wanten. Ze was vroeger bij de politie. Ze is voor honderd procent afgekeurd, ze heeft een schot in de borst gekregen en is een long kwijt, maar ze is net zo gehaaid als de jongens. Ze doet aan vechtsporten. Millie kan zichzelf redden, en de jongens erbij.'
'Heeft ze zo dat litteken opgelopen, met politiewerk?' vroeg Ophélie. Ze begon steeds meer respect voor hen te krijgen. Het waren de moedigste mensen die ze ooit was tegengekomen, en tevens de meest menslievende. En de Latijns-Amerikaanse vrouw was opvallend mooi, ondanks dat litteken. Maar Ophélie was nu nieuwsgierig geworden hoe het zat met haar.
'Nee, dat heeft ze als kind opgelopen. Ze is mishandeld. Door

haar vader. Hij heeft haar gesneden toen ze zich verweerde omdat hij probeerde haar te verkrachten. Ik geloof dat ze toen elf was.' Veel van de mensen hier hadden zulke verhalen, maar het was een schok voor Ophélie zich te realiseren dat Milagra toen het gebeurde net zo oud was geweest als Pip. 'Misschien is ze daarom bij de politie gegaan.'

Het was een wonderlijke dag voor Ophélie. De hele dag door kwamen er dakloze mensen van uiteenlopende grootte, leeftijd en geslacht binnen om te douchen, iets te eten, te slapen of alleen maar even van de straat af te zijn en een tijdlang door de hal te schuifelen. Sommigen van hen zagen er opmerkelijk coherent en verantwoordelijk uit, zelfs schoon, anderen keken verward en glazig uit hun ogen. Een paar van hen waren kennelijk beschonken, en aan een enkeling was te zien dat hij of zij verslaafd was aan drugs. Het Wexlercentrum hanteerde buitengewoon milde toelatingscriteria. Het was niet toegestaan in het pand alcohol of drugs te gebruiken, maar als ze bij aankomst niet helemaal in ideale conditie waren, mochten ze toch blijven.

Het duizelde Ophélie toen ze wegging en beloofde de volgende dag terug te komen. Ze popelde om terug te gaan en ze vertelde Pip op de terugweg van school naar huis alles wat ze had meegemaakt. Pip was uiteraard onder de indruk, niet alleen van wat ze hoorde over het Centrum, maar ook van het feit dat haar moeder erheen was gegaan en zich als vrijwilliger wilde aanmelden.

Ze vertelde het allemaal aan Matt toen hij die middag belde. Ophélie was boven aan het douchen, ze voelde zich vies na een hele dag werken bij het Centrum, en ze had razende honger toen ze met een handdoek om haar hoofd beneden kwam. Ze had niet eens pauze genomen om te lunchen. Pip zat nog met Matt te praten aan de telefoon.

'Je krijgt de groeten van Matt,' zei Pip, en ze bleef met hem praten terwijl Ophélie een broodje voor zichzelf smeerde. De laatste weken was haar eetlust vooruitgegaan.

'Doe hem ook de groeten,' zei Ophélie terwijl ze een hap van haar broodje nam.

'Hij vindt het vet cool van je dat je dat doet,' bracht Pip over;

daarna vertelde ze hem alles over het boetseerproject waar ze op school mee was gestart. Verder had ze aangeboden mee te helpen bij de opmaak van het jaarboek. Ze vond het leuk met hem te praten, maar het was niet zo fijn als bij hem op het strand te zitten. Maar ze wilde vooral niet dat het contact verwaterde, en hij wilde dat ook niet. Ten slotte gaf ze de telefoon aan haar moeder.
'Zo te horen heb je interessante bezigheden gevonden,' zei hij bewonderend. 'Hoe is het?'
'Eng, spannend, fantastisch, het stinkt een beetje, ontroerend, treurig. Ik vind het heerlijk. De mensen die er werken zijn fantastisch, en de mensen die naar de opvang komen voor hulp zijn heel lief.'
'Je bent een verbluffende vrouw. Ik ben diep onder de indruk.' Hij meende het. Hij was al vanaf het begin onder de indruk van haar.
'Dat is nergens voor nodig. Ik heb alleen paperassen opgeborgen, en met grote ogen toegekeken. Ik heb geen idee waar ik mee bezig ben, en of ze me tegen het eind van de week nog willen hebben.' Ze had hun drie dagen beloofd, en had er nog twee te gaan. Maar tot nu toe vond ze het heerlijk.
'O, ze willen je vast hebben. Als je maar niets gevaarlijks gaat doen, of risico's gaat nemen. Dat kun je je niet veroorloven, in verband met Pip.'
'Dat weet ik zelf ook, geloof me.' Door het feit dat Louise Anderson haar een alleenstaande moeder had genoemd was ze daar op een pijnlijke manier op gewezen. 'En hoe is het op het strand?'
'Het is hier een dooie boel zonder jullie tweeën,' zei hij treurig. Hoewel het prachtig weer was geweest in de twee dagen na hun vertrek. Het was warm en zonnig en er was elke dag een strakblauwe hemel. September was een van de warmste maanden aan het strand, en Ophélie vond het net als Pip jammer dat ze niet daar was. 'Ik dacht erover dit weekend naar jullie toe te komen, als dat jou goed uitkomt; tenzij je liever hierheen komt.'
'Ik heb zo'n gevoel dat Pip zaterdagmorgen naar voetbaltraining moet... misschien zouden we zondag kunnen komen...'

'Ik kan best naar de stad komen. Als dat jou uitkomt, ik wil je niet tot last zijn.'
'Je zult niemand tot last zijn. Pip zal dolgelukkig zijn. En ik zou het ook fijn vinden je te zien,' zei ze. Het klonk enthousiast. Ze was in een prima stemming, ondanks de lange dag die ze achter de rug had. Het had haar nieuwe energie gegeven in het Centrum te zijn.
'Dan neem ik jullie mee uit eten. Vraag aan Pip waar ze heen zou willen. Je kunt me alles vertellen over je werk. Ik ben razend benieuwd.'
'Ik geloof niet dat ik iets belangrijks ga doen. Ze moeten me eerst een opleiding geven van een week, en daarna ben ik waarschijnlijk gewoon een extra paar handen voor wie daar behoefte aan heeft. Voornamelijk verwijzingen en telefoontjes. Maar het is in elk geval iets.' Het was beter dan thuis in Chads kamer te zitten huilen. Dat wist hij ook.
'Ik kom zaterdag om een uur of vijf. Tot dan.'
'Nogmaals bedankt, Matt,' zei ze en gaf de telefoon terug aan Pip zodat die hem gedag kon zeggen. Toen ging Ophélie naar boven om wat materiaal te lezen dat ze haar bij het Centrum hadden gegeven. Artikelen, onderzoeksrapporten, informatie over het verschijnsel daklozen, en over het Centrum. Het was fascinerende, aangrijpende lectuur.
Terwijl Ophélie op haar bed lag in een roze kasjmier ochtendjas, met schone lakens onder zich, dacht ze onwillekeurig dat ze het toch wel erg goed getroffen hadden. Hun huis was groot, gerieflijk en mooi; het stond vol met de antieke meubelen die ze op aandringen van Ted had gekocht. De kamers waren zonnig, de kleuren vrolijk. De gordijnen van hun slaapkamer waren van geel gebloemde chintz, en die van Pips kamer waren van lichtroze zijde; het was een kamer waar een klein meisje van droomde. Chad had een typische tienerjongenskamer gehad, met donkerblauwe geruite gordijnen. Er was een werkkamer voor Ted in bruin leder – daar kwam ze nooit meer binnen – en een kleine zitkamer aangrenzend aan haar slaapkamer, met gordijnen van lichtblauw met gele moiré zijde. En beneden hadden ze een grote, uitnodigende woonkamer met antieke Engelse meubelen, een grote open haard, een eetkamer en een te-

levisiekamer. De keuken was voorzien van de nieuwste snufjes, althans dat waren ze toen ze het huis vijf jaar geleden opnieuw hadden ingericht. En de kelder bevatte een grote hobbyruimte met een biljart, een pingpongtafel en videospelletjes, en een kamer voor een dienstmeisje die ze nooit hadden gebruikt. Aan de achterkant was een kleine, mooie tuin, en de voorkant van het huis was een waardige natuurstenen voorgevel, met in vorm geknipte boompjes in grote stenen potten aan weerskanten van de voordeur, en een geschoren haag. Het was Teds droomhuis geweest, niet het hare. Maar het stond buiten kijf dat het een mooi huis was, lichtjaren verwijderd van de ellende van de mensen die naar het Wexlercentrum gingen, of zelfs die er werkten. Terwijl Ophélie in het niets staarde, verscheen Pip in de deuropening en keek naar haar.

'Gaat het wel goed met je, mam?' Ze had diezelfde glazige uitdrukking in haar ogen die ze het hele afgelopen jaar had gehad, en Pip was ongerust.

'Met mij gaat het prima. Ik zat er alleen aan te denken hoe we het getroffen hebben. Buiten op straat zijn mensen die nooit in een bed slapen. Ze hebben geen wc, ze kunnen niet douchen, ze hebben honger en ze hebben niemand die van hen houdt, en ze kunnen nergens heen. Je kunt het je bijna niet voorstellen, Pip. Het is maar een paar kilometer hiervandaan, maar ze zouden evengoed in de derde wereld kunnen leven.'

'Wat is dat treurig, mam.' Pip keek haar met grote ogen aan, maar ze was opgelucht dat er niets met haar moeder aan de hand was. Ze was altijd bang dat haar moeder weer zou afglijden naar de donkere diepten van de wanhoop, en dat wilde ze niet.

'Ja, dat is het, schat.'

Die avond kookte Ophélie zelf. Ze maakte lamskoteletten, die ze een beetje liet aanbranden, en ze aten er allebei een op. Ze waren geen van beiden grote eters, maar ze vond dat ze tenminste een poging moest doen om hun dieet gezonder te maken. Ze maakte een salade en warmde een blik worteltjes op, maar die vond Pip smerig. Ze zei dat ze liever maïs had.

'Ik zal het onthouden.' Pip keek haar lachend aan.

Die avond ging Pip zonder het zelfs maar te vragen in het bed van haar moeder liggen. Toen de volgende morgen de wekker ging, stonden ze allebei vlug op om te douchen, zich aan te kleden en te ontbijten. Ophélie zag er opgewonden uit toen ze Pip bij de school afzette en op weg ging naar haar werk bij het Wexlercentrum. Het was precies wat ze had gewild, en wat ze nodig had. Voor het eerst in jaren had ze een doel in haar leven.

14

De rest van de week vloog voorbij voor hen allebei. Pip raakte weer gewend aan het schoolleven en Ophélie werkte op proef bij het Wexlercentrum. Vrijdagmiddag was er geen spoor van twijfel meer bij haar of bij iemand anders. Ze wilde graag drie dagen per week komen werken, en zij wilden haar graag hebben.

Ze zou op maandag, woensdag en vrijdag komen werken, en de komende week zouden ze haar opleiden door haar telkens een paar uur te laten meelopen met verschillende leden van de staf. Ze moest een medische verklaring overleggen waaruit bleek dat ze goed gezond was, en er moest worden nagegaan of ze geen crimineel verleden had, maar dat zouden zij voor haar doen. Ze namen haar die vrijdag voor ze naar huis ging vingerafdrukken af. Bovendien moesten ze twee persoonlijke referenties hebben. Andrea zei dat zij er een kon geven, en Ophélie belde haar advocaat en vroeg hem een tweede referentie op te sturen. Zo was alles geregeld. Ze wist nog niet precies wat ze voor hen zou gaan doen; waarschijnlijk zou ze iedereen helpen die op de dagen dat ze er was een extra kracht kon gebruiken. Ze zouden haar ook leren intakes te doen. Ze voelde zich nog betrekkelijk onhandig, maar ze was graag bereid dingen te leren. En ze had aan het eind van de week een enthousiaste aanbeveling van Miriam meegekregen. Ophélie bedankte haar hartelijk toen ze wegging.

'Nou, ik ben geslaagd,' zei Ophélie trots toen ze Pip die vrijdagmiddag van school haalde. 'Ze willen me bij het Wexler hebben als vrijwilliger.' Ze was echt blij. Het gaf haar het gevoel iets gepresteerd te hebben en nodig te zijn, en misschien zelfs iets te kunnen veranderen in de wereld.

'Dat is cool, mam! Wat zal Matt wel zeggen als hij het hoort!' Hij had aangeboden om naar Pip te komen kijken bij het voetballen, maar ze zei dat ze liever had dat hij naar een echte wedstrijd kwam kijken. Zaterdag was het alleen een oefenwedstrijd, en het was pas de eerste dag dat ze weer speelden. Ze was klein en tenger maar wel snel en ze speelde goed. Ze voetbalde al twee jaar in het kader van de eisen voor lichamelijke opvoeding op school. Ze vond het veel leuker dan ballet.
Op vrijdag maakte Pip haar huiswerk, en ze had een vriendinnetje te logeren, en Andrea kwam bij hen eten. Die hoorde van Pip dat Matt de volgende dag met hen uit eten zou gaan, en ze keek Ophélie met opgetrokken wenkbrauwen aan.
'Je verzwijgt dingen voor me, ouwe makker. Komt de kinderverkrachter hierheen?' Ze scheen het amusant te vinden.
'Hij wilde Pip opzoeken,' zei Ophélie goedig. Ze geloofde dat dit de waarheid was, al vond ze het zelf ook leuk hem te zien en beschouwde ze hem als een vriend. 'Misschien moeten we maar eens ophouden hem zo te noemen.'
'Misschien zou de term "vriendje" beter bij hem passen,' zei Andrea, maar Ophélie protesteerde onmiddellijk door haar hoofd te schudden.
'Echt niet. Ik heb geen behoefte aan een vriendje. Alleen aan een vriend.' Ze wist uit hun gesprekken dat Matt er net zo over dacht. Ze had besloten dat romantiek niet meer voor haar was weggelegd, en dat wilde ze ook niet. Nooit meer.
'Dat wil jij. Maar hij? Mannen gaan niet in de stad uit eten met een vrouw, alleen om haar dochtertje te zien. Dat kun je van me aannemen. Ik ken mannen.' Dat was zeker waar, dat wisten ze allebei.
'Sommige mannen misschien wel.' Ophélie hield voet bij stuk.
'Hij wacht het goede moment af,' zei Andrea beslist. 'Zodra hij denkt dat jij je op je gemak voelt, zal hij iets proberen.'
'Ik hoop maar van niet,' zei Ophélie met een gezicht alsof ze het meende. Om over iets anders te beginnen vertelde ze Andrea over haar week bij het Wexlercentrum. Andrea was onder de indruk, en blij dat ze iets had gevonden om te doen.
Maar toen er de volgende middag aan de voordeur werd gebeld en Ophélie ging opendoen, dacht ze weer aan Andrea's in-

schatting van haar vriendschap met Matt. En ze hoopte vurig dat Andrea het mis had.
Hij stond voor haar in een leren jack en een grijze broek, een simpele grijze coltrui en op glimmend gepoetste loafers. Zoiets zou Ted ook hebben aangetrokken, maar dit zag er beter uit. Ted dacht er nooit aan zijn schoenen te poetsen en het interesseerde hem ook niet. Hij had belangrijker dingen aan zijn hoofd. Ophélie poetste zijn schoenen.
Matt lachte zodra hij haar zag, en toen Pip met grote sprongen de trap af kwam en hij haar zag, wist Ophélie dat haar vriendin het mis had, ook al dacht ze dat ze alles van mannen wist. Over deze man had Andrea het mis, daar twijfelde Ophélie geen moment aan, en dat was een enorme opluchting voor haar. Hij straalde vaderlijke vriendelijkheid uit naar Pip, en naar haar broederlijke bezorgdheid. Nadat Pip hem haar kamer en haar schatten had laten zien, en ook haar nieuwste tekeningen, en eindelijk wat gekalmeerd was, vertelde Ophélie hem ook wat over het Wexlercentrum, en hij leek onder de indruk en geïntrigeerd. Ze vertelde hem zelfs over het buitenteam.
'Ik hoop dat je niet van plan bent om daar bij te gaan,' zei hij kalm, met een bezorgde blik. 'Het zal best een belangrijk onderdeel van het werk zijn, en het is mooi dat ze het doen, maar het klinkt gevaarlijk.'
'Dat is het vast. Ze hebben allemaal veel ervaring. De vrouw van het team is een voormalig politieagente, een van de mannen is ook bij de politie geweest en doet aan vechtsporten, net als zij, en de derde is een ex-marinier. Die hebben mijn hulp heus niet nodig!' Ze glimlachte, en toen kwam Pip weer bij hen. Ze vond het fantastisch dat Matt bij hen op bezoek was, en toen haar moeder de kamer uit ging om een glas wijn voor Matt te halen, vroeg Pip fluisterend naar het portret van haar waaraan hij bezig was.
'Schiet het al op? Heb je er deze week aan gewerkt?' Ze wist dat dit het mooiste cadeau zou zijn dat haar moeder ooit gekregen had, en ze popelde om haar gezicht te zien wanneer ze het kreeg.
'Ik ben er nog maar net aan begonnen.' Hij keek zijn jonge vriendin lachend aan. Hij hoopte dat het uiteindelijke resultaat

haar niet zou teleurstellen, maar hij was tevreden over wat hij er tot nu toe aan had gedaan. Zijn eigen gevoelens voor Pip maakten het gemakkelijker om haar goed weer te geven. Het portret moest niet alleen het rode haar en de zachtbruine ogen met de gouden lichtjes erin weergeven, maar ook haar temperament en haar ziel. Hij zou ook graag Ophélies portret willen schilderen, hoewel hij al heel lang geen portretten van volwassenen had gemaakt. Maar hij zou het graag proberen.
Kort voor zevenen stonden ze op om uit eten te gaan, maar toen ze bij de voordeur waren, bleef Matt opeens staan.
'Je hebt iets vergeten,' zei hij terwijl hij Pip aankeek, en ze keek verbaasd.
'We kunnen Mousse toch niet meenemen naar een restaurant,' zei ze ernstig. Ze had een zwart rokje en een rood truitje aan en zag er heel volwassen uit. Ze had zich speciaal voor hem netjes aangekleed, en haar moeder had een gloednieuw klemmetje in haar haar gedaan. 'We mogen Moussy alleen meenemen naar restaurants aan het strand,' legde ze uit.
'Ik dacht ook niet aan hem, al had ik dat wel moeten doen. We zullen een doggy bag voor hem meenemen. Maar je hebt me de Elmo- en Grover-pantoffels nog niet laten zien,' zei hij verwijtend, en Pip begon te lachen.
'Wil je die zien?' Ze keek verheugd. Hij onthield altijd alles wat ze hem vertelde.
'We gaan niet weg voor ik ze gezien heb,' zei hij beslist. Hij deed een stap naar achteren en nam een afwachtende houding aan met zijn armen over elkaar. Ophélie keek hem met een glimlach aan. Toen keek hij ook naar haar.
'Ik meen het. Van jullie allebei. Ik wil Elmo en Grover zien. Ik vind dat jullie ze moeten showen.' Het leek erop dat hij het meende en Pip holde met een opgetogen gezicht de trap op om ze te halen. Even later kwam ze terug met de twee paar pantoffels en gaf de Grovers aan haar moeder.
Met het gevoel niet goed wijs te zijn trok Ophélie ze aan, terwijl Pip de hare aandeed, en daar stonden ze allebei op de pluizige, oversize pantoffels. Matt lachte goedkeurend. 'Ze zijn schitterend. Ik vind ze prachtig. Nu ben ik echt jaloers. Ik wil er ook een paar van. Kunnen jullie ze niet in mijn maat zoeken?'

'Ik denk het niet,' zei Pip verontschuldigend. 'Mijn moeder zei dat het al moeilijk was een paar te vinden dat haar paste, en zij heeft nog tamelijk kleine voeten.'
'Wat jammer nou,' zei hij terwijl ze weer hun gewone schoenen aantrokken. Hij volgde hen naar buiten, het trapje af naar zijn auto.
Ze hadden het heel gezellig tijdens het etentje, en babbelden over van alles en nog wat. Terwijl ze hem zo met Pip bezig zag, bedacht Ophélie weer wat een klap het voor hem moest zijn geweest het contact met zijn kinderen te verliezen. Hij was duidelijk een man die van kinderen hield en die met ze om wist te gaan. Hij gaf veel van zichzelf, was open en hartelijk, en geïnteresseerd in alles wat Pip te zeggen had. Hij straalde een onweerstaanbare warmte uit, en tegelijkertijd precies de juiste mate van respectvolle terughoudendheid. Ophélie had nooit het gevoel dat hij haar onder druk zette of zich aan haar opdrong. Hij kwam net dichtbij genoeg om vriendelijk te zijn, maar nooit zo ver dat het opdringerig werd. Hij was echt een lieve man, en een fijne vriend voor hen allebei.
Toen ze om halftien weer thuiskwamen, was iedereen in een opperbeste stemming. Matt had er zelfs aan gedacht om wat restjes voor de hond te vragen. Pip ging naar de keuken om ze in zijn etensbak te doen.
'Je bent te goed voor ons, Matt,' zei Ophélie zacht terwijl ze in de woonkamer gingen zitten en hij het vuur in de haard aanmaakte, zoals hij ook in het strandhuis had gedaan. Pip kwam een paar minuten later terug en Ophélie stuurde haar naar boven om haar pyjama aan te trekken, hoewel ze protesteerde. Maar ze gaapte terwijl ze bezwaar maakte, en Matt en Ophélie lachten haar uit.
'Je verdient het dat mensen goed voor je zijn, Ophélie,' zei Matt en dat meende hij. Hij ging weer naast haar op de bank zitten, nadat hij haar aanbod van een glas wijn had afgeslagen. Hij dronk de laatste tijd bijna niet meer. Hij beleefde veel plezier aan het portret van Pip, en hij vond het echt leuk om hen in de stad te komen opzoeken. Hij had gemerkt dat hij vooral meer ging drinken wanneer hij eenzaam of depressief was, en dat was hij de laatste tijd niet meer geweest, dankzij hen. 'We verdie-

nen allemaal aardige mensen in ons leven,' zei hij tegen haar; hij bedoelde alleen dat hij van haar vriendschap genoot. 'Je hebt een mooi huis,' zei hij eerlijk terwijl hij de kamer bewonderde waar ze zaten, en het fraaie antiek waarmee die was ingericht. Het was een tikje te formeel naar zijn smaak, maar het had wel iets weg van het appartement dat Sally en hij in New York hadden gehad. Ze hadden een maisonnette aan Park Avenue gekocht, en een van de beste binnenhuisarchitecten van de stad had de inrichting verzorgd, zodat Matt zich onwillekeurig afvroeg of er aan Ophélies huis ook een binnenhuisarchitect te pas was gekomen of dat ze het zelf had gedaan. Na nog een blik om zich heen vroeg hij het maar.

'Ik voel me gevleid dat je het vraagt.' Ze glimlachte dankbaar. 'Ik heb dit de laatste vijf jaar allemaal zelf gekocht. Ik vind het leuk daarmee bezig te zijn. Ik hou ervan antieke spulletjes te zoeken en kamers in te richten. Het is leuk, al is dit huis nu te groot voor Pip en mij. Maar ik kan het niet opbrengen het te verkopen. We hebben hier heerlijk gewoond, maar nu met z'n tweetjes lijkt het een beetje treurig. Ik zal er op den duur iets op moeten verzinnen.'

'Je hoeft je niet te haasten. Ik heb altijd het gevoel gehad dat we het appartement in New York te snel hebben verkocht. Het had alleen geen zin om het aan te houden toen Sally en de kinderen weg waren. Wij hadden ook mooie spullen,' zei hij op nostalgische toon.

'Heb je die verkocht?' vroeg Ophélie.

'Nee. Ik heb het allemaal aan Sally gegeven, en ze heeft alles meegenomen naar Auckland. God weet wat ze er daar mee heeft gedaan, want ze is bijna meteen bij Hamish ingetrokken. Ik had op dat moment niet door dat ze dat van plan was, of dat ze het zo snel zou doen. Ik dacht dat ze een eigen woning zou betrekken en het een tijdje aan zou zien. Maar ze liet er geen gras over groeien. Dat is Sally ten voeten uit. Zodra ze een besluit heeft genomen, wordt het uitgevoerd.' Hierdoor was ze een geweldige zakenpartner, maar uiteindelijk een waardeloze echtgenote. Hij had het graag omgekeerd gehad. 'Ach, het doet er ook niet toe.' Hij haalde zijn schouders op en zag er verrassend ontspannen uit. 'Dingen zijn altijd te vervangen, mensen niet.

En op het strand heb ik echt geen behoefte aan een huis vol antiek. Ik leid een heel eenvoudig leven, en meer wil ik niet.' Ze had even een blik geworpen in zijn huis en wist dat het waar was, maar toch vond ze het wel treurig. Hij had zoveel verloren. Maar ze moest toegeven dat hij er ondanks alles vrede mee leek te hebben, dat hij redelijk tevreden was. Zijn leven beviel hem, en zijn huis was gerieflijk. Hij hield van zijn werk. Het enige dat in zijn leven leek te ontbreken waren mensen, maar die leek hij ook niet te missen. Hij was een echte eenling. En nu had hij Pip en Ophélie, die er altijd waren wanneer hij hen wilde zien.

Hij bleef tot elf uur, toen zei hij dat hij maar eens moest gaan. Het kon 's nachts misten op de weg naar het strand, zodat het langer zou duren om terug te rijden. Maar hij verzekerde haar dat hij het heel leuk had gevonden bij hen te zijn, net als altijd. Hij stak zijn hoofd nog even om de deur van Pip om haar nog even gedag te zeggen, maar ze sliep vast, met Mousse aan het voeteneind van haar bed, en de Elmo-pantoffels op de vloer ernaast.

'Je hebt het enorm getroffen met haar,' zei hij met een warme glimlach terwijl hij achter Ophélie de trap af liep. 'Het is een fantastische meid. Ik weet niet aan welk gelukkig toeval ik het te danken heb dat ze mij op het strand heeft gevonden, maar ik ben er blij om.' Hij kon zich niet meer voorstellen wat hij zonder haar in zijn leven zou doen. Ze leek een godsgeschenk, en Ophélie was de extra bonus die hij bij Pip had gekregen.

'Wij zijn er ook blij om, Matt. Bedankt voor de heerlijke avond.' Ze kuste hem op beide wangen en hij glimlachte. Het deed hem denken aan het jaar dat hij vijfentwintig jaar geleden als student in Frankrijk had doorgebracht.

'Laat me weten wanneer ze een voetbalwedstrijd heeft. Dan kom ik weer hier naartoe. Anders ook trouwens. Je hoeft maar te bellen.'

'Doen we.' Ze lachte. Ze wisten allebei dat Pip hem de volgende dag weer zou bellen, maar Ophélie zag er geen kwaad in. Het kind had behoefte aan een man in haar leven, hoe dan ook, en Ophélie had geen andere mannen te bieden. Hun relatie kwam hun alledrie goed uit; ze hadden er veel aan, ook de volwassenen.

Ophélie keek hem na terwijl hij wegreed in zijn oude stationcar, sloot de deur en deed het licht uit. Pip was die avond in haar eigen bed gaan slapen, wat de laatste tijd zelden meer voorkwam, en Ophélie lag lang wakker in haar te grote bed, in het donker. Ze dacht aan de afgelopen avond en aan de man die eerst Pips vriend was geworden en daarna ook haar vriend. Ze wist dat ze het getroffen hadden met hem, maar door aan hem te denken kwamen er ook gedachten aan Ted boven. Haar herinneringen aan hem leken in sommige opzichten helemaal volmaakt, maar in andere opzichten erg verontrustend. Er kwam een geluidloze dissonant uit de diepte omhoog wanneer ze aan oude conflicten dacht, en ondanks dat miste ze hem nog steeds ondraaglijk, en vroeg zich af of dat altijd zo zou blijven. Haar leven als vrouw leek voorbij te zijn, en zelfs haar moederrol zou niet zo lang meer duren. Chad was er niet meer, en Pip zou over een paar jaar haar eigen leven gaan leiden. Ze kon zich absoluut niet voorstellen hoe haar leven dan zou zijn, en ze dacht er liever niet aan. Ze zou alleen zijn, onvermijdelijk. En ondanks vrienden zoals Andrea en nu Matt zou er, wanneer Pip ergens ging studeren, geen sprake meer zijn van een doel in haar leven. Bij de gedachte hieraan werd ze panisch en ging ze weer naar Ted verlangen. Het leek alsof ze in zulke nachten alleen maar terug kon kijken, naar een leven dat nu voorbij was. Als ze vooruit keek naar de toekomst sloeg de angst haar om het hart. Op zulke momenten, wanneer ze diep in haar ziel keek, begreep ze maar al te goed hoe Chad zich had gevoeld. Alleen haar verantwoordelijkheden jegens Pip hielden haar nog op de been, en weerhielden haar ervan iets echt doms te doen. Maar soms, in het nachtelijk donker, was de verleiding onmiskenbaar aanwezig. Ook al wist ze heel goed dat het verkeerd was, gezien haar verantwoordelijkheden jegens Pip, de dood zou een zoete verlossing betekenen.

15

Drie dagen na het gezellige etentje met Matt moest Ophélie een uitdaging onder ogen zien die ze al een tijdje had gevreesd. De rouwgroep waar ze vier maanden regelmatig naartoe was gegaan en waarvan ze veel steun had ondervonden, stond op het punt te worden opgeheven. Ze spraken erover als een 'promotie'. Ze hadden het over 'de wereld weer in gaan' in je eigen tempo, en probeerden de laatste bijeenkomst iets feestelijks te geven. Maar de werkelijkheid – ze zouden elkaar verliezen, evenals de onderlinge steun en intimiteit – bracht die dag bijna iedereen in tranen. Ook Ophélie.

Ze gaven elkaar een knuffel, beloofden contact te houden, wisselden telefoonnummers en adressen uit en bespraken hun plannen voor de toekomst. Meneer Feigenbaum had tijdens een bridgecursus een achtenzeventigjarige vrouw leren kennen over wie hij heel enthousiast was en met wie hij afspraakjes maakte. Een paar anderen hadden ook een vriend of een vriendin gevonden. Sommigen waren van plan op reis te gaan, en een van de vrouwen had na eindeloos twijfelen besloten haar huis te verkopen. Een andere vrouw had erin toegestemd bij haar zuster te gaan wonen, en een man die Ophélie niet bijzonder aardig had gevonden, had na de dood van zijn vrouw en een familievete die bijna dertig jaar had geduurd, eindelijk vrede gesloten met zijn dochter. Het merendeel van hen had echter nog een lange weg te gaan en zou nog veel aanpassingen moeten realiseren.

Het belangrijkste wat Ophélie had bereikt, in elk geval zichtbaar, was haar baan als vrijwilligster bij het Wexlercentrum. Haar houding was beter. Het angstaanjagende zwarte gat waarover ze allemaal hadden gesproken en waar ze af en toe nog

steeds in viel, was niet meer zo diep, en de donkere periodes waren minder lang. Maar ze wist net als alle anderen dat de strijd om zich aan te passen aan de geleden verliezen nog lang niet gestreden was. Ze had er nu alleen wel effectievere middelen voor tot haar beschikking. Dat was alles waarop ze mocht hopen, en in sommige opzichten leek dat voldoende.
Toch was ze overmand door verdriet en had ze het gevoel opnieuw iets te verliezen terwijl ze afscheid nam van Blake. Toen ze Pip van school ophaalde, oogde ze heel triest.
'Mam, wat is er aan de hand?' Pip keek angstig. Zo had ze haar moeder maar al te vaak gezien, en tegenwoordig was ze voortdurend bang dat de robot terug zou komen om de plaats van haar moeder in te nemen, zoals die dat bijna een jaar lang had gedaan. Dat wilde ze niet meer zien gebeuren, want na de dood van haar broer en haar vader had ze zich tien maanden in de steek gelaten gevoeld.
'Niets. Het is stom, denk ik. Vandaag is die rouwgroep van me voor het laatst bijeengekomen, en ik zal het missen. Sommige mensen waren aardig, en hoewel ik erover heb geklaagd, denk ik dat het me echt heeft geholpen.'
'Kun je niet teruggaan?' Pip maakte zich nog steeds zorgen. Ze vond haar moeder er niet goed uitzien. Die gezichtsuitdrukking was haar maar al te bekend. Ze herinnerde zich de keren dat Chad ook zo was geweest. Dat glazige, donkere, vage, naamloze verdriet dat bodemloos leek en zijn slachtoffer lethargisch en onverschillig maakte. Pip wilde iets doen om dit alles een halt toe te roepen voordat het de overhand kreeg, maar ze wist niet wat. Dat wist ze nooit.
'Ik kan me zo nodig bij een andere groep aansluiten, maar deze is opgeheven.' Ze klonk wanhopig en Pip raakte in paniek.
'Misschien zou je dat inderdaad moeten doen.'
'Pip, alles zal goed gaan met mij. Dat beloof ik je.' Haar moeder gaf haar een klopje op haar arm en ze reden verder zwijgend naar huis. Zodra ze daar waren, glipte Pip de studeerkamer boven in die door niemand meer werd gebruikt, en belde Matt. Het regende die dag en in plaats van op het strand te schilderen was hij bezig met haar portret. In de wintermaanden zou hij steeds minder buiten werken, maar nu was het weer

nog vrij redelijk – met uitzondering van vandaag.
'Ze ziet er hondsberoerd uit,' zei Pip zacht, biddend dat haar moeder elders in het huis de hoorn niet van de haak zou pakken. Ze had op de knop gedrukt die privacy moest garanderen, maar ze was er niet zeker van of die werkte. 'Matt, ik ben bang,' zei ze eerlijk, en hij was blij dat ze hem had gebeld. 'Vorig jaar dacht ik... ze... soms kwam ze niet eens haar bed uit, of kamde haar haar niet... Ze at vrijwel niets... Ze was de hele nacht wakker... Ze wilde niet eens met me praten...' Tranen verschenen in haar ogen terwijl ze met hem sprak, en haar woorden troffen zijn hart als een mokerslag. Hij had intens met hen allebei te doen.
'Doet ze een van die dingen nu weer?' vroeg hij oprecht bezorgd. Hoewel hij de zaterdag daarvoor de indruk had gehad dat alles oké met haar was, wist je het maar nooit. Mensen konden die dingen verborgen houden. Soms hielden de meest wanhopige mensen die gevoelens voor zich – met heel beroerde gevolgen – en hij wist niet of Ophélie tot die categorie behoorde. Ondanks haar jonge leeftijd zou Pip dat beter weten dan hij.
'Nog niet,' zei Pip, die in alle opzichten grote ellende verwachtte. 'Maar ze ziet er echt triest uit.' Er blonken nog altijd tranen in haar ogen.
'Ze zal wel een beetje bang zijn omdat ze de steun van die groep moet missen, en afscheid nemen valt haar nu zwaar. Jullie hebben allebei veel verloren,' zei hij. Hij vond het niet prettig haar dat in herinnering te brengen, maar het was de waarheid en ze klonk zo volwassen dat hij meende zich jegens haar wel bepaalde vrijheden te kunnen veroorloven. Op dit moment leek ze eerder de ouder dan het kind te zijn. Dit was het soort gesprek dat hij zou hebben verwacht met Ophélie over Pip te voeren, niet andersom. In het laatste jaar was ze snel volwassener geworden. Over een maand zouden haar vader en haar broer een jaar dood zijn. 'Ik denk dat je haar in de gaten moet houden, maar dat alles met haar wel in orde zal komen. De laatste keren dat ik haar heb gezien, leek ze zich goed te voelen. Hoewel het nog wel een beetje op en neer kan blijven gaan, zal ze er naar alle waarschijnlijkheid spoedig bovenop komen. Als dat niet gebeurt, kom ik naar jullie toe om haar zelf eens te be-

kijken.' Het was in feite niet zo dat hij iets kon doen. Binnen de context van de relatie die hij met hen had, was die rol niet voor hem weggelegd. Maar zelfs als vriend zou hij wellicht kunnen helpen, of Pip op zijn minst kunnen steunen. Zelfs steun had ze het afgelopen jaar niet gehad, en daar was ze hem nu dankbaar voor. Meer dan hij wist of zij kon zeggen.

'Dank je, Matt,' zei ze, en dat meende ze uit de grond van haar hart. Alleen al met hem erover praten hielp.

'Bel me morgen weer om me te vertellen hoe het met haar gaat. En, tussen twee haakjes: dat portret van jou ziet er behoorlijk goed uit,' zei hij bescheiden.

'Ik verheug me er ontzettend op het te zien.' Ze glimlachte en verbrak de verbinding. Ze hadden op dit moment geen plannen om elkaar weer te zien, maar ze wist dat hij er was als ze hem nodig had, en dat gaf haar het onmetelijke gevoel geliefd en gesteund te worden. Dat was wat ze van hem nodig had.

Terwijl Ophélie die avond het eten aan het klaarmaken was, voelde ze zich verloren. Ze keek geschrokken toen de deurbel rinkelde, en ze kon zich niet voorstellen wie het zou kunnen zijn. Ze verwachtten niemand, ze wist dat Matt niet in de stad was, en Andrea kwam nooit langs zonder eerst te bellen. Ze kon zich alleen maar indenken dat er iets moest worden bezorgd. Of misschien had Andrea opeens toch besloten onaangekondigd langs te komen. Toen Ophélie de deur openmaakte, zag ze een lange, kale man staan. Hij had een bril op en in eerste instantie herkende ze hem niet. Het duurde een volle minuut voordat ze zijn gezicht kon plaatsen. Hij heette Jeremy Atcheson en hij was lid geweest van de rouwgroep die die middag was opgeheven.

'Ja?' zei ze met een neutrale gezichtsuitdrukking terwijl hij over haar schouder het stille huis in keek. Hij leek nerveus en ze kon zich niet voorstellen wat hij hier deed. Hij was een van die gezichtloze mensen die zelden iets zeiden, en naar haar idee had hij altijd minder bijgedragen aan de therapie dan de anderen. Ze had nooit een bijzondere affiniteit met hem gevoeld, en ze kon zich niet herinneren ooit met hem te hebben gesproken – binnen of buiten de groep.

'Hallo, Ophélie,' zei hij. Er parelden zweetdruppeltjes op zijn bovenlip en ze had de duidelijke indruk dat zijn adem naar alcohol stonk. 'Mag ik binnenkomen?' Hij glimlachte zenuwachtig, maar zij vond het meer op een geile blik lijken. Toen ze hem eens wat aandachtiger opnam, besefte ze dat hij er lichtelijk verfomfaaid uitzag en niet al te vast op zijn benen leek te staan.

'Ik ben het avondeten aan het klaarmaken,' zei ze ongemakkelijk, niet in staat te bedenken wat hij wilde. Ze wist echter dat hij haar adres had door de groepslijst die die dag aan iedereen was gegeven om degenen die contact wilden houden, daartoe in staat te stellen.

'Dat is geweldig,' zei hij vrijpostig en met een onaangename grijns. 'Ik heb nog niet gegeten. Wat ben je aan het maken?'

Haar mond viel bijna open door die brutale opmerkingen en even had ze de indruk dat hij van plan was gewoon naar binnen te lopen. Ze begon de deur langzaam dicht te doen, om het hem moeilijker te maken binnen te komen. Ze was absoluut niet van plan hem daartoe uit te nodigen. Ze voelde aan dat er iets onaangenaams kon gaan gebeuren en dat wilde ze ten koste van alles voorkomen.

'Sorry, Jeremy, maar ik moet terug naar de keuken. Mijn dochter sterft van de honger en over een paar minuten verwacht ik een vriend van me.' Ze wilde de deur nog verder dichtdoen, maar hij zette daar een hand tegenaan en het was haar meteen duidelijk dat hij sneller en sterker was dan ze had verwacht. Ze wist niet of ze hem een trap moest geven of moest gaan gillen. Met uitzondering van Pip was er echter niemand in het huis die haar kon helpen. En de 'vriend' die ze verwachtte had ze verzonnen om hem te ontmoedigen. Het was een in alle opzichten onaangename scène en een schending van het wederzijdse respect dat binnen de groep was gecultiveerd.

'Waarom heb je zo'n haast?' Hij keek weer geil, wilde langs haar heen lopen maar durfde dat toch niet echt te doen. Gelukkig maakte de alcohol die hij tot zich had genomen en die ze onmiskenbaar kon ruiken nu hij zo dicht bij haar stond, hem trager. 'Heb je een afspraakje?'

'Ja.' En hij is twee meter tien lang en een karate-expert, wilde ze daaraan toevoegen. Ze kon echter niemand bedenken die

angstaanjagend – of snel – genoeg was om hem tegen te houden. Toen het goed tot haar doordrong in wat voor een situatie ze zich bevond, werd ze bang.
'Dat is niet waar,' zei hij. 'In de groep heb je voortdurend gezegd dat je er niets voor voelde met een andere man afspraakjes te gaan maken, en dat ook nooit zou gaan doen. Ik dacht dat we misschien samen konden gaan eten en dat jij dan wellicht van gedachten zou veranderen.'
Dit was belachelijk en ongehoord onbeschoft. Bovendien maakte hij haar bang en wist ze niet hoe ze dit moest afhandelen. Sinds ze met Ted was getrouwd, had ze zich nooit meer in een situatie als deze bevonden. Een keer waren er een paar dronken jongemannen haar studentenhuis binnengedrongen, en die hadden haar doodsangst aangejaagd tot de conciërge van haar verdieping hen had ontdekt en door de beveiligingsdienst de deur uit had laten smijten. Nu was er echter geen conciërge die haar kon redden. Pip was verder de enige die thuis was.
'Aardig van je dat je bent langsgekomen,' zei Ophélie beleefd terwijl ze zich afvroeg of ze voldoende kracht zou kunnen verzamelen om de deur voor zijn gezicht dicht te smijten, ook al zou ze daarmee zijn arm kunnen breken. 'Maar nu moet je echt weer vertrekken.'
'Dat ben ik niet van plan, en dat wil jij ook niet. Dat is toch zo, schatje? Waar ben je bang voor? De groep is ontbonden en we kunnen nu omgaan met wie we willen. Of ben je gewoon bang voor mannen? Ben je een pot?' Hij was meer beschonken dan ze aanvankelijk had gedacht, en opeens besefte ze dat ze daadwerkelijk in gevaar verkeerde. Als hij de kans kreeg om binnen te komen, zou hij haar of Pip iets kunnen aandoen. Die wetenschap gaf haar de kracht die ze nodig had. Zonder voorafgaande waarschuwing en zo hard mogelijk duwde ze hem met een hand naar achteren en smeet met haar andere hand de deur dicht terwijl Mousse boven aan de trap verscheen en blaffend haar kant op racete. De hond had geen idee wat er aan het gebeuren was, maar iets vertelde hem dat het niet in de haak was, en daar had hij gelijk in. Ze trilde terwijl ze de ketting op de deur deed en Jeremy aan de andere kant van die deur hoorde vloeken en obscene opmerkingen hoorde schreeuwen. 'Ver-

domd kreng! Je vindt jezelf zeker te goed voor mij!' Ze stond daar, trillend op haar benen en voelde zich banger en kwetsbaarder dan in jaren het geval was geweest. Opeens herinnerde ze zich dat hij zich bij de groep had aangesloten vanwege de dood van zijn tweelingbroer en het feit dat hij zich niet over zijn woede daarover heen leek te kunnen zetten. Zijn broer was gedood door een chauffeur die na het ongeluk was doorgereden. Als ze tijdens de groepsgesprekken aandacht aan hem had besteed – wat zelden was gebeurd – had ze het gevoel gehad dat hij door de dood van die tweelingbroer de kluts was kwijtgeraakt. Het consumeren van alcohol had het er beslist niet beter op gemaakt. Ze bleef de duidelijke indruk houden dat hij haar of Pip iets afschuwelijks had kunnen aandoen als hij de kans had gekregen binnen te komen.
Omdat ze niet wist wat ze anders kon doen, deed ze precies hetzelfde wat Pip eerder die avond had gedaan. Ze liep naar de telefoon, belde Matt, vertelde hem wat er was gebeurd en vroeg of hij vond dat ze de politie moest inschakelen.
'Staat hij nog voor de deur?' Hij klonk van streek.
'Nee. Toen ik jouw nummer intoetste, heb ik hem horen wegrijden.'
'Dan is alles waarschijnlijk oké, maar als ik jou was, zou ik wel contact opnemen met de leider van die rouwgroep. Misschien kan hij die man bellen en iets tegen hem zeggen. Hij zal wel gewoon dronken zijn geweest, maar desondanks had hij iets dergelijks nooit mogen doen. Ik heb de indruk dat hij een krankzinnige is.' Of, erger nog, een potentiële verkrachter, dacht hij. Dat zei hij echter niet hardop, want hij wilde haar niet banger maken dan ze al was.
'Dronken was hij inderdaad, maar hij heeft me wel de stuipen op het lijf gejaagd. Ik was bang dat hij Pip iets zou aandoen als hij het huis in kon komen.'
'Of jou. Doe alsjeblieft niet open voor vreemden!' Opeens leek ze heel kwetsbaar en onbeschermd. Natuurlijk was ze capabel – dat had ze wel bewezen toen ze die jongen op zee hadden gered. Ze was echter ook mooi, en ze woonde alleen met een jong meisje. Deze gebeurtenis maakte haar, en hém, de risico's van haar situatie duidelijk. 'Laat de groepsleider die kerel de les le-

zen en tegen hem zeggen dat jij de volgende keer de politie zult bellen om hem wegens stalken te laten arresteren. Als hij vanavond nog eens terugkomt, moet je meteen de politie en daarna mij bellen. Als je je er zorgen over maakt, kan ik bij jou op de bank komen slapen. Ik zou het niet erg vinden om naar je toe te komen.'

'Nee, dat hoeft niet. Ik red me wel.' Ze klonk weer kalmer. 'Het was alleen even eigenaardig en angstaanjagend. Hij moet al die tijd vreemde ideeën over mij hebben gehad, en dat geeft me op zijn zachtst gesproken een onaangenaam gevoel.'

Het weer alleen zijn was op zich al moeilijk genoeg, maar dat mensen als Jeremy probeerden haar huis in te komen, was meer dan een beetje verontrustend. Haar kwetsbaarheid bleek een van de kwaden van haar situatie te zijn. Nu ze dat eenmaal wist, kon ze echter niets anders doen dan voorzichtig zijn. Ze wist dat ze niet kon verwachten dat Matt – of wie dan ook – als haar lijfwacht zou optreden. Ze moest leren dergelijke dingen zelf af te handelen, en het speet haar meer dan ooit dat de rouwgroep was opgeheven. Ze zou graag met de andere leden hebben besproken hoe je dergelijke dingen moest aanpakken. Ze bedankte Matt voor zijn medeleven, bezorgdheid en goede raad en zodra ze de verbinding had verbroken, belde ze Blake Thompson, die er eveneens erg door van streek was.

Hij beloofde Jeremy de volgende dag te bellen, wanneer de man weer was ontnuchterd, en hem rechtstreeks zeggen dat hij het heilige vertrouwen van de groep niet alleen had geschonden maar ook misbruikt. Toen Matt haar na het avondeten belde om te controleren of alles oké was, klonk ze weer kalm. Ze had er niets meer over gezegd tegen Pip, omdat ze haar niet bang wilde maken. Ze had haar geruststellend meegedeeld dat de man geen kwaad kon en dat het niets voorstelde, wat waarschijnlijk waar was. Hoewel Ophélie ervan overtuigd was dat het een op zichzelf staand incident was, was ze er toch door van slag geweest. Tijdens het eten knapte ze echter weer op – tot opluchting van Pip – en de volgende morgen leek ze zich goed te voelen toen ze in de auto stapte om Pip naar school te brengen en daarna in het Wexlercentrum te gaan werken.

Blake belde haar daar later die morgen, vertelde dat hij met Jeremy had gesproken en dat die een straatverbod opgelegd zou krijgen als hij ooit nog bij haar in de buurt kwam. Hij zei dat Jeremy had gehuild en had toegegeven dat hij na het afscheid van de groep regelrecht naar een bar was gegaan en daar de hele middag had gedronken, tot hij bij haar voor de deur was verschenen. Hij zou een paar privé-sessies krijgen met Blake, en hij had Blake gevraagd haar zijn excuses over te brengen. Blake zei dat hij er vertrouwen in had dat het niet meer zou gebeuren, maar dat het voor haar wel een goede les was geweest. Ze diende voorzichtig te zijn, en op haar hoede voor onbekenden. Zelfs voor mensen die ze slechts vaag kende. Er wachtte daar buiten een heel nieuwe wereld op haar, vol kwaden waarmee ze als getrouwde vrouw nog nooit in aanraking was gekomen. Dat was geen opwekkende gedachte.

Ze bedankte Blake voor de afhandeling, ging weer aan het werk en vergat de hele kwestie. Toen ze die middag thuiskwam, lag er een excuusbrief van Jeremy voor de deur. Hij verzekerde haar dat hij haar niet meer zou lastigvallen. Kennelijk hadden ze allemaal hun eigen manier om om te gaan met het destabiliserende effect dat het wegvallen van de steun van de groep op hen had. Zijn manier was alleen iets angstaanjagender geweest dan de meeste andere. Het maakte haar echter ook duidelijk dat zij niet de enige was die er depressief van werd en erdoor van streek raakte. Het vereiste een groot aanpassingsvermogen, want het was in zekere zin een verlies. Nu moest ze de wereld weer in gaan, net als alle anderen, en proberen wat ze had geleerd in de praktijk te brengen.

Zodra Ophélie de volgende dag het Centrum in liep, vergat ze haar eigen problemen. Tot drie uur had ze het zo druk dat ze nauwelijks de tijd had om adem te halen. Ze genoot van haar werk en van alles wat ze leerde. Die dag voerde ze twee intakegesprekken. Een met een echtpaar met twee kinderen, die uit Omaha afkomstig waren en alles hadden verloren. Ze hadden niet genoeg geld om te eten, te leven, de huur te betalen en de kinderen te verzorgen, en beide echtelieden waren hun baan kwijtgeraakt. Ze hadden niemand tot wie ze zich konden wenden, maar probeerden moedig weer op de been te komen. Het Centrum deed al het mogelijke om te helpen, zoals het verstrekken van voedselbonnen, het aanmelden als werkloze en het inschrijven van de kinderen op een school. Binnen een week zouden ze naar een permanente verblijfplaats gaan, en het zag ernaar uit dat ze met de hulp van het Centrum de kinderen bij zich zouden kunnen houden, wat geen geringe prestatie was. Ophélie moest bijna huilen toen ze haar hen luisterde en met het meisje sprak, dat precies even oud was als Pip. Het was moeilijk je voor te stellen hoe mensen dat punt konden bereiken, maar het bracht haar opnieuw in herinnering hoe gelukkig zij en Pip zich mochten prijzen. Stel je eens voor dat Ted niet alleen was gestorven maar hen ook nog eens had achtergelaten zonder een dak boven hun hoofd!

Het tweede intakegesprek dat Ophélie voerde, was met een moeder en dochter. De moeder was ergens achter in de dertig en een alcoholiste. De dochter was zeventien en gebruikte drugs. De dochter had last van epileptische aanvallen, door het drugsgebruik of door een andere oorzaak, en ze leefden samen al twee jaar op straat. Alles werd nog eens extra gecompliceerd omdat de dochter tegenover Ophélie toegaf dat ze vier maanden zwanger was. Allemaal geen zaken waar je vrolijker van werd. Miriam en een van de andere professionals waren bezig de twee vrouwen in een afkickcentrum geplaatst te krijgen, met goede medische voorzieningen en prenatale zorg voor de dochter. Diezelfde avond nog waren ze vanuit het Centrum al overgebracht naar een andere faciliteit, en de volgende morgen zou het afkickprogramma van start gaan.

Tegen het eind van de week had Ophélie het gevoel dat haar hoofd tolde. Toch bleef ze het prachtig vinden. Ze had zich nog nooit van haar levensdagen zo nuttig gevoeld, of zo nederig. Ze zag en leerde dingen waarvan je je moeilijk een voorstelling kon maken tot je ze had gezien en gehoord. Minstens tien keer per dag wilde ze haar hoofd laten hangen en huilen, maar ze wist dat ze dat niet kon doen. Je kon tegenover de cliënten niet laten merken hoe tragisch of hopeloos hun situatie naar jouw idee was. Het merendeel van de tijd was het moeilijk je in te denken dat ze hun hopeloze misère ooit achter zich zouden kunnen laten, maar sommigen slaagden daar wel degelijk in. Zij en alle anderen in het Centrum waren daar om te doen wat ze konden om te helpen, of dat nu een positief resultaat opleverde of niet. Ze was zo ontroerd door alles wat ze ervoer dat het haar wanneer ze 's avonds naar huis ging het meeste speet dat ze er Ted niets over kon vertellen. Ze wilde graag geloven dat het hem zou hebben gefascineerd. In plaats daarvan deelde ze zoveel als redelijk leek met Pip, zonder haar te veel angst aan te jagen. Sommige verhalen waren te deprimerend of te eng. Die week was er voor de deur van het Centrum een dakloze man overleden toen hij naar binnen wilde lopen. Ten gevolge van alcoholisme, niet meer naar behoren functionerende nieren en ondervoeding. Daar vertelde ze Pip niets over.

Vrijdagmiddag was het Ophélie duidelijk dat ze de juiste beslissing had genomen, en die mening werd in hoge mate versterkt door haar adviseurs, leidinggevenden en collega's. Ze zou duidelijk een aanwinst voor het Centrum zijn en ze had het gevoel voor het eerst sinds een jaar een nuttig doel in haar leven te hebben.

Net toen ze op het punt stond om naar huis te gaan, liep Jeff Mannix van het buitenteam langs haar heen en bleef staan om een kop koffie te pakken.

'Hoe gaat het ermee? Drukke week?' vroeg hij met een grijns.

'Die indruk heb ik wel. Ik kan het nergens mee vergelijken, maar als het hier nog drukker wordt, bestaat de kans dat we de deuren dicht moeten doen om niet onder de voet te worden gelopen.'

'Dat zal wel kloppen.' Hij glimlachte naar haar en nam een slok van de dampende koffie. Hij was naar het Centrum gekomen om hun voorraden te controleren en zei dat ze wat nieuwe medische en de hygiëne betreffende producten aan hun gebruikelijke aanbod zouden toevoegen. Meestal arriveerde hij pas om zes uur op zijn werk en bleef dan tot een uur of drie, vier 's nachts op straat bezig. Het was duidelijk dat hij van zijn werk hield.

Ze spraken een minuutje over de man die woensdag bij hen op de stoep was overleden. Ophélie was daar nog steeds door van streek.

'Ik haat het dit te moeten zeggen, maar ik zie het op straat zo vaak gebeuren dat het me niet langer verbaast. Ik kan je niet vertellen hoeveel kerels ik probeer wakker te maken, hen omdraai... en merk dat ze zijn overleden. Niet alleen mannen, overigens. Ook vrouwen.' Er zwierven echter minder vrouwen op straat rond. Vrouwen gingen eerder naar een opvanghuis toe, hoewel Ophélie over hen ook de meest verschrikkelijke verhalen had gehoord. Twee vrouwen met wie ze die week intakegesprekken had gevoerd, hadden haar verteld dat ze in opvanghuizen waren verkracht – iets wat kennelijk niet ongewoon was. 'Je denkt dat je eraan gewend zult raken,' zei hij somber, 'maar dat gebeurt nooit.' Toen nam hij haar taxerend op, omdat hij de hele week goede berichten over haar had gehoord. 'Wanneer ga je met ons mee de straat op? Je hebt al met alle anderen hier samengewerkt. Ik heb me laten vertellen dat je heel goed bent in het voeren van intakegesprekken en het treffen van voorzieningen. Maar je hebt nog niets gezien tot je met Bob, Millie en ondergetekende op pad bent gegaan. Of komt de werkelijkheid voor jou dan iets te dichtbij?' Dat was een bewuste uitdaging aan haar adres. Hoewel hij veel respect had voor zijn collega's die in het Centrum werkten, hadden hij en de andere leden van het buitenteam het gevoel dat hun werk het belangrijkst was. Zij stonden aan grotere risico's bloot en verleenden in één nacht meer directe zorg dan het Centrum zelf in een week. Hij vond dat Ophélie ook dát met eigen ogen moest zien.

'Ik weet niet hoe goed ik zou kunnen helpen,' zei Ophélie eerlijk. 'Ik ben nogal laf en ik heb me laten vertellen dat jullie hier de helden zijn. Ik zou waarschijnlijk te bang zijn om de wagen uit te stappen.'

'Misschien een minuut of vijf. Daarna vergeet je je angst en doe je gewoon wat je moet doen. Je lijkt mij overigens een tante met behoorlijk wat lef.' Het gerucht deed de ronde dat ze geld had. Niemand wist het zeker, maar haar schoenen zagen er duur uit, haar kleren waren te mooi en te schoon en zaten haar als gegoten, en ze woonde in Pacific Heights. Ze leek echter even hard te werken als alle anderen, en volgens Louise zelfs nog harder. 'Wat ga je vanavond doen?' vroeg hij indringend, en ze voelde zich zowel onder druk gezet als geïntrigeerd. 'Heb je een afspraakje?' vroeg hij nogal bot.

Hoe agressief hij ook was, ze vond hem aardig. Hij was jong, oprecht, sterk en zijn werk uiterst toegewijd. Iemand had haar verteld dat hij op straat een keer bijna was doodgestoken en de volgende dag toch meteen weer was gaan werken. Dom, waarschijnlijk, maar naar haar idee ook bewonderenswaardig. Hij was bereid zijn leven te riskeren voor wat hij deed.
'Ik heb geen vriend,' zei ze eenvoudigweg. 'Ik heb een dochtertje, en ik ga naar huis, naar haar. Ik heb beloofd haar mee te nemen naar een film.' Ze hadden voor dat weekend geen plannen gemaakt, behalve dan voor de eerste voetbalwedstrijd van Pip, de volgende dag.
'Ga dan morgen met haar naar de bioscoop. Ik wil dat je met ons meegaat. Millie en ik hebben het er gisteravond over gehad. Je zou het minstens één keer moeten zien. Daarna zul je nooit meer dezelfde zijn.'
'Zeker niet als ik gewond raak, of word vermoord,' zei ze bot. 'Ik ben de enige die mijn dochter nog op deze wereld heeft.'
'Dat is niet goed,' zei hij met gefronste wenkbrauwen. 'Opie, ik heb het idee dat je iets meer in je leven nodig hebt.' Hij vond haar naam mooi maar onmogelijk om uit te spreken en had haar ermee geplaagd toen hij kennis met haar had gemaakt. 'Ga mee. We zullen op je passen. Wat denk je ervan?'
'Ik kan mijn dochter bij niemand onderbrengen,' zei Ophélie nadenkend. Ze was in de verleiding gebracht, maar voelde zich ook bang. Het was echter moeilijk weerstand te bieden aan die uitdaging van hem.
'Ze is toch elf jaar oud?' Hij rolde met zijn ogen en zijn brede, ivoorkleurige grijns deed het diepbruine gezicht oplichten. Hij was een mooie man, ongeveer een meter vijfennegentig lang, en had negen jaar bij de SEALS – de commandotroepen van de marine – gediend. 'Op haar leeftijd zorgde ik voor alle vijf mijn broers en moest ik elke week mijn moeder uit de gevangenis halen. Ze was een prostituée.' Het klonk stereotiep. Het was echter wel de waarheid. Wat hij haar niet vertelde maar zij van anderen had gehoord, was wat een opmerkelijke man hij was en hoe goed hij zijn kleine broertjes in zijn eentje had grootgebracht. Een van hen was met een beurs aan Princeton gaan studeren, en een andere was naar Yale gegaan. Ze waren nu alle-

bei jurist, en zijn jongste broer studeerde geneeskunde. Weer een andere voerde actie tegen geweld in de binnenstad, en de vijfde broer, die vier kinderen had, had zich kandidaat gesteld voor een zetel in het Congres. Jeff was een buitengewone en ontzettend overtuigende man. Ophélie dacht er serieus over met hem de straat op te gaan, ook al had ze gezworen dat nooit te zullen doen omdat het haar veel te gevaarlijk leek. 'Kom nou, moedertje. Geef ons een kans. Als je met ons mee bent gegaan, zul je nooit meer achter dat bureau willen gaan zitten! Wij doen hier het belangrijkste werk, en op die manier zul je met eigen ogen kunnen zien waarom we dat werk doen. We vertrekken om halfzeven. Zorg dat je er bent.' Het was eerder een bevel dan een uitnodiging, en ze zei dat ze zou zien wat ze kon doen. Toen ze Pip een halfuur later van school haalde was ze er nog steeds over aan het nadenken, en onderweg naar huis was ze stilletjes.

'Mam, is alles met jou in orde?' vroeg Pip zoals gewoonlijk bezorgd. Ophélie stelde haar gerust. Pip nam haar nog eens uitgebreid op en besloot het met haar eens te zijn. Ze kende inmiddels de waarschuwingssignalen wanneer haar moeder in een neerwaartse spiraal dreigde te belanden. Deze keer zag ze er alleen afwezig uit. 'Wat heb je vandaag in het Centrum gedaan?' Zoals gewoonlijk kwam Ophélie met een geredigeerde versie. Daarna voerde ze in haar slaapkamer een telefoongesprek. De vrouw die een aantal keren per week het huis kwam schoonmaken, zei dat ze die avond kon babysitten en Ophélie vroeg haar er om halfzes te zijn. Ze wist niet zeker hoe Pip erover zou denken en ze wilde haar niet teleurstellen, maar Pip zei dat het sowieso beter zou zijn zaterdag naar de bioscoop te gaan. De volgende morgen moest ze voetballen, en daar wilde ze niet te moe voor zijn. Ophélie legde uit dat er in het Centrum iets was gepland waaraan ze wilde meedoen. Pip zei dat ze het helemaal niet erg vond. Ze was blij dat haar moeder iets deed waarvan ze genoot. Dat was heel wat beter dan haar dagen te zien verslapen in haar kamer, of 's nachts ellendig door het huis te zien zwerven zoals ze dat het afgelopen jaar had gedaan.

Zoals beloofd verscheen Alice – de huishoudelijke hulp – stipt om halfzes, en toen Ophélie het huis uit liep zat Pip televisie te kijken. Ophélie had een spijkerbroek en een dikke trui aangetrokken, plus een ski-parka die ze achter in haar kast had gevonden en laarzen die ze in jaren niet meer had gedragen. Ze had ook een gebreide muts en handschoenen meegenomen, voor het geval het koud werd. Jeff had haar ervoor gewaarschuwd dat dat het geval zou zijn. In San Francisco waren de nachten ongeacht de seizoenen koud, en soms zelfs met name in de zomer. Bovendien was het de afgelopen weken 's avonds al behoorlijk koud geweest. Ze wist dat ze donuts, sandwiches en thermoskannen met koffie bij zich zouden hebben, en Jeff had haar verteld dat ze soms halverwege hun dienst even stopten bij McDonald's. Wat ze ook van plan waren... zij had zich er zo goed mogelijk op voorbereid. Toen ze haar auto bij het Centrum parkeerde, werd ze echter toch een beetje onrustig. Ze wist dat het in elk geval een interessante avond zou worden. Misschien de interessantste van haar leven. Ze wist ook dat Matt, Andrea en Pip zouden hebben geprobeerd haar hiervan te weerhouden indien ze het hadden geweten. Of ze zouden doodsbang zijn geworden voor haar welzijn. Zelf was ze ook angstig.

Terwijl ze de garage achter het Wexlercentrum in liep, zag ze Jeff, Bob en Millie spullen inladen. Dozen en rugtassen werden achter in het ene bestelwagentje gezet, en een stapel slaapzakken en cadeau gegeven kleren in het andere. Toen Jeff haar zag, draaide hij zich met een grijns en een voldane gezichtsuitdrukking verder naar haar toe.

'Mijn hemel... Hallo, Opie. Welkom in de echte wereld.' Ze wist niet zeker of dat een compliment of een kleinerende opmerking was, maar hij leek hoe dan ook blij te zijn haar te zien. Millie glimlachte haar eveneens toe. 'Ik ben blij dat je mee kunt gaan,' zei ze rustig, en toen ging ze weer aan het werk.

Het duurde nog een halfuur voordat alles was ingeladen. Ophélie hielp erbij en het was een heel zware klus, terwijl het echte werk nog niet eens was begonnen. Toen zei Jeff tegen haar dat ze bij Bob in het tweede bestelwagentje moest gaan zitten.

De lange, rustige Aziaat wees haar op de stoel naast de bestuurdersplaats. De andere stoelen waren verwijderd om ruimte te hebben voor hun voorraden.

'Weet je zeker dat je dit wilt doen?' vroeg hij kalm toen hij het contactsleuteltje omdraaide. Hij kende Jeff en de manier waarop hij mensen er weinig zachtzinnig toe kon overhalen dingen te doen, en hij bewonderde haar omdat ze was gekomen. Ze had lef. Ze hoefde dit niet te doen. Ze hoefde niemand iets te bewijzen. En verder zag ze eruit alsof ze uit een andere wereld kwam. Maar hij kon het waarderen dat ze was komen opdagen, bereid was haar nek uit te steken en zelfs haar leven te riskeren. 'Dit is niet verplicht, weet je. Ze noemen ons de cowboys van het stel, en we zijn allemaal een beetje getikt. Niemand zal je een doetje vinden wanneer je alsnog besluit niet met ons mee te gaan.' Hij gaf haar de kans te vertrekken voordat het te laat was. Dat vond hij niet meer dan eerlijk, omdat ze er geen idee van had wat haar te wachten stond.

'Jeff zal me dan wel een doetje vinden.' Ze glimlachte naar hem en hij schoot in de lach.

'Ja, misschien wel. Maar wat dan nog? Wie kan dat nou iets schelen? Opie, wil je mee of niet? Je hoeft je nergens voor te schamen en de beslissing is aan jou.'

Daar dacht ze goed over na en ze keek Bob lang en indringend aan. Toen haalde ze een keer diep adem en leek een fractie van een seconde bereid te zijn van gedachte te veranderen. Op dat moment besefte ze echter dat ze zich bij hem veilig voelde. Hoewel ze hem helemaal niet kende, voelde ze aan dat ze hem kon vertrouwen. Dat was ook zo. De andere bestelwagen toeterde. Jeff werd ongeduldig en kon niet begrijpen waarom ze nog niet onderweg waren. Bob wachtte echter tot Ophélie een besluit had genomen. 'Ga je mee of niet?'

Ze keek hem aan, ademde langzaam uit. 'Ik ga mee.' Die woorden leken uit eigener beweging over haar lippen te komen.

'Oké.' Hij grijnsde en trapte het gaspedaal in. De twee afgeladen bestelwagens denderden de garage uit. Het was zeven uur 's avonds.

16

De eerstvolgende acht uur zag Ophélie dingen waarvan ze het bestaan nimmer had kunnen dromen, en al zeker niet slechts een paar kilometer van haar huis vandaan. Ze gingen naar wijken waar ze nooit was geweest en reden door steegjes die haar aan het rillen maakten. Ze zag mensen die haar zo wezensvreemd waren dat haar hart erdoor uit haar lijf leek te worden gerukt. Mensen met korsten op hun gezicht, onder de zweren, met vodden aan hun voeten in plaats van schoenen of soms zelfs blootsvoets en halfnaakt in de kou. Andere keren zag ze schone, fatsoenlijk ogende mensen die zich in hoeken onder bruggen hadden verscholen en op de grond onder karton en kranten sliepen. Waar ze ook kwamen, ze kregen 'hartelijk bedankt' en 'God zegene jullie' te horen wanneer ze weer vertrokken. Het was een lange, langzaam voorbijgaande en hartverscheurende nacht. Tegelijkertijd echter had Ophélie zich nog nooit zo vredig en vreugdevol gevoeld. Ze had nimmer het idee gehad zo nuttig te zijn, behalve misschien toen ze het leven had geschonken aan Chad en Pip. Dit leek daar in elk geval veel op. Voor het merendeel van de avond en de nacht opereerden zij en Bob als een team. Hij hoefde haar niet te vertellen wat ze moest doen. Je hoefde alleen maar je hart te volgen. De rest lag voor de hand. Waar slaapzakken of warme kleding nodig waren, gaf je die. Jeff en Millie waren de medicijnen en de spullen voor lichaamshygiëne aan het uitdelen. En toen ze een aantal dakloze jongeren bij de dokken ver in het zuidelijke deel van Market aantroffen, maakte Bob daar een aantekening van. Hij vertelde Ophélie dat er nog een ander programma was voor jonge mensen die van huis waren weggelopen. Hij zou de plaats de volgende morgen doorgeven, en dan zouden zij proberen hen

zover te krijgen met hen mee te gaan. Slechts een paar van hen waren echter ooit bereid de straat achter zich te laten. Zij vertrouwden de opvanghuizen en hun programma's nog minder dan de volwassenen, en ze wilden niet naar huis worden teruggestuurd. Vaak waren de jongeren op de vlucht voor veel ergere dingen dan ze op straat konden meemaken.
'Velen zwerven al jaren rond. Naar hun idee zijn ze nu meestal veiliger dan waar ze waren. De programma's streven naar hereniging met de familie, maar het komt heel vaak voor dat het die lui niets kan schelen. Het interesseert hun ouders niet eens waar ze zijn geweest. Ze komen uit alle delen van het land hierheen en zwerven op straat tot ze volwassen zijn geworden.'
'En dan?' vroeg Ophélie, die wanhopig keek. Ze had nog nooit zoveel mensen gezien die het zo moeilijk hadden, en zo weinig middelen om iets aan hun benarde positie te doen. Ze waren – of leken – een bijna verloren zaak. De vergeten groep, noemde Bob hen. Verder had ze ook nog nooit mensen gezien die zo dankbaar waren voor het beetje hulp dat ze kregen. Sommigen stonden gewoon te huilen.
'Ik weet het,' zei Bob toen Ophélie – eveneens huilend – weer in de wagen stapte. 'Soms moet ik zelf ook huilen. Vooral de jongeren grijpen me aan... en de oude mensen. Je weet dat ze hier buiten niet lang in leven zullen blijven. Dit is echter alles wat we voor hen kunnen doen. Meer willen ze ook niet. Ze willen niet meegaan naar een tehuis. Voor ons kan dat onzinnig lijken, maar voor hen is het zinnig. Ze zijn te verloren, te ziek of te gebroken. Ze kunnen nergens anders bestaan dan hier. Omdat de overheid jaren geleden in het budget is gaan snijden, hebben we de psychiatrische ziekenhuizen niet meer om hen op te nemen, en zelfs degenen die er verhoudingsgewijs oké uitzien, zijn dat waarschijnlijk niet. Er lopen hier vele geesteszieken rond. Daarom zijn ze verslaafd aan alcohol of drugs. Het zijn medicijnen die ze zichzelf toedienen om te overleven, en wie kan dat die mensen kwalijk nemen? Als ik op straat moest leven, zou ik waarschijnlijk ook drugs gebruiken. Wat hebben ze verder nog?'
Ophélie kwam die avond meer te weten over het mensenras dan ooit eerder in haar leven. Ze wist dat het een les was die ze

nooit zou vergeten. Toen ze om middernacht bij een McDonald's waren gestopt om hamburgers te halen, voelde ze zich schuldig. Ze kon het eten en de hete koffie nauwelijks door haar keel krijgen omdat ze wist dat mensen in de straten om hen heen honger en kou leden en alles wat ze bezaten zouden overhebben voor een kop koffie en een hamburger.
'Hoe gaat het?' vroeg Jeff terwijl Millie haar handschoenen uittrok. Het was koud geworden, en Ophélie had haar handschoenen ook aangetrokken.
'Het is verbazingwekkend. Jullie doen hier werkelijk Gods werk,' zei Ophélie vol ontzag tegen het drietal. Nooit van haar levensdagen was ze zo ontroerd geweest. Tot dusver was Bob van haar onder de indruk gekomen. Ze had een vriendelijke, meelevende manier van doen, zonder neerbuigend of betuttelend te zijn. Ze bejegende eenieder die ze tegenkwamen met menselijkheid en respect, en ze werkte hard. Dat zei hij tegen Jeff toen ze weer naar buiten liepen, en Jeff knikte. Hij had geweten wat hij deed toen hij haar vroeg met hen mee te gaan. Iedereen zei dat ze geweldig was, en hij had haar bij zijn team willen halen voordat ze werd ondergesneeuwd door stapels paperassen in het Centrum. Hij had vrijwel meteen aangevoeld dat ze een waardevol lid van het buitenteam zou zijn. Mits ze bereid was daar deel van te gaan uitmaken, natuurlijk. De risico's waarmee ze elke avond te maken hadden en de lange werkuren schrokken de meeste mensen af. Verder waren de meeste vrijwilligers – en de stafleden – te bang. Zelfs de mannen.
Na de pauze gingen ze naar Potrero Hill en daarna naar Hunters Point. De Mission zou de laatste plaats zijn die ze aandeden. Toen ze die naderden, waarschuwde Bob haar dat ze voorzichtig moest zijn en voortdurend achter hem moest blijven lopen. Hij vertelde haar dat vieze injectienaalden het favoriete wapen waren van agressieve en vijandige mensen. Terwijl hij dat zei, kon zij uitsluitend aan Pip denken. Ze kon het zich niet veroorloven gewond te raken of te worden gedood. Het bracht haar – zij het slechts heel even – in herinnering dat ze gek was om hier te zijn. Het leek echter wel een soort drug. Ze was er al aan verslaafd geraakt voordat hun dienst was beëindigd. Wat

zij deden was geweldig. Deze mensen zetten elke avond en nacht hun leven op het spel. Zonder hulp, zonder wapens en zonder steun begonnen ze aan hun missie van genade waarmee ze hun eigen leven riskeerden. Toch was alles zinnig. Ze constateerde verbaasd dat ze niet eens moe was toen ze uiteindelijk de garage weer in reden. Ze voelde zich energiek en had het idee in alle opzichten te léven – misschien meer dan ooit.
'Opie, ik wil je hartelijk bedanken,' zei Bob vriendelijk terwijl hij het contactsleuteltje omdraaide. 'Je hebt het geweldig gedaan.' Dat meende hij ook.
'Dank je,' zei ze met een glimlach. Uit zijn mond was dat een heel groot compliment. Ze vond hem nog aardiger dan Jeff. Bob was rustig, werkte hard, bejegende de mensen met wie ze in aanraking kwamen vriendelijk en had respect voor haar. Gedurende de uren die ze samen hadden doorgebracht was ze te weten gekomen dat zijn vrouw vier jaar geleden aan kanker was overleden. Hij bracht drie kinderen in zijn eentje groot, daarbij af en toe geholpen door zijn zuster. Het 's avonds en 's nachts werken stelde hem in staat overdag bij zijn kinderen te zijn. De risico's leken hem niet te deren, omdat hij als politieman wel voor hetere vuren had gestaan. Hij kreeg van die politie een pensioen, dus had hij geen problemen met het lage salaris dat het Centrum hem uitbetaalde. Het allerbelangrijkste was echter nog wel dat hij van zijn werk hield, en verder was hij niet zo'n cowboy als Jeff. Hij had de hele avond ongelooflijk aardig tegen haar gedaan. Het ergerde haar wel te ontdekken dat ze samen bijna een hele doos donuts tot zich hadden genomen. Had de stress haar zo hongerig gemaakt, of gewoon het werk? Hoe dan ook... het was een van de meest opmerkelijke en betekenisvolle avonden van haar leven geweest, en ze wist dat Bob en zij in die magische periode van zeven uur 's avonds tot drie uur 's nachts vrienden waren geworden. Toen ze hem bedankte, deed ze dat uit de grond van haar hart.
'Zie ik je maandag weer?' vroeg Jeff. Ze stonden in de garage en hij keek haar recht aan, even vrijpostig als altijd.
'Wil je dat ik nog een keer met jullie meega?' vroeg Ophélie verbaasd.
'We willen je bij ons team hebben.' Halverwege de avond had

hij die beslissing genomen, gebaseerd op wat hij had waargenomen en wat Bob over haar had gezegd.
'Daar moet ik over nadenken,' zei ze voorzichtig. Toch voelde ze zich gevleid. 'Ik zou niet elke avond met jullie kunnen meegaan.' In feite zou ze dat nooit moeten doen, want het was niet eerlijk tegenover Pip. Maar al die mensen, al die gezichten, al die verloren zielen die in de buurt van spoorwegemplacementen sliepen, onder viaducten en op kades! Het was alsof ze werd geroepen, en ze wist dat ze dit moest doen, hoe groot de risico's ook waren. 'Ik zou niet meer dan twee keer per week kunnen meegaan. Ik heb een nog jong dochtertje.'
'Als je een vriend had, zou je minder vaak beschikbaar zijn, en je zei dat je geen vriendje had.' Dat was een zinnig argument.
'Mag ik erover nadenken?' Ze voelde zich onder druk gezet. Dat deed hij echter met opzet. Hij wilde absoluut dat ze deel zou gaan uitmaken van het team.
'Moet dat echt? Ik denk dat je heel goed weet wat je wilt.' Dat was ook zo, maar ze wilde niets overhaast of ondoordacht doen vanwege de emoties die deze avond had losgemaakt. En die emoties waren heel sterk, omdat dit alles voor haar zo nieuw was geweest. 'Opie, kom nou. Wij hebben je nodig, en zij ook.' Hij keek haar met een smekende blik in zijn ogen aan.
'Oké,' zei ze ademloos. 'Oké. Twee keer per week.' Dat betekende dat ze op de dinsdag- en donderdagavonden zou werken in plaats van overdag op maandag, woensdag en vrijdag.
'Geweldig!' Hij keek haar stralend aan. Ze staken hun handen omhoog en sloegen de handpalmen tegen elkaar aan.
'Het is moeilijk weerstand aan jou te bieden,' zei ze lachend.
'Dat klopt, en ik kan je aanraden dat nooit te vergeten. Opie, je hebt goed werk verricht. Zie je dinsdagavond weer!' Hij zwaaide, en toen was hij vertrokken. Millie stapte een auto in die naast de garage geparkeerd stond en Bob bracht haar naar haar vervoermiddel. Ze bedankte hem nogmaals.
'Als je ermee wilt stoppen, kan dat op elk moment,' zei hij vriendelijk. 'We zijn geen bloedbroeders,' bracht hij haar in herinnering.
Daardoor werd het voor haar iets minder angstaanjagend. Ze was een uiterst belangrijke verbintenis aangegaan en ze kon zich

niet eens voorstellen wat bekenden zouden zeggen als ze dit vertelde. Ze was er – in elk geval voorlopig – niet zeker van óf ze het iemand zou vertellen. 'Dank voor die opmerking.'
'Alles wat je doet, hoelang dan ook, is goed en wordt gewaardeerd. We doen het allemaal zolang we daartoe in staat zijn, en als we het niet meer aankunnen, is dat ook oké. Maak je er niet te druk over, Opie. Tot de volgende week.'
'Welterusten, Bob,' zei ze zacht terwijl ze in haar auto stapte. Eindelijk begon ze zich moe te voelen na deze enerverende nacht en ze vroeg zich af hoe ze hier morgen over zou denken. 'Nogmaals hartelijk bedankt.'
Hij zwaaide, hield zijn hoofd toen omlaag en liep de straat af naar zijn truck. Terwijl hij dat deed, besefte ze opgetogen dat ze nu een van hen was. Ze was een cowboy. Net als zij. Wauw!

17

Toen Ophélie laat in de nacht thuiskwam, keek ze om zich heen alsof ze alles voor het eerst zag. De luxe, het comfort, de kleuren, de warmte, het eten in de koelkast, haar badkuip en het hete water toen ze erin stapte. Het leek allemaal opeens oneindig kostbaar, meende ze terwijl ze bijna een uur lag te weken en terugdacht aan wat ze had gezien, wat ze had gedaan, waar ze zich net mee had verbonden. Ze had zich nog nooit in haar leven zo gelukkig gevoeld, of zo onbevreesd. Door de confrontatie aan te gaan met wat ze het meeste vreesde – haar eigen sterfelijkheid op straat – leken andere dingen niet langer zo dreigend. Zoals de spookbeelden in haar hoofd, haar schuldgevoelens omdat ze er bij Chad op had aangedrongen met Ted mee te gaan, en zelfs haar ogenschijnlijk bodemloze verdriet. Als ze de gevaren op straat onder ogen kon zien en die kon overleven, leek de rest zoveel gemakkelijker af te handelen. Terwijl ze tussen de lakens kroop naast Pip, die opnieuw de voorkeur had gegeven aan het bed van haar moeder, merkte ze dat ze nog nooit van haar levensdagen zo dankbaar was geweest voor haar kind en het leven dat zij deelden. Ze sloeg haar armen om haar dochter heen, sprak in gedachten een dankgebedje uit en viel in slaap. Ze schrok wakker van de wekker. Even kon ze zich niet eens herinneren waar ze was. Ze had gedroomd over de afgelopen nacht en de mensen die ze op straat had gezien, en ze wist dat ze zich die gezichten de rest van haar leven zou herinneren.

'Hoe laat is het?' vroeg ze terwijl ze de wekker uitzette en haar hoofd weer op het kussen liet vallen.

'Acht uur. Ik moet om negen uur een wedstrijd spelen, mam.'

'O... Oké...' Het bracht haar in herinnering dat ze nog een leven had. Met Pip. Misschien was wat ze de vorige avond had gedaan meer dan een beetje krankzinnig. Wat zou er met Pip gebeuren als haar iets overkwam? Toch scheen dat niet langer zo waarschijnlijk te zijn. Het team leek heel efficiënt en nam voor zover dat mogelijk was geen onnodige risico's. Het waren verstandige mensen die wisten wat ze deden. Desondanks was het behoorlijk angstaanjagend. Zij was verantwoordelijk voor Pip, en daar was ze zich door en door van bewust.

Ze was daar nog altijd over aan het nadenken toen ze opstond, zich aankleedde en naar beneden ging om een ontbijt voor Pip te maken.

'Mam, hoe was het gisteravond? Wat hebben jullie gedaan?'

'Iets behoorlijk interessants. Ik ben met het buitenteam de straat op gegaan.' Ze gaf Pip een aangepaste versie van de gebeurtenissen.

'Is het gevaarlijk?' Pip keek bezorgd. Toen dronk ze haar sinaasappelsap op en viel aan op de roereieren.

'In zekere mate.' Ophélie wilde niet tegen haar liegen. 'Maar de mensen die dat werk doen, zijn heel voorzichtig en weten waarmee ze bezig zijn. Gisteravond heb ik niemand gezien die gevaarlijk was, al is het natuurlijk wel zo dat er op straat nare dingen gebeuren.' Ze kon tegenover haar dochter niet ontkennen dat er risico's aan dat soort werk waren verbonden.

'Ga je het nog eens doen?' vroeg een opnieuw bezorgd kijkende Pip.

'Dat zou ik graag willen. Wat denk jij ervan?'

'Vond je het prettig?

'Ja. Heel prettig. Die mensen hebben zoveel hulp nodig.'

'Dan moet je het doen, mam. Maar wees voorzichtig. Ik wil niet dat jou iets overkomt.'

'Dat wil ik ook niet. Misschien zal ik het gewoon nog een paar keer proberen om te kijken hoe het aanvoelt. Als het me dan te riskant lijkt, stop ik ermee.'

'Dat klinkt goed.' Pip liep de trap op om haar voetbalschoenen te halen en zei over haar schouder: 'Ik heb tegen Matt gezegd dat hij naar de wedstrijd kon komen kijken als hij daar zin in had, en hij zei dat hij dat wel wilde.'

'Jullie beginnen behoorlijk vroeg. Misschien kan hij het niet halen.' Ophélie wilde niet dat Pip teleurgesteld zou worden, en ze wist niet hoe serieus Matts aanbod was geweest. 'Ik heb tegen Andrea gezegd dat ze ook kon komen kijken. Dan heb je een heel team dat jou aanmoedigt.'
'Ik hoop dat ik fatsoenlijk zal spelen,' zei Pip terwijl ze een sweatshirt aantrok. Ze was klaar om te vertrekken. Ophélie liet Mousse op de achterbank springen, en een paar minuten later waren ze onderweg naar het poloveld in Golden Gate Park, waar de wedstrijd zou worden gespeeld. Het was nog mistig, maar het zag ernaar uit dat het een fraaie dag zou worden. Toen Pip de radio onder het rijden iets te hard aanzette, merkte Ophélie dat ze opnieuw moest denken aan wat ze de avond daarvoor had gezien: de arme mensen die in kampen en dozen leefden en op beton sliepen met vodden over hen heen. In het heldere daglicht leek het nog ongelooflijker dan gisteren. Ze was nu echter wel blij dat ze erin had toegestemd nog eens met het team mee te gaan. Het trok haar sterk aan, en ze zag vol enthousiasme uit naar de volgende keer. Ze glimlachte in zichzelf. Toen ze bij het poloveld uit de auto stapten, was ze verbaasd Matt te zien. Pip slaakte een kreet van vreugde en sloeg haar armen om hem heen. Hij had een dik jack aan van schapenleer, dat oogde alsof het oorlogen had overleefd, gympen en een spijkerbroek, en hij zag er gepast ruig en vaderlijk uit toen Pip naar het veld rende.
'Je bent echt een trouwe vriend. Je moet bij het ochtendkrieken van het strand zijn vertrokken,' zei Ophélie met een dankbare glimlach.
'Nee, ik ben rond een uur of acht de deur uit gegaan. Ik dacht dat dit wel leuk zou zijn.' Hij vertelde haar niet dat hij voor zijn echtscheiding naar elke wedstrijd toe was gegaan waaraan Robert had meegedaan, en daarna nog vaak in Auckland was gaan kijken. Daar had Robert ook geleerd rugby te spelen.
'Ze hoopte al dat je zou komen. Dank dat je haar niet hebt teleurgesteld.' Dat meende Ophélie. Sinds ze elkaar hadden leren kennen, had hij Pip – en haar – niet één keer teleurgesteld. Hij was de enige persoon op wie ze zich steevast konden verlaten.

'Ik had het voor geen goud willen missen. Vroeger ben ik coach geweest.'
'Dat moet je haar maar niet vertellen, want anders gaat ze je inhuren voor het team.' Ze schoten allebei in de lach en stonden toen eeuwen naar de wedstrijd te kijken. Pip speelde goed en had al een goal gemaakt toen Andrea arriveerde, met de baby in een wandelwagentje, in een donzen trappelzak om hem warm te houden. Ophélie stelde haar aan Matt voor en ze stonden een tijdje met elkaar te praten. Ophélie probeerde geen aandacht te besteden aan de vibraties van Andrea's vragen, meningen en veronderstellingen aan haar adres toen ze Matt eenmaal had gezien. Ze bleef uiterlijk onbewogen en toen de baby een halfuur had gehuild omdat hij honger had, vertrok Andrea. Ophélie was er echter zeker van dat ze later die dag weer van haar vriendin zou horen. Daar kon ze op rekenen! Toen Andrea afscheid nam, negeerde Ophélie alle veelbetekenende blikken die haar werden toegezonden en bleef met Matt praten.
'Ze is de peettante van Pip en mijn oudste vriendin hier,' zei Ophélie.
'Pip heeft me het een en ander over haar en de baby verteld. Als haar beschrijving van de situatie klopt, heeft die vrouw iets heel dappers gedaan.' Hij refereerde discreet aan het verhaal over de spermabank dat hij van Pip had gehoord, en dat begreep Ophélie, die zijn discretie bijzonder waardeerde.
'Het was inderdaad dapper, maar ze dacht dat ze anders nooit kinderen zou krijgen, en ze geniet zo intens van die kleine.'
'Het is ook een heel leuk jochie,' zei hij, en toen keek hij weer naar Pip. Hij en Ophélie waren allebei blij en trots toen haar team de wedstrijd won. Toen ze met een brede, triomfantelijke grijns het veld af liep, prezen ze haar.
Matt bood aan hen mee te nemen voor een lunch en op verzoek van Pip gingen ze naar een pannenkoekenhuisje. Na het gezellige etentje reed Matt weer terug naar het strand. Hij wilde aan het portret werken, en dat fluisterde hij Pip ook toe. Zij gaf hem een knipoog, en daarna ging ze samen met Ophélie naar huis. De telefoon rinkelde zodra Ophélie de deur had opengemaakt, en ze kon wel raden wie dat was.

'Mijn hemel! Hij komt al naar de voetbalwedstrijden van Pip kijken?' Andrea's stem klonk uiterst insinuerend, en aan de andere kant van de lijn schudde Ophélie haar hoofd. 'Ik denk dat je dingen voor me achterhoudt!'
'Misschien is hij verliefd op haar en zal hij op een dag mijn schoonzoon worden,' zei Ophélie lachend. Dit had ze verwacht. 'Ik hou niets voor je achter.'
'Dan ben je gek. Hij is de knapste man die ik in jaren heb gezien. Als hij een echte man is, pák hem dan! Denk je dat hij dat is?' vroeg Andrea, die opeens bezorgd klonk.
'Wat is?' Ophélie had niet echt geregistreerd wat haar vriendin had gezegd. Het idee iets met Matt te hebben was nooit bij haar opgekomen. Ze waren vrienden. Dat was alles.
'Een echte man. Denk je dat hij homofiel is?'
'Dat denk ik niet, maar ik heb hem er nooit naar gevraagd. Andrea, die man is getrouwd geweest, en hij heeft twee kinderen. Wat doet dat er overigens toe?'
'Hij kan daarna homofiel zijn geworden,' zei Andrea praktisch. 'Maar eerlijk gezegd geloof ik dat niet. Ik denk dat je gek bent als je hem niet pakt nu je daar de kans toe hebt. Mannen zoals hij worden van de markt geplukt voordat je een keer hebt kunnen niezen.'
'Nou, ik ben niet aan het niezen en volgens mij is hij evenmin in een relatie geïnteresseerd als ik. Naar mijn idee wil hij alleen zijn.'
'Misschien is hij depressief. Gebruikt hij medicijnen? Je zou met die suggestie kunnen komen, en daarmee zou het balletje misschien aan het rollen worden gebracht. Dan zou je natuurlijk wel te maken krijgen met de neveneffecten. Sommige antidepressiva onderdrukken de seksuele driften van een man, maar in dat geval is er altijd nog Viagra,' zei Andrea optimistisch terwijl Ophélie met haar ogen rolde.
'Dat zal ik hem zeker suggereren. Hij zal het geweldig vinden. Hij heeft geen Viagra nodig om samen met ons een maaltijd te gebruiken, en volgens mij is hij niet depressief. Ik denk dat hij diep gekwetst is.' Dat was iets anders.
'Dat komt op hetzelfde neer. Hoe lang geleden heeft zijn vrouw hem in de steek gelaten? Tien jaar? Het is niet normaal dat hij nog steeds alleen is. Of dat hij zoveel belangstelling heeft voor

Pip, mits hij geen kinderverkrachter is, wat hij volgens mij niet is. Hij heeft een relatie nodig, en jij ook.'
'Dank u, dokter Wilson. Ik voel me nu al beter. De arme man moest eens weten dat jij zijn en mijn leven aan het reorganiseren bent, en Viagra voorschrijft.'
'Iemand moet het doen. Hij is duidelijk niet in staat dit zelf te organiseren, en voor jou geldt hetzelfde. Je kunt de rest van je leven niet binnen blijven zitten. Bovendien zal Pip over een paar jaar het huis uit gaan.'
'Daar heb ik zelf ook al aan gedacht, en die gedachte maakt me gek. Toch zal ik er domweg aan moeten wennen. Gelukkig duurt het nog even voordat ze zal uitvliegen.' Het was echter iets waarvoor ze banger was dan voor wat verder dan ook. Ze kon zich niet voorstellen in haar eentje te moeten leven, zonder Pip. De gedachte daaraan maakte haar zo depressief dat het haar de adem benam. Matthew Bowles was echter niet het antwoord op haar problemen. Ze zou er later domweg aan gewend moeten raken alleen te zijn, en zoveel mogelijk van Pip moeten genieten nu ze nog thuis woonde. Ophélie was niet op zoek naar iemand die de leegte kon vullen die Chad en Ted hadden achtergelaten, noch de leegte die met Pips vertrek uit huis gepaard zou gaan. Die zou ze moeten vullen met werk, vrienden en wat ze verder ook maar kon vinden, zoals het werk dat ze nu voor de daklozen deed. 'Matt is de oplossing niet,' zei ze tegen Andrea.
'Waarom niet? Ik vind hem er behoorlijk goed uitzien.' Meer dan dat, in feite, voegde ze er in gedachten aan toe.
'Ga jij dan maar avances maken, en geef hem Viagra. Ik weet zeker dat hij je er dankbaar voor zal zijn,' zei Ophélie, en ze lachte weer. Andrea was gek. Dat was ze altijd al geweest. Het was een van de dingen die Ophélie in haar aanstonden. De verschillen tussen hen waren heel groot.
'Misschien zal ik dat wel doen. Wanneer moet Pip weer een wedstrijd spelen?'
'Je bent onmogelijk. Waarom rij je niet naar Safe Harbour om zijn deur met een bijl aan barrels te slaan? Misschien zal hem dat duidelijk maken hoe vastberaden je bent om hem tegen zichzelf in bescherming te nemen.'

'Dat lijkt me een geweldig idee.' Andrea leek door die opmerking totaal niet uit het veld geslagen te zijn.

Ze spraken nog een paar minuten met elkaar maar Ophélie vertelde haar vriendin niet over de opmerkelijke avond en nacht die ze op straat had doorgebracht. Laat die middag gingen zij en Pip naar een film, reden daarna terug naar huis en aten samen. Om tien uur lagen ze allebei in het bed van Ophélie, diep in slaap.

Op datzelfde tijdstip was Matt in Safe Harbour nog bezig met het portret van Pip. Hij was die avond met haar mond aan het worstelen en dacht aan hoe ze er had uitgezien toen ze na de voetbalwedstrijd het veld af was gelopen. Ze had volstrekt onweerstaanbaar gegrinnikt. Hij vond het heerlijk naar haar te kijken, haar te schilderen, bij haar te zijn. Hij genoot ook van het gezelschap van Ophélie, maar waarschijnlijk niet zoveel als van dat van Pip. Ze was een engel, een bosnimf, een elfje, een wijze oude ziel in een kinderlichaam. Terwijl hij haar schilderde, kwamen al die eigenschappen geleidelijk tot uitdrukking. Toen hij die avond naar bed ging, was hij tevreden over het schilderij. En hij was nog diep in slaap toen Pip hem de volgende morgen belde.

'Sorry dat ik je wakker heb gemaakt, Matt,' zei ze verontschuldigend zodra ze besefte dat ze hem had gewekt. 'Ik dacht dat je inmiddels wel uit de veren zou zijn.' Het was halftien, en dat was naar haar idee laat genoeg. Hij was echter pas tegen tweeën naar bed gegaan.

'Het is niet erg. Ik was gisteravond bezig met een bepaald project van ons, en ik denk dat het bijna is zoals ik het hebben wil.' Hij klonk tevreden.

'Mijn moeder zal het prachtig vinden,' verzekerde Pip hem verheugd. 'Misschien kunnen we een keer samen gaan eten en kun jij het dan aan me laten zien. Ze gaat namelijk twee avonden per week werken.'

'Werken?' Hij klonk verbaasd. Hij wist niet eens dat ze een baan had, alleen dat ze van plan was geweest vrijwilligerswerk te gaan doen in het Wexlercentrum voor de daklozen. Dit klonk op de een of andere manier serieuzer, en een beetje officieel.

'Ze gaat op de dinsdagen en de donderdagen vanaf zeven uur

's avonds werken in een bestelwagentje dat op straat daklozen opzoekt. Alice komt oppassen en blijft hier dan slapen, omdat het voor haar te laat is om nog naar huis te gaan als mam terugkomt.'

'Dat klinkt behoorlijk interessant,' zei hij tegen Pip. Maar ook heel gevaarlijk, voegde hij daar uitsluitend in gedachten aan toe omdat hij haar niet bezorgd wilde maken. 'Ik zal je graag een keer komen halen voor een etentje, maar misschien zouden we een dag moeten uitkiezen waarop je moeder met ons mee kan gaan. Anders kan ze zich buitengesloten voelen.' Hij genoot van het gezelschap van Ophélie, maar verloor ook nooit het decorum uit het oog. Het zou niet gepast zijn met een meisje van Pips leeftijd zonder haar moeder op stap te gaan. Haar op een vrij toegankelijk strand ontmoeten, zoals hij dat de hele zomer had gedaan, was iets anders. In elk geval naar zijn gevoel. Hij vermoedde dat Ophélie dat met hem eens zou zijn. Ten aanzien van kinderen hielden ze er in grote lijnen dezelfde ideeën op na en hij had een groot respect voor de manier waarop Ophélie Pip grootbracht. Voor zover hij kon zien, waren de resultaten heel erg goed.

'Misschien kun je ons volgende week komen bezoeken?'

'Dat zal ik proberen,' beloofde hij. Het bleek echter dat zijn plannen en de hunne de eerste paar weken niet met elkaar spoorden. Hij was bezig met het portret en verder had hij nog een aantal andere dingen te doen en zaken af te handelen. Ophélie had het drukker dan ze ooit had verwacht. Ze had uiteindelijk besloten drie dagen per week in het Centrum te werken, en twee avonden per week op straat met het buitenteam. Het was een zwaar werkschema voor haar, en Pip had heel wat meer huiswerk dan ze bereid was toe te geven.

De eerste oktober belde hij Ophélie en nodigde haar uit het komende weekend een dagje aan het strand door te brengen. Ophélie leek echter te aarzelen en kwam toen met een verklaring daarvoor.

'Op de dag daarvoor zijn Ted en Chad overleden,' zei ze triest. 'Ik denk dat dat voor ons allebei een behoorlijk moeilijke dag zal worden. Ik weet niet hoe we ons zo kort daarna zullen voelen, en ik zou het vervelend vinden somber en depressief naar

je toe te komen. Misschien kunnen we beter nog een week wachten. In die week is Pip overigens jarig.' Hij herinnerde zich dat vaag, maar ze had er niet veel over tegen hem gezegd, wat hij heel volwassen, en discreet, van haar vond.
'We zouden twee afspraken kunnen maken. Laten we afwachten hoe jullie je de dag na de sterfdag voelen. Het zou jullie goed kunnen doen naar Safe Harbour te komen – als verandering van omgeving. Je hoeft me pas een definitief antwoord te geven wanneer je die morgen wakker bent geworden. En als jij er geen bezwaar tegen hebt, zou ik jou en Pip op haar verjaardag graag mee uit eten nemen. Als je tenminste denkt dat ze dat leuk zou vinden.'
'Ik weet zeker dat ze het heerlijk zou vinden,' zei Ophélie eerlijk. Uiteindelijk ging ze ermee akkoord hem de morgen na de sterfdag te bellen. Ze vermoedde terecht dat ze hem voor die tijd sowieso nog wel zouden spreken en hoe druk ze het tegenwoordig ook had, ze vond het fijn zijn stem door de telefoon te horen.
Ze vertelde Pip over beide uitnodigingen, en daar was het meisje zichtbaar blij mee, ook al maakte zij zich eveneens zenuwachtig over de sterfdag. Ze was vooral bang dat die voor haar moeder moeilijk zou zijn en haar een terugslag zou bezorgen. Het ging de laatste tijd zo goed met haar, maar de naderende datum leek voor hen beiden een grote bedreiging te vormen.
Ophélie zou een mis laten opdragen in Saint Dominic's. Verder hadden ze voor die dag niets gepland. Nadat het vliegtuig was ontploft en verbrand, hadden er geen stoffelijke resten geborgen kunnen worden en Ophélie had met opzet geen grafstenen boven lege graven op een kerkhof laten plaatsen. Ze had geen behoefte aan een plek waar ze naartoe kon gaan om te rouwen. Wat haar betrof, had ze Pip het jaar daarvoor uitgelegd, droegen ze hen mee in hun hart. Het enige wat in de puinhopen was gevonden, waren de gesp van de broekriem van Chad en de trouwring van Ted geweest. Allebei verwrongen en vrijwel onherkenbaar. Toch had ze ze bewaard.
Dus hoefden ze die dag niets anders te doen dan de mis bijwonen. Ze waren van plan de rest van de dag thuis door te

brengen, denkend aan de geliefden die ze hadden verloren. En dat was nu precies waar Pip zich zorgen over maakte. Dat begon Ophélie toen de bewuste datum steeds dichterbij kwam, ook te doen. Het maakte haar bang.

18

De sterfdag bleek mooi te beginnen. De zon scheen stralend door de ramen van de slaapkamer van Ophélie toen zij en Pip in haar bed wakker werden. Sinds het begin van september had Pip bijna elke nacht bij Ophélie geslapen. Het had Ophélie veel troost geboden en ze was Matt nog steeds dankbaar voor die suggestie. Toen ze die dag wakker waren geworden, deden ze er echter allebei het zwijgen toe.

Net als Pip moest Ophélie meteen aan de dag van de begrafenis denken, die even zonnig was geweest, en voor alle betrokkenen zo ontzettend moeilijk. Al Teds collega's en zakenrelaties waren er geweest, evenals hun gemeenschappelijke vrienden, Chads vrienden en zijn hele klas. Ophélie herinnerde er zich nog maar weinig van, omdat ze zo verdoofd was geweest. Het enige wat ze zich nog echt goed herinnerde, was de zee van bloemen, en het feit dat Pip haar hand zo stevig had vastgehouden dat het zeer deed. En daarna, als een engelenkoor, het 'Ave Maria' – dat nooit zo mooi of betoverend had geklonken als toen. Het was een herinnering waarvan ze wist dat ze die nooit uit haar hoofd zou kunnen zetten.

Ze woonden de mis bij en zaten stilletjes naast elkaar. Op verzoek van Ophélie werden de namen van Ted en Chad voorgelezen tijdens de speciale gebeden. Het bracht tranen naar de ogen van Ophélie en opnieuw hielden Pip en zij elkaars hand vast. Na afloop van de mis bedankten ze de priester, staken ieder een kaars op – Ophélie voor haar echtgenoot en Pip voor Chad – en reden toen zwijgend naar huis. De hele dag kon je in het huis een speld horen vallen, en ze waren niet in staat ook maar een hap door hun keel te krijgen. Toen de deurbel die middag rinkelde, schrokken ze allebei. Het waren bloemen van

Matt: een boeketje voor ieder van hen. Ophélie en Pip werden er even sterk door ontroerd. 'Ik denk vandaag aan jullie. Liefs, Matt,' stond er op de kaartjes.
'Ik hou van hem,' zei Pip eenvoudigweg toen ze de tekst las. Op haar leeftijd waren de dingen zo simpel. Veel simpeler dan ze later ooit nog zouden zijn.
'Hij is een aardige man en een goede vriend,' zei Ophélie. Pip knikte instemmend en nam de bloemen mee naar boven, naar haar kamer. Zelfs Mousse hield zich stil en leek aan te voelen dat zijn baasjes geen goede dag hadden. Andrea had ook bloemen gestuurd, die de middag daarvoor al waren bezorgd. Omdat ze niet godsdienstig was, was ze niet met hen meegegaan naar de mis, maar ze wisten dat ze aan hen beiden zou denken, net zoals Matt dat deed.
Tegen het invallen van de avond wilden ze alle twee graag naar bed. Pip zette de televisie in de slaapkamer van haar moeder aan. Ophélie vroeg haar hem weer uit te zetten, of ergens anders te gaan kijken. Pip wilde echter niet alleen zijn. Dus bleef ze bij haar moeder in de stille kamer en gelukkig vielen ze uiteindelijk in elkaars armen in slaap. Hoewel Ophélie het Pip niet had verteld, wist het meisje dat haar moeder die dag een aantal uren huilend in Chads kamer had doorgebracht. Het was in alle opzichten een volstrekt afschuwelijke dag voor hen beiden geweest. Niets kon compenseren wat zij hadden moeten doorstaan. Het was een dag waarop alles om verlies had gedraaid, zoals dat het merendeel van het afgelopen jaar het geval was geweest.
Toen de telefoon de volgende morgen rinkelde, zaten ze aan de keukentafel. Ophélie was de krant aan het lezen, en Pip speelde met de hond. Het was Matt.
'Ik durf niet te vragen hoe het gisteren is geweest,' zei hij voorzichtig nadat hij Ophélie gedag had gezegd.
'Doe dat inderdaad maar niet. Het was even erg als ik al had gedacht. Maar we hebben hem in elk geval achter de rug. Heel hartelijk bedankt voor de bloemen.' Het was moeilijk hem – en zelfs zichzelf – uit te leggen waarom die sterfdag zo belangrijk voor haar was. Hoewel er geen reden was waarom hij zoveel erger zou moeten zijn dan de dag daarvoor of de dag daarna,

was dat toch het geval. Het was alsof ze de ergste dag van hun leven 'vierden', waarbij ze werden overspoeld door herinneringen aan een afschuwelijke tijd. Matt klonk oneindig meelevend, maar hij kon geen wijze raad geven omdat hij iets dergelijks zelf nooit had meegemaakt. Bij hem was het allemaal veel geleidelijker gegaan, tot uiteindelijk duidelijk was geworden wat hij had verloren. Voor hem was het niet opeens gebeurd, op één afschuwelijk moment.
'Ik heb niet gebeld omdat ik me een indringer zou hebben gevoeld,' zei hij verontschuldigend.
'Zo was het ook beter,' zei ze eerlijk. Zij had met niemand willen praten, maar nu besefte ze opeens dat Pip waarschijnlijk wel graag met hem had gesproken. 'Je bloemen waren mooi. Een erg attent gebaar.'
'Ik vroeg me af of jullie zin hadden om vandaag naar me toe te komen. Het zou jullie allebei goed kunnen doen. Wat denk je ervan?'
Zij voelde er eigenlijk niets voor, maar had het vermoeden dat Pip daar anders over zou denken. Verder gaf het haar een schuldig gevoel de uitnodiging meteen af te slaan.
'Ik ben bang dat ik geen bijzonder aangenaam gezelschap zou zijn.' Ze voelde zich volledig uitgeput door de vorige dag, met name door de uren die ze huilend op Chads bed had doorgebracht. Ze had haar snikken gedempt met zijn kussen, dat nog vaag naar hem rook omdat ze de lakens en de kussensloop nooit had gewassen. Ze wist dat ze dat laatste ook nooit zou doen. 'Ik kan echter niet spreken namens Pip. Misschien wil zij jou graag zien. Ik zal het met haar bespreken en je dan terugbellen.' Pip was echter al heftig aan het gebaren.
'Ik wil gaan! Ik wil gaan!' zei ze. Ze leek opeens weer volledig tot leven te zijn gekomen en Ophélie had het hart niet haar teleur te stellen, ook al was ze zelf volstrekt niet in de stemming om ergens naartoe te gaan. Het was nauwelijks een lange reis te noemen – een halfuurtje maar – en als het te moeilijk bleek te zijn, konden ze na een paar uur weer naar huis rijden. Ze wist dat Matt dat zou begrijpen. 'Mam, kunnen we alsjeblieft naar hem toe gaan?'
'Oké,' zei Ophélie. 'Maar ik wil niet lang blijven, want ik ben

moe.' Pip wist dat het meer was dan dat. Ze hoopte echter dat haar moeder zou opkikkeren als ze er eenmaal waren. Ze wist dat Ophélie het prettig vond met Matt te praten, en ze had het idee dat zij zich heel wat beter zou voelen als ze over het zand langs de oceaan kon lopen.
Ophélie zei tegen Matt dat ze er om twaalf uur 's middags zouden zijn, en daar was hij blij om. Ze bood aan een lunch mee te nemen. Hij zei dat ze die moeite niet hoefde te doen. Hij zou een omelet maken, en als Pip dat niet lekker vond was dat geen ramp, want hij had de dag daarvoor al pindakaas en jam voor haar gekocht. Het klonk als een door een arts voorgeschreven recept, en dat was het ook.
Toen ze kwamen aangereden, zat hij op de veranda op hen te wachten in een oude dekstoel, genietend van het zonnetje. Hij leek blij hen te zien. Pip sloeg haar armen om hem heen en Ophélie gaf hem een zoen op beide wangen, zoals ze tegenwoordig steeds deed. Hij merkte echter meteen hoe triest ze was. Ze oogde alsof er een heel zware last op haar hart drukte, en dat was ook zo. Hij liet haar in de dekstoel plaatsnemen en legde een oude, geruite plaid over haar heen. Hij stond erop dat ze daar bleef zitten en zich ontspande, en vroeg Pip hem te helpen de omeletten met champignons klaar te maken en de kruiden te hakken. Ze vond het prettig hem te assisteren en dekte ook de tafel. Tegen de tijd dat Matt haar erop uitstuurde om haar moeder te roepen, was Ophélie meer ontspannen en had ze het gevoel dat de klomp ijs op haar borstkas door de zon iets aan het smelten was. Ze was stilletjes tijdens de lunch, maar tegen de tijd dat hij aardbeien met slagroom serveerde, glimlachte ze. Pip voelde zich immens opgelucht. Ophélie ging iets uit de auto halen terwijl Matt thee zette.
'Volgens mij ziet ze er iets beter uit, vind je ook niet?' vroeg Pip aan Matt.
Dat vond hij inderdaad, en hij voelde zich geroerd door haar duidelijke bezorgdheid. 'Ze redt het wel. Gisteren is een moeilijke dag voor haar geweest, en voor jou. Straks gaan we een eindje over het strand wandelen. Dat zal haar goed doen.'
Pip gaf hem zwijgend en dankbaar een klopje op zijn hand toen haar moeder weer naar binnen kwam. Ze had een artikel over

het Wexlercentrum gehaald, dat ze Matt wilde laten zien. Daarin werd in essentie alles uitgelegd wat ze deden, en het geheel was uiterst informatief.

Hij las het zorgvuldig door, knikte en keek toen met hernieuwd respect naar Ophélie. 'Het lijkt me een opmerkelijk centrum. Wat doe jij precies voor hen, Ophélie?' Ze had het er al eerder met hem over gehad, maar altijd met opzet vaag.

'Ze werkt op straat, met het buitenteam,' zei Pip meteen. Matt keek geschokt naar de twee vrouwen. Ophélie zou hem dat niet hebben verteld, maar het liet zich nu niet meer terugdraaien.

'Echt waar?' Hij keek haar recht aan en ze knikte. Ze probeerde onbezorgd te ogen, maar ze zond Pip een blik toe die duidelijk maakte dat ze haar mond voorbij had gepraat. Het meisje deed alsof ze met de hond speelde. Het gebeurde slechts zelden dat Pip een *faux pas* maakte, en ze geneerde zich daarvoor. Ze was ook een beetje bang dat haar moeder zich hierdoor geërgerd zou voelen. 'In dit artikel staat dat ze de avonden op straat doorbrengen om degenen te helpen die te gehandicapt of gedesoriënteerd zijn om naar het Centrum te komen. En dat ze zich begeven in de gevaarlijkste buurten van de stad. Ophélie, dat is gekkenwerk voor jou. Zoiets kun je niet doen.' In zijn stem klonk afschuw door en hij keek haar heel bezorgd aan. Wat hem betrof was dit geen goed nieuws.

'Het is niet zo gevaarlijk als het klinkt,' zei Ophélie zacht. Deze ene keer was ze bereid Pip te wurgen, maar ze besefte ook dat dit in feite niet haar schuld was. Het was niet meer dan natuurlijk dat Matt zo reageerde. Ze was zich zelf ook terdege bewust van de risico's, en de week daarvoor was het zelfs kantje-boord geweest met een man die drugs had gebruikt en met een wapen in het rond zwaaide. Bob had hem echter tot bedaren weten te brengen en hem ertoe overgehaald het wapen op te bergen. Ze hadden het recht niet hem dat af te pakken, en dat hadden ze ook niet gedaan. Dat incident had haar echter wel opnieuw de gevaren in herinnering gebracht die ze elke keer wanneer ze op pad gingen onder ogen moesten zien. Ze kon Matt moeilijk vertellen dat die er niet waren, want ze wisten allebei dat dat een leugen zou zijn. 'Het team is heel goed, en grondig getraind. Twee van de mensen met wie ik werk, heb-

ben bij de politie gezeten en zijn experts in de oosterse vechtsporten. De derde is een ex-SEAL van de marine.'
'Het kan me niets schelen wie zij zijn,' zei hij bot. 'Ophélie, zij kunnen jouw veiligheid niet garanderen. Een situatie kan opeens uit de hand lopen, en dat moet jij inmiddels weten. Je kunt je dat risico niet permitteren.' Hij keek betekenisvol naar Pip, en op dat moment stelde Ophélie voor met zijn drieën een strandwandeling te gaan maken.
Toen ze vertrokken leek Matt nog steeds van streek. Pip rende vooruit met de hond, terwijl Matt en haar moeder een iets rustiger tempo aanhielden. Al heel snel bracht hij het onderwerp opnieuw ter sprake.
'Dit kun je niet doen,' zei hij gespannen. 'Ik heb het recht niet dat tegen je te zeggen, maar ik wou dat ik dat wel had. Dit is een doodswens van jouw kant, of de een of andere gesublimeerde zelfmoordwens. Als Pips enige ouder kun je een dergelijk risico niet nemen. En los daarvan... Waarom zou je bewust de kans lopen dat jou iets wordt aangedaan? Op straat kan je van alles overkomen, en dan heb ik het niet uitsluitend over moord. Ophélie, ik smeek je er nog eens goed over na te denken,' zei hij somber en uit de grond van zijn hart.
'Matt, ik verzeker je dat ik weet dat het gevaarlijk kan zijn,' zei ze kalm, in een poging hem tot bedaren te brengen. 'Maar dat geldt voor veel dingen. Zoals zeilen, als je daar eens even over nadenkt. Jij kunt een ongeluk krijgen wanneer je in je eentje met je boot gaat varen. Ik voel me er echt goed bij. De mensen met wie ik werk zijn uiterst bekwaam en goed in wat ze doen. Ik heb niet eens meer het gevoel dat ik risico's loop.' Dat was bijna waar. Ze had het zo druk met samen met Bob en de anderen de wagen in- en uitstappen, dat ze gedurende de lange avonden nauwelijks meer aan de potentiële gevaren dacht. Het was haar echter duidelijk dat ze Matt niet kon overtuigen.
'Je bent gek,' zei hij ongelukkig en dodelijk bezorgd. 'Als ik familie van je was, zou ik je in een gesticht laten opnemen, of je in je kamer opsluiten. Helaas ben ik geen familie van je. En wat bezielt die mensen in vredesnaam? Hoe kunnen ze een niet-getrainde vrouw meenemen? Hebben ze geen verantwoordelijkheidsgevoel voor degenen wier leven ze in gevaar brengen?' Hij

was bijna aan het schreeuwen terwijl Pip voor hen uit danste. Zij was blij weer op het strand te zijn, net als Mousse, die aan het springen was, vogels achterna zat en op en neer rende met drijfhout tussen zijn tanden. Deze ene keer besteedde Matt echter geen aandacht aan Pip of de hond. 'Ze zijn verdorie even gek als jij,' zei hij, woedend op de mensen van het Centrum.
'Matt, ik ben volwassen. Ik heb het recht om keuzes te maken en zelfs om risico's te nemen. Als ik ooit het idee krijg dat het te gevaarlijk is, stop ik ermee.'
'Tegen die tijd zul je verdorie dood zijn! Hoe kun je je zo onverantwoordelijk gedragen? Als je eindelijk hebt ontdekt dat het te gevaarlijk is, is het te laat. Ik kan niet geloven dat je zo dwaas kunt zijn.' Wat hem betrof was ze echt gek geworden. Hij gaf toe dat wat ze deed bewonderenswaardig was, maar vond het toch stom – voornamelijk vanwege Pip, voor wie zij verantwoordelijk was.
'Als mij iets overkomt, zul jij met Andrea moeten trouwen en dan kunnen jullie samen voor Pip zorgen,' zei ze, pogend hem iets minder bezorgd te maken door hem te plagen. 'Dat zou voor haar baby ook geweldig zijn.'
'Dat vind ik volstrekt niet amusant,' zei hij. Hij klonk bijna even streng als Ted af en toe had kunnen zijn, en dat was niets voor hem, want hij was altijd relaxed en vriendelijk. Nu maakte hij zich echter vreselijke zorgen over haar, en voelde zich volstrekt hulpeloos omdat hij haar niet tot andere gedachten leek te kunnen brengen. 'Ik zal dit niet opgeven,' zei hij waarschuwend terwijl ze terugliepen naar het huis. 'Ik zal erover blijven praten tot je die idiotie opgeeft. Natuurlijk kun je overdag in het Centrum blijven werken, maar het werk van dat buitenteam is voor cowboys en gekken, en mensen van wie niemand afhankelijk is.'
'Mijn partner in de bestelwagen is een weduwnaar met drie kleine kinderen,' zei ze zacht. Onder het lopen had ze Matt een arm gegeven.
'Dan wil hij kennelijk ook dood. Als mijn vrouw was overleden en ik drie kleine kinderen in mijn eentje moest grootbrengen, zou ik dat misschien eveneens willen. Hoe dan ook... ik weet dat ik je dit niet kan laten doen. Verwacht niet van me

dat ik dit goedkeur. Dat zal niet gebeuren. En als je aan het proberen bent me vreselijk bezorgd te maken, kan ik je vertellen dat je dat is gelukt. Elke keer dat ik weet dat je de straat op gaat, zal ik in paniek raken. Vanwege jou en vanwege Pip.' En vanwege mijzelf, had hij er bijna aan toegevoegd.
'Pip had het je niet moeten vertellen,' zei Ophélie kalm.
Hij schudde wanhopig zijn hoofd. 'Ik ben heel blij dat ze dat wel heeft gedaan, want anders was ik het nooit te weten gekomen. Ophélie, iemand moet je bij je positieven brengen. Je moet hier nog eens goed over nadenken. Beloof me dat je dat zult doen.'
'Dat beloof ik je, maar ik zweer dat het niet zo beroerd is als het klinkt. Als ik me er niet prettig bij voel, stop ik ermee. Op dit moment voel ik me er echter heel prettig bij. De mensen van het buitenteam zijn zich hun verantwoordelijkheden in hoge mate bewust.' Wat ze hem niet vertelde, was dat de groep klein was en ze vaak niet al te dicht bij elkaar in de buurt bleven. Indien er op een van hen werd geschoten, of iemand met een mes of een wapen in de aanval ging, was het niet waarschijnlijk dat de anderen snel genoeg in actie konden komen om die persoon te redden, vooral omdat zij zelf niet gewapend waren. Je moest gewoon slim en snel zijn, en je ogen goed openhouden. Dat laatste deden ze ook allemaal. Verder moesten ze zich voornamelijk verlaten op hun eigen gezonde verstand, de welwillendheid van de daklozen voor wie ze zorgden, en de genade van God. Ieder van hen wist dat er op elk moment iets ergs kon gebeuren, en daar was Matt zich eveneens terdege van bewust.
'Ophélie, ik zal hierop terugkomen. Dat kan ik je verzekeren.'
'Matt, ik was dit niet van plan,' zei ze bij wijze van verklaring. 'Het is gewoon gebeurd. Ze hebben me op een avond meegenomen, en toen ben ik van dit werk gaan houden. Misschien zou je een keer met ons mee moeten gaan om alles met eigen ogen te bekijken,' zei ze uitnodigend.
Hij keek geschokt. 'Ik ben niet zo dapper als jij, noch zo gek. Ik zou doodsbang zijn,' zei hij eerlijk.
Ze schoot in de lach. Ze wist niet waarom, maar het voelde juist aan hier te zijn, en bang was ze niet meer. Ze was niet eens zo bang geweest als ze had verwacht toen die verslaafde een

wapen op hen richtte. Dat vertelde ze echter niet aan Matt, omdat hij zijn dreigement haar op te sluiten in dat geval zeker zou hebben uitgevoerd. Tot dusver had ze niets te berde kunnen brengen om hem ook maar enigszins gerust te stellen.
'Het is niet zo angstaanjagend als jij denkt. Het merendeel van de tijd is het zo ontroerend dat ik het liefst een potje zou gaan janken. Matt, je hart breekt door alles wat je ziet.'
'Ik maak me veel meer zorgen over het feit dat iemand je een kogel door je kop zal schieten.' Het klonk bot, maar het verwoordde wel alles wat hij voelde. Het was lang geleden dat hij zo van streek was geweest. Misschien niet meer sinds het moment waarop Sally hem had meegedeeld dat ze met de kinderen naar Auckland zou vertrekken. Opeens was hij ervan overtuigd dat zijn nieuwe vriendin zou sterven, en hij wilde niet dat dat haar, Pip of hem overkwam. Anders dan lange tijd het geval was geweest, stond er voor hem nu veel op het spel. Hij gaf om hen beiden, en zijn hart liep nu ook gevaar.
Toen ze terug waren in zijn huis, legde hij een nieuw houtblok op het vuur in de open haard. Voordat ze gingen wandelen had Ophélie hem geholpen met de afwas en hij stond lange tijd naar het vuur te staren. Toen keek hij haar weer recht aan. 'Ik weet niet wat ervoor nodig is om je te laten ophouden met dat gekkenwerk, Ophélie, maar ik zal doen wat ik kan om je ervan te overtuigen dat het een slecht idee is.' Hij wilde Pip niet bang maken, dus hield hij erover op. Wel bleef hij er de rest van die middag bezorgd en van streek uitzien en toen zij weer vertrokken, was hij nog steeds van slag. Ze hadden wel al een afspraak gemaakt om de volgende week ter ere van Pips verjaardag samen uit eten te gaan.
'Mam, het spijt me dat ik hem over die daklozen heb verteld,' zei Pip zodra ze van Matts huis wegreden.
Ophélie keek haar even met een spijtige glimlach aan. 'Het is niet erg, schatje. Ik neem aan dat het niet goed is geheimen te bewaren.'
'Is het echt zo gevaarlijk als hij zegt?' Pip keek bezorgd.
'Nee.' Ophélie probeerde haar gerust te stellen, en ze geloofde ook niet dat het gevaarlijk was. Ze loog niet tegen Pip. Ze voelde zich veilig bij het team. 'We moeten voorzichtig zijn, en als

we dat ook echt zijn, kan er niets gebeuren. Niemand van het team is ooit gewond geraakt en dat willen zij – net als ik – zo houden.'

Die woorden stelden Pip inderdaad gerust en ze keek haar moeder weer aan. 'Dat zou je tegen Matt moeten zeggen. Volgens mij is hij werkelijk bang dat jou iets zal overkomen.'

'Dat is aardig van hem. Hij geeft om ons.' Er waren in een mensenleven echter nu eenmaal veel dingen die gevaarlijk waren, dacht ze. Niets in dit leven was geheel zonder risico.

'Ik hou van Matt,' zei Pip zacht. Het was de tweede keer in twee dagen dat ze dat zei, en Ophélie was zwijgzaam gedurende de rit naar huis. Het was lang geleden dat iemand zich zo beschermend jegens haar had opgesteld. Ted had dat de laatste jaren niet gedaan. Hij had niet veel aandacht meer aan haar besteed. Hij had het te druk gehad met zijn eigen bezigheden om zich veel zorgen over haar te kunnen maken. Daar stond echter tegenover dat hij daar ook geen reden toe had gehad. Degene over wie Ophélie zich voortdurend zorgen had gemaakt, zeker na zijn pogingen zelfmoord te plegen, was Chad geweest. Over hem had Ted zich echter ook niet echt druk gemaakt. Het merendeel van de tijd was hij extreem in zichzelf verdiept geweest. Desondanks had ze van hem gehouden.

Pip belde Matt die avond om hem te bedanken voor de fijne dag bij het strand, en na een paar minuten vroeg hij Ophélie te spreken. Ze was bijna bang om de hoorn te pakken, maar deed dat toch.

'Ik heb nagedacht over wat we hebben besproken, en ik ben tot de conclusie gekomen dat ik boos op je ben,' zei hij bijna woest. 'Het is het meest onverantwoordelijke gedrag waarmee ik ooit ben geconfronteerd, zeker voor een vrouw in jouw positie, en ik denk dat je naar een zielknijper zou moeten gaan. Of weer moet gaan deelnemen aan zo'n rouwgroep.'

'Mijn groepsleider heeft me naar het Centrum verwezen,' zei ze.

Hij kreunde hoorbaar. 'Ik ben er zeker van dat hij geen moment heeft gedacht dat je je bij het buitenteam zou aansluiten. Hij dacht waarschijnlijk dat je koffie zou inschenken, of verband zou oprollen, of wat ze daar ook doen.' Hij wist wat ze in het Centrum deden, want hij had het artikel gelezen dat ze hem had gegeven. Het was echter duidelijk dat hij heel erg van streek was.

'Ik kan je verzekeren dat me niets zal overkomen.'

'Dat kun je niemand verzekeren. Zelfs jezelf niet, of Pip. Je kunt niet voorspellen wat er kan gebeuren, en je kunt de gebeurtenissen ook niet onder controle houden.'

'Dat klopt, maar ik kan morgen ook door een bus worden aangereden terwijl ik een straat oversteek, of in mijn bed overlijden aan de gevolgen van een hartaanval. Matt, jij weet even goed als ik dat je niet alles in dit leven onder controle kunt houden.' Ze was veel filosofischer over het leven, en zelfs de dood, gaan denken dan voor het overlijden van Ted en Chad. Doodgaan maakte haar niet meer zo verschrikkelijk bang als vroeger. Ze wist dat de dood het enige was waarover je echt geen enkele controle had.

'Dat is minder waarschijnlijk, en dat weet je.' Hij klonk wanhopig gefrustreerd en na een paar minuten verbraken ze de verbinding. Ze was niet van plan het buitenteam vaarwel te zeggen, en dat wist hij. Hij wist alleen niet wat hij daaraan kon doen. Hij bleef er echter de hele week over nadenken en toen ze op Pips verjaardag waren gaan eten en het meisje naar bed was gegaan, bracht hij het onderwerp opnieuw ter sprake.

Hij had hen meegenomen naar een klein Italiaans restaurant dat Pip prachtig had gevonden. Alle obers hadden met hun resonerende baritons in het Italiaans 'Lang zal ze leven' gezongen. Hij had haar wat schilder- en tekenspullen gegeven die ze graag had willen hebben, en een sweatshirt met de tekst JIJ BENT MIJN BESTE VRIENDIN erop. Die had hij er zelf op aangebracht, en ze vond het fantastisch. Het was een heerlijke avond geweest en zoals gewoonlijk was Ophélie hem dankbaar. Ze wist echter ook wat er nog zou komen. Dat kon ze aan zijn gezicht zien, en dat wist hij. Ze begonnen elkaar goed te kennen.

'Je weet wat ik ga zeggen, nietwaar?' vroeg hij. Hij keek ernstig.

Ophélie, die het bijna jammer vond dat Pip naar bed was gegaan, knikte. 'Daar heb ik inderdaad wel een vermoeden van.' Ze glimlachte naar hem. Het ontroerde haar dat hij zoveel om hen gaf. Zij gaf ook om hem en elke keer wanneer ze hem weer zag, besefte ze dat ze zich steeds meer aan hem ging hechten. Ze was gaan verwachten dat hij een vast onderdeel van haar en Pips leven was, in welke vorm dan ook.

'Heb je er nog eens over nagedacht? Ik vind echt dat je niet meer met dat buitenteam zou moeten meegaan.' Hij keek haar heel aandachtig aan.

'Dat weet ik. Pip zei dat ik je moest vertellen dat niemand van dat team ooit gewond is geraakt. Ze zijn voorzichtig en slim, en ze weten wat ze doen. Het zijn geen dwazen, Matt, en ik ben ook niet gek. Stelt je dat enigermate gerust?'

'Nee. Het betekent alleen dat ze tot dusver mazzel hebben gehad, maar daar kan elk moment verandering in komen. Dat weet jij even goed als ik.'

'Misschien zou ons geloof sterker moeten zijn. Het kan jou raar in de oren klinken, maar ik denk dat God het niet zal toestaan dat mij iets overkomt terwijl ik werk doe dat zo de moeite waard is.'

'Stel dat jij op een avond in de problemen komt en Hij het elders druk heeft? Hij moet zich bezighouden met hongersnoden, overstromingen en oorlogen. Niet alleen met jou.'

Ze kon er niets aan doen dat ze in de lach schoot, en eindelijk zag ze op zijn gezicht een glimlach verschijnen.

'Je zult me nog gek maken, weet je dat?' zei hij. 'Ik heb nooit iemand gekend die zo koppig is als jij. Of zo dapper,' voegde hij er heel zacht aan toe. 'Of zo fatsoenlijk. Of zo dwaas, helaas. Ik wil gewoon niet dat jou iets overkomt,' zei hij, bijna triest. 'Jij en Pip betekenen heel veel voor me.'

'Jij bent voor ons ook heel belangrijk. Je hebt Pip een geweldige verjaardag bezorgd,' zei ze dankbaar. Haar vorige verjaardag – slechts een week na de dood van haar vader en haar broer – was afschuwelijk geweest. Deze dag daarentegen was leuk geweest, zo prettig als Matt hem had kunnen maken. Het volgende weekend zou ze het vieren met vier schoolvriendinnen, die zouden blijven slapen, en ook daar verheugde ze zich op. Het etentje met Matt en zijn cadeautjes waren voor Pip – en voor Ophélie – echter een hoogtepunt geweest. Het speet haar alleen dat het buitenteam en het feit dat zij daar deel van uit-

maakte een strijdpunt tussen hen was geworden. Ze was niet van plan met dat werk te stoppen, en dat wist Matt. Hij was echter vast van plan er met haar over te blijven praten en haar onder druk te zetten om van gedachten te veranderen.
Voor het eerst in een week spraken ze daarna weer over andere dingen en ze leken zich beiden te kunnen ontspannen terwijl ze met een glas wijn bij de open haard zaten. Ze voelde zich bij hem zo op haar gemak. Meer dan ze zich ooit in haar leven bij een man op haar gemak had gevoeld, inclusief Ted. En dat was wederzijds. Toen Matt vertrok, zag hij er gelukkiger uit. Hij had de strijd over haar werk voor de daklozen niet opgegeven – en was absoluut niet van plan dat te doen – maar hij besefte ook dat de invloed die hij op haar kon uitoefenen beperkt was. Hij zou echter zijn uiterste best doen binnen de grenzen die aan zijn rol in haar leven waren gesteld.
Terwijl Ophélie langzaam naar boven liep en zag dat Pip zoals gewoonlijk in haar bed lag, dacht ze aan Matt. Hij was een aardige man en een goede vriend, en ze bofte met het feit dat iemand om hen gaf. Ze had een prettige avond met hem doorgebracht. Prettiger dan ze in sommige opzichten wenselijk achtte. Soms was ze bang dat ze te sterk aan hem gehecht raakte. Ze besloot daar nu niet aan te denken, want ze leek de situatie tussen hen onder controle te hebben. Hij was een goede vriend. Niets meer dan dat.
Terwijl Matt terugreed naar Safe Harbour, glimlachte hij in zichzelf. Hij was een beetje geschokt door wat hij had gedaan voordat hij het huis van Ophélie uit liep, maar dat was wel voor een goede zaak geweest. Het idee was pas bij hem opgekomen toen hij naast haar zat en toevallig langs haar heen naar een foto had gekeken die op de tafel stond. Hij had gewacht tot zij naar boven was gegaan om te kijken of alles met Pip in orde was, en toen was hij in actie gekomen. Nu hij naar huis reed, denkend aan de avond en Pips gezichtsuitdrukking toen de obers haar hadden toegezongen, lag er een foto van een glimlachende Chad – in een zilveren lijstje – op de stoel naast hem.

19

Pip en Ophélie zagen Matt pas weer bijna drie weken later, voor het vader-dochterdiner. Hij had het druk, net als zij, maar hij belde Pip wel bijna elke dag om een praatje met haar te maken. Als Ophélie hem sprak, probeerde ze het Wexlercentrum als gespreksonderwerp te vermijden omdat ze maar al te goed wist hoe hij over het buitenteam dacht. Ze wist ook dat hij niet boos op haar was, maar wel gefrustreerd omdat ze weigerde het met hem eens te zijn. Hij maakte zich zorgen over haar en Pip. Hij arriveerde voor het etentje voor vaders en dochters in een blazer, een grijze broek, een blauw overhemd en een rode das, en Pip keek trots toen ze naar haar school vertrokken, waar het feest in de gymzaal werd gegeven. Ophélie zou die avond samen met Andrea gaan eten in een klein sushi-restaurant dicht bij haar in de buurt. Andrea had een babysitter ingehuurd, en genoot van een paar vrije uurtjes.

'Wat is er allemaal aan het gebeuren?' vroeg ze veelbetekenend.

'Ik heb het druk in het Centrum en Pip lijkt op school gelukkig te zijn. Dat is het wat ons betreft wel zo ongeveer. En hoe gaat het met jou?'

Ophélie zag er de laatste tijd goed uit. Het werken in het Centrum deed haar goed, constateerde Andrea voor zichzelf. Toen zei ze vol afkeer: 'Jouw leven klinkt al even saai als het mijne... Nee, dat bedoelde ik niet zo, en dat weet je. Hoe gaat het met Matt?'

'Hij is vanavond met Pip naar een vader-dochterdiner,' zei Ophélie als de onschuld zelve om haar vriendin eens lekker te plagen.

'Dat wéét ik. Ik ben benieuwd of er iets tussen jou en hem aan het gebeuren is.'

'Doe niet zo belachelijk. Zoals ik al eerder heb gezegd, zal hij

op een dag met Pip gaan trouwen en daardoor mijn schoonzoon worden.' Ze keek alsof dat haar genoegen deed.
'Je bent niet goed snik. Hij moet homofiel zijn.'
'Dat betwijfel ik, maar als dat wel zo mocht zijn, is dat mijn zaak niet.'
Andrea leunde met een gefrustreerde gezichtsuitdrukking achterover in haar stoel. Ze ging de laatste tijd op stap met een van haar collega's van kantoor. Het was een getrouwde man, en dat wist Ophélie. Andrea leek daar echter geen problemen mee te hebben. Ze had door de jaren heen met heel wat getrouwde mannen een relatie gehad en zei dat ze zich daar wel bij bevond. Ze wilde niet trouwen, wilde niet voortdurend een man om zich heen hebben. Ophélie vermoedde echter al lange tijd dat dat niet de waarheid was. Zeker nu de baby er was, zou het voor Andrea fijn zijn om te kunnen trouwen. Ze geloofde echter niet meer dat ze ooit nog een geschikte echtgenoot zou kunnen vinden, en was bereid genoegen te nemen met wat ze kon krijgen, ook al behoorde de man in kwestie een andere vrouw toe.
'Wil je niet eens met hem op stap gaan?' Het leek Andrea iets onnatuurlijks. Ophélie was een beeldschone vrouw, en ze was pas tweeënveertig – bijna drieënveertig – jaar oud. Dus veel te jong om mannen volledig op te geven en de rest van haar leven om Ted te blijven rouwen.
'Nee,' zei Ophélie rustig. 'Ik wil met niemand aan een relatie beginnen, want ik voel me nog steeds getrouwd met Ted.' Wat ze al dan niet voor Matt voelde, was irrelevant. Ze waren allebei tevreden met de huidige stand van zaken. Meer van hun relatie verwachten, of het toestaan dat die meer werd dan zij was, werd door haar als een te groot risico beschouwd. Ze wilde wat ze nu hadden niet verpesten. Dat zei ze echter niet tegen Andrea, omdat ze wist dat die dat alles nooit zou begrijpen. Andrea was genotzuchtig, terwijl Ophélie er de voorkeur aan gaf zich in te houden.
'Stel dat Ted zich niet zo met jou getrouwd voelde als jij met hem? Wat zou hij hebben gedaan als jij was overleden in plaats van hij? Denk je dat hij jou de rest van zijn leven trouw was gebleven?'

Ophélie voelde zich niet gelukkig met die vraag. Die haalde namelijk een aantal pijnlijke herinneringen op, waarvan Andrea zich bewust was. Toch ergerde het haar te zien dat Ophélie haar leven aan het verspillen was. Ze was van mening dat Ted dat niet waard was, hoeveel Ophélie ook van hem had gehouden. Het was niet gezond dat ze zo vastbesloten was vanwege hem de rest van haar leven als treurende weduwe door te brengen.

'Wat hij zou hebben gedaan doet er niet toe,' zei Ophélie zacht. 'Dit is wat ik nu doe, en zo voel ik me nu. Ik zou het niet anders willen.' Ze had voor zichzelf een keuze gemaakt en daar voelde ze zich prettig bij, hoe vriendelijk en aantrekkelijk Matt ook was.

'Misschien is Matt domweg niet in staat je op te winden. Hoe zit het met dat centrum voor daklozen waar je werkt? Is daar iemand die je aandacht heeft? Wat voor een man is de directeur?' Andrea was zich omwille van haar vriendin aan strohalmen aan het vastklampen, en daar moest Ophélie om lachen.

'Ik mag háár erg graag.'

'Ik geef het op, want je bent een hopeloos geval.' Andrea hief haar handen ten hemel.

'Uitstekend. Laten we het nu eens over jou hebben. Hoe is die nieuwe vlam van je?'

'Hij past precies in mijn straatje. Zijn vrouw krijgt in december een tweeling. Hij zegt dat ze hersendood is en ze al jaren huwelijksproblemen hebben, wat de reden is dat ze zwanger is geworden. Stom, maar mensen doen zoiets nu eenmaal. Hoewel hij niet de liefde van mijn leven is, hebben we het goed samen.' Tot de baby's waren geboren en hij weer van zijn vrouw ging houden, of niet. Dit was echter geen oplossing voor Andrea, en dat wisten ze allebei. Zij beweerde dat ze geen 'oplossing' zocht – alleen af en toe wilde rollebollen om voor zichzelf te bewijzen dat ze nog niet dood was.

'Hij lijkt me de ware niet,' zei Ophélie meelevend. Ze had met Andrea te doen. Andrea had zo lang in haar leven zoveel slechte keuzes gemaakt.

'Dat is hij ook niet, maar voorlopig is het voldoende. Als de baby's komen, zal hij het sowieso te druk hebben. Nu moet ze

het bed houden en ze hebben sinds juni niet meer met elkaar gevreeën.'
Alleen al het luisteren naar Andrea maakte Ophélie depressief. Wat ze beschreef, was alles wat Ophélie nooit voor zichzelf had gewenst. Andrea was bereid genoegen te nemen met minder dan ze verdiende, uitsluitend om maar een warm lijf in haar bed te hebben.
Hoe moeilijk Ted ook was geweest, Ophélie had het heerlijk gevonden met hem getrouwd te zijn, van hem te houden, hem emotioneel te steunen in de jaren toen ze het nog arm hadden en het samen met hem te vieren toen hij het had gemaakt. Ze had het heerlijk gevonden dat ze zo loyaal tegenover elkaar stonden, en dat ze altijd samen waren. Zij had hem nooit bedrogen met een andere man, en dat had ze ook nooit gewild. En hoewel hij een keer een vreemde schaats had gereden, had ze geweten dat hij van haar hield en het hem vergeven. Ze vond het afschuwelijk nu weer alleen te zijn en de wereld van afspraakjes maken joeg haar doodsangst aan. Thuis, met Pip, was ze gelukkiger. Het idee op stap te gaan met mannen die hun echtgenotes bedrogen, of zelfs vrijgezellen die vrijgezel wilden blijven en alleen een nummertje wilden maken, stond haar volstrekt niet aan. Verder wilde ze haar vriendschap met Matt niet verpesten. Ze wilde hem geen verdriet doen, of door hem verdriet worden aangedaan. Iets ergers kon ze zich niet indenken. Ze koesterde wat ze hadden, en ze wist dat ze als vrienden veel beter af waren, hoe Andrea daar ook over dacht.
Die avond kwamen hij en Pip om halfelf thuis. Pip zag er gelukkig en een beetje verfomfaaid uit. Haar shirt was uit haar rok gekropen en hij had zijn das in zijn zak gestopt. Ze hadden gebraden kip gegeten en gedanst op rapmuziek die de meisjes hadden uitgekozen, en ze zeiden allebei dat ze zich geweldig hadden geamuseerd.
'Maar van hun muziekkeuze ben ik niet zo zeker,' zei hij lachend tegen Ophélie terwijl ze een glas witte wijn voor hem inschonk toen Pip naar bed was gegaan. 'Pip leek het echter prachtig te vinden, en dat dametje kan heel beslist dansen.'
'Vroeger vond ik dansen ook heerlijk,' zei Ophélie met een gelukkige glimlach. Ze was blij dat ze het samen prettig hadden

gehad. Zoals gewoonlijk had hij de dag voor hen gered en was Pip met een glimlach van oor tot oor naar bed gegaan. Ophélie vermoedde dat Pip stiekem verliefd op hem was, maar naar haar idee was dat niet abnormaal en kon het geen kwaad. Matt was zich er niet eens van bewust, en dat leek een goede zaak. Als hij het wel had geweten, zou Pip er misschien door in verlegenheid worden gebracht.
'Vind je dansen nu niet meer leuk?' vroeg hij met een brede grijns terwijl ze gingen zitten.
'Ted had een gloeiende hekel aan dansen, hoewel hij het redelijk goed kon. Ik heb het in jaren niet meer gedaan.' Ze besefte op dat moment dat het niet waarschijnlijk was dat dat door de manier van leven waarvoor ze had gekozen ooit nog zou gebeuren. Pip was nu degene die al het dansen namens het gezin zou moeten doen. Ophélie hield zichzelf voor dat ze er te oud voor was. De weduwe Mackenzie leidde een afgezonderd leven en was van plan dat zo te houden. Het was een van de vele dingen die ze ten aanzien van haar situatie had geaccepteerd. Vrijen zou ze ook nooit meer doen. Ze stond het zichzelf niet eens toe daarover na te denken.
'Misschien zouden we een keer moeten gaan dansen, om het niet te verleren,' zei hij plagend.
Zij glimlachte. Ze wist dat hij de draak met haar stak, want na dit avondje met Pip was hij in een goed humeur.
'Ik denk dat mijn voeten er inmiddels te oud voor zijn geworden, en bovendien ben ik het met je eens over de muziek waaraan Pip de voorkeur geeft. Nogal angstaanjagend. Onderweg naar school zet ze de radio elke dag keihard aan en daar word ik bijna doof van.'
'Daar heb ik vanavond ook aan moeten denken. Blijvende gehoorschade door een schoolfeest. Omdat ik schilder, zou het voor mij zo'n ramp nog niet zijn als wanneer je componist of dirigent bent.'
Ze praatten nog een tijdje door. Deze ene keer maakte hij geen melding van het buitenteam en dat luchtte haar op. Haar werk met hen ging goed, en de afgelopen weken was er niets bijzonders gebeurd. Meer dan ooit voelde ze zich bij hen veilig en op haar gemak. Zij en Bob waren goede vrienden geworden. Zij

gaf hem gratis advies over zijn kinderen, hoewel hij het in zijn eentje prima leek te doen, en ze had het vaak over Pip. Hij was net afspraakjes gaan maken met de beste vriendin van zijn overleden vrouw, wat waarschijnlijk goed voor zijn kinderen was, omdat die stapel op haar waren. Daar was ze blij om, voor hem. Het was bijna middernacht toen Matt vertrok. Er stonden veel sterren aan de hemel en ze wist dat zijn rit naar huis vredig en mooi zou zijn. Ze benijdde hem. Ze miste het strand. Toen rende ze, vlak voordat hij zou wegrijden, zwaaiend het trapje af.
'Dat was ik bijna vergeten. Wat doe je met Thanksgiving?' Over drie weken zou die feestdag zich aandienen, en ze had hem er al tijden naar willen vragen.
'Hetzelfde wat ik elk jaar doe. Die dag negeren. Ik geloof niet in kalkoenen, en ook niet in Kerstmis. Dat druist tegen mijn religie in.' Het was voor haar niet moeilijk om te raden waarom. Sinds zijn kinderen uit zijn leven waren verdwenen, waren feestdagen voor hem ongetwijfeld pijnlijk. Maar misschien zou hij er bij haar en Pip een beetje van kunnen genieten.
'Zou je daar verandering in willen brengen? Pip, Andrea en ik vieren het hier. Wat denk je ervan?'
'Ik vind het lief dat je me uitnodigt, maar ik ben niet goed meer in dergelijke dingen. Dat is te lang geleden voor mij – of de kalkoen. Waarom komen Pip en jij de dag daarna niet naar mij toe? Dat zou ik leuk vinden. Voel je daar iets voor?'
'Ik weet zeker dat Pip het fijn zou vinden, en voor mij geldt hetzelfde.' Ze wilde niet aandringen over Thanksgiving, want ze kon zich voorstellen hoe moeilijk het voor hem zou zijn, net zoals het dat nu voor haar was. Het jaar daarvoor waren de feestdagen afschuwelijk geweest. 'Ik wilde het je alleen vragen.' Hoewel ze zich lichtelijk teleurgesteld voelde, hield ze dat voor hem verborgen. Hij had al meer dan genoeg voor hen gedaan en hij was hen niets verschuldigd.
'Dank je,' zei hij, en ondanks zijn weigering keek hij geroerd.
'Ik moet jou bedanken omdat je Pip hebt meegenomen naar dat feest,' zei ze glimlachend.
'Ik heb het prachtig gevonden. Ik zal elke dag naar rapmuziek gaan luisteren en kijken of ik kan leren daarop te dansen, want ik wil haar volgend jaar niet in verlegenheid brengen.'

Het was lief van hem dat hij er zo over dacht, meende Ophélie toen hij wegreed. Hij was een aardige man. Gek hoe mensen leerden te overleven. Je leerde je te redden, dingen een andere plaats te geven, je te verlaten op vrienden in plaats van op je partner. Je vrienden werden je familie. Je zat dicht tegen elkaar aan, als mensen in een reddingboot gedurende een hevige storm. Dit had ze niet verwacht met haar leven te zullen doen, maar het werkte, en een ieder kreeg wat hij of zij nodig had. Het was niet het gezin dat ze eens had gehad, maar nu was het alles wat ze nog hadden, en het werkte voor hen. Of ze het nu prettig vonden of niet... ze hadden domweg geen keus en ze was blij met de vriendelijke handen die in het donker werden uitgestoken en de hunne vasthielden. Zoals die van Matt. Ze was hem heel erg dankbaar terwijl ze de voordeur op slot deed, naar boven liep in het stille huis en tussen de lakens kroop.

20

Thanksgiving was nog moeilijker dan ze had verwacht. Zonder Ted of Chad hadden de feestdagen iets bruuts. Op geen enkele manier kon je ze mooier maken, ze verzachten of voorwenden dat ze minder pijnlijk waren dan ze waren. Toen zij namens de kleine groep aan haar keukentafel een dankgebed uitsprak voor alles wat ze samen konden delen en om Gods zegen vroeg voor haar overleden zoon en man, stortte ze in en begon ze te huilen. Pip huilde met haar mee. Toen Andrea naar hen keek, kwamen de tranen bij haar eveneens, en zodra haar baby William al het verdriet om hem heen zag, zette hij het ook op een brullen. Zelfs Mousse leek erdoor van streek te raken. Het was zo afschuwelijk dat Ophélie een minuut later in de lach schoot. De rest van die middag waren ze afwisselend hysterisch aan het lachen en aan het huilen.

De kalkoen was oké, maar ze wilden er geen van allen echt van eten en de vulling was een tikkeltje aan de droge kant. Het was domweg geen maaltijd waarvan ze konden genieten. Ze hadden besloten in de keuken te eten, omdat ze wisten dat de bijna zeven maanden oude William, die in de kinderstoel met zijn mollige armpjes door de lucht zwaaide, er een troep van zou maken. Ophélie was dankbaar dat ze niet in de eetkamer zaten, waar ze zich ongetwijfeld uitsluitend had kunnen voorstellen dat Ted de kalkoen aansneed, zoals hij dat elk jaar had gedaan, en Chad, gekleed in een pak, zich bitter beklaagde over het feit dat hij een das moest dragen. De herinneringen en het verdriet waren nog te vers.

Aan het eind van de middag ging Andrea met haar baby naar huis, en Pip vertrok naar haar kamer om te tekenen. Het was geen gemakkelijke dag geweest. Ze kwam net op tijd haar ka-

mer uit om haar moeder Chads kamer in te zien glippen, en ze keek haar smekend aan.
'Mam, doe dat alsjeblieft niet. Het zal je alleen maar verdrietig maken.' Ze wist wat Ophélie daar deed: ellendig op Chads bed liggen, de restanten van zijn geur opsnuiven en zijn aura om zich heen voelen. Ze lag daar dan gewoon uren te huilen. Pip kon haar door de dichte deur heen altijd horen, en dat brak haar hart. In de ogen van haar moeder kon ze op geen enkele manier Chads plaats innemen. En voor Ophélie was het onmogelijk uit te leggen dat Pip niets minder voor haar betekende dan hij had gedaan. Het was eenvoudigweg een verlies dat door niemand minder intens kon worden gemaakt en door niets kon worden vervangen: een leegte die door geen enkel ander kind kon worden gevuld. Dat betekende echter niet dat ze minder van Pip hield.
'Ik ga er maar een minuutje naartoe.' Ophélie keek eveneens smekend terwijl Pips ogen zich met tranen vulden. Zonder iets te zeggen ging Pip terug naar haar kamer en deed de deur dicht. De blik in Pips ogen zorgde ervoor dat Ophélie zich schuldig voelde omdat ze Chads kamer in was gelopen. Ze ging naar haar eigen kamer, liep naar de kleerkast, en staarde naar Teds kleren. Ze had iets nodig. Iemand, een voorwerp, iets wat ze kon aanraken, een van zijn jasjes, een overhemd, iets bekends dat nog naar hem rook, of naar zijn lotion. Het was een onverzadigbare behoefte die niemand zou kunnen begrijpen tenzij hij of zij een soortgelijk verlies had geleden. Het enige wat er nog over was, waren hun bezittingen en hun kleren, de dingen die ze hadden aangeraakt, gedragen of in handen hadden gehad. Het afgelopen jaar had ze zijn trouwring aan een kettinkje om haar hals gedragen. Niemand wist dat hij daar hing, maar zij wist het wel en haar hand ging er van tijd tot tijd naartoe, gewoon om zichzelf ervan te verzekeren dat hij echt had bestaan, dat ze getrouwd waren geweest, dat zij eens bemind was geweest. Tegenwoordig was het voor haar bijna moeilijk zich dat te herinneren. Het besef dat hij weg was en nooit meer zou terugkomen, zorgde soms voor een overweldigend gevoel van paniek. Nu raakte ze ook weer in paniek toen ze een van zijn jasjes tegen haar gezicht drukte. Ze haalde het kledingstuk

van het hangertje en sloeg het over haar schouders, alsof ze dan zijn armen om zich heen zou kunnen voelen.
Ze stond daar in de kast en voelde zich als een verloren kind toen ze haar armen om zichzelf heen sloeg. Zodra ze dat deed, hoorde ze iets ritselen in een van de zakken, en zonder erbij na te denken stak ze er een hand naar uit. Het was een brief, en een krankzinnig moment wenste ze dat die voor haar zou zijn. Dat was echter niet zo. Het was een enkel velletje, een uitdraai van iets wat in een computer was ingetikt, en onder aan de bladzijde stond een initiaal. Ze vond het eigenlijk niet prettig de brief te lezen omdat hij niet aan haar was gericht, maar het was iets van hem. Iets wat hij had aangeraakt en gelezen. Langzaam gleed haar blik over het papier. Even vroeg ze zich bijna af of ze dit zelf had geschreven. Ze wist echter dat dat niet het geval was, en even later begon haar hart te bonzen.
Liefste Ted. Daarmee begon de brief, en het werd niet beter maar erger. *Ik weet dat dit voor ons allebei als een schok is gekomen, maar soms blijken de grootste tegenslagen de grootste geschenken van dit leven te zijn. Dit was ook mijn bedoeling niet. Toch geloof ik dat dit was voorbestemd. Ik ben niet zo jong meer, en om eerlijk te zijn ben ik bang dat ik er nooit meer de kans toe zal krijgen, met jou of met iemand anders. Deze baby betekent alles voor me, meer dan wat verder dan ook ter wereld, omdat hij van jou is.*
Ik weet dat jij het niet zo had gepland, en hetzelfde geldt voor mij. Dit is begonnen als iets onschuldigs waarmee we ons allebei een beetje konden amuseren. We hebben altijd zoveel gemeen gehad, en ik weet hoe moeilijk je het de laatste jaren thuis hebt gehad. Niemand weet dat beter dan ik. Ik denk dat ze alles verkeerd heeft aangepakt. Voor jou, voor Chad, en belangrijker: voor jullie beiden. Ik ben er niet eens van overtuigd dat hij zou hebben getracht zelfmoord te plegen – zo hij dat al echt heeft geprobeerd – als zij jou niet van hem had vervreemd. Ik weet maar al te goed hoe moeilijk dit voor jou is geweest, en net als jij ben ik er niet honderd procent zeker van dat hij daadwerkelijk problemen heeft. Ik heb nooit echt in de diagnose geloofd, en ik denk dat het mogelijk is dat de zogenaamde zelfmoordpogingen alleen het doel hadden jouw aandacht te

trekken, misschien zelfs een verzoek aan jouw adres waren om hem tegen haar in bescherming te nemen. Ik denk dat ze deze hele kwestie vanaf het begin verkeerd heeft beoordeeld. Als wij bij elkaar komen, wat ik hoop en wat volgens jou zou kunnen gebeuren, zou het misschien het beste zijn als Pip bij haar blijft en Chad bij ons komt wonen. Wellicht zal hij dan een stuk gelukkiger zijn dan hij nu is, nu zij als een zoemende bij en volledig in paniek voortdurend om hem heen vliegt. Dat kan voor hem ook niet goed zijn. Bovendien lijkt hij veel meer op ons, op jou en mij, dan op haar. Het is ons allebei duidelijk dat ze hem niet begrijpt. Misschien komt dat omdat hij slimmer is dan zij, wellicht zelfs slimmer dan wij. In elk geval ben ik bereid het te proberen als jij dat wilt, en hem bij ons in huis te nemen als jij daartoe mocht besluiten.

Wat ons betreft: ik ben er vast van overtuigd dat dit pas het begin is. Je leven met haar is voorbij. Dat is al jaren zo. Zij ziet dat niet in, of wil dat niet inzien. Misschien kan ze dat ook niet, omdat ze volledig afhankelijk is van jou en de kinderen. Ze heeft jou en hen nodig om haar bestaan betekenis te geven. Vroeg of laat zal ze op zoek moeten gaan naar een eigen leven. Misschien zal op langere termijn blijken dat ze dit nodig had om in één klap tot het besef te komen hoe zinloos en leeg haar leven is, en hoe weinig ze nog voor jou betekent. Ze zuigt je leeg. Ze zuigt al het leven uit je weg, en dat doet ze al jaren.

Deze baby, of het nu een hij of een zij zal worden, zorgt voor een band tussen ons en vormt onze schakel met de toekomst.

Ik weet dat je nog geen definitieve beslissing hebt genomen, maar ik denk dat ik – net als jij – wel weet wat je wilt. Het enige wat je hoeft te doen is er je handen naar uitsteken en het opeisen, zoals je dat nu bijna een jaar geleden met mij hebt gedaan. Deze baby zou er nooit zijn gekomen als dat niet voorbestemd was geweest en jij ons niet even hard nodig had als ik jou.

Tot de komst van de baby hebben we zes maanden de tijd om de juiste stappen te zetten. Zes maanden om een eind te maken aan het oude leven en een nieuw leven te beginnen. Ik kan me niets belangrijkers of beters indenken, en het is mijn grootste wens dat het werkelijkheid zal worden. Ik geloof in je, ik ben

je trouw en ik hou van je. Ik bewonder je en respecteer je om alles wat je bent en voor mij bent geweest.
De toekomst is van ons. Onze baby is onderweg. Ons leven zal snel beginnen, evenals het zijne of het hare, hoewel ik er zeker van ben dat het een jongen zal zijn. God biedt ons een nieuw leven aan, een frisse start, het leven dat we altijd hebben gewenst: twee mensen die elkaar begrijpen en respecteren, twee mensen die nu in dit kind één zijn geworden.
Ik hou van je met heel mijn hart en ik beloof je dat je gelukkiger zult zijn dan je ooit bent geweest als je naar mij toe komt. Wanneer je naar me toe komt, zou ik misschien moeten zeggen, want ik geloof dat je dat zult doen. De toekomst, lieveling, is van ons. Ik ben de jouwe. Met al mijn liefde. A.
De brief was een week voor zijn dood geschreven en Ophélie had het gevoel dat ze een hartaanval zou krijgen. Ze liet zich op haar knieën zakken terwijl ze de brief las en nog eens las. Ze kon haar ogen niet geloven, en ze kon zich niet voorstellen van wie hij kon zijn. Het was ondenkbaar. Dit kon niet zijn gebeurd. Het was een leugen. Een wrede truc die iemand met hen had uitgehaald. Ze vroeg zich af of dit chantage kon zijn toen het jasje van haar schouders gleed en op de grond viel terwijl zij de brief in haar trillende hand hield.
Ze zette een hand tegen de muur als steuntje om weer te gaan staan en staarde nietsziend voor zich uit, met de brief nog altijd in haar hand. Toen werd alles haar opeens duidelijk, en wilde ze doodgaan. De baby waarover in de brief was gesproken, moest als het waar was zes maanden na zijn dood zijn geboren. William Theodore. Ze had hem niet Ted durven noemen, maar ze was er dicht genoeg bij in de buurt gekomen. Niet om haar overleden vriend te eren, zoals ze had beweerd. De baby was naar zijn vader vernoemd. Teds middelste naam was William geweest. Ze had de namen alleen omgedraaid. De baby was van hem, was niet verwekt met sperma van een spermabank. De brief kon alleen door Andrea zijn geschreven. Die ene 'A' was haar initiaal. Ze had hem zelfs gemanipuleerd ten aanzien van Chad. Ze had ingespeeld op zijn wanhopige behoefte alles te ontkennen, en kritiek geleverd op haar, Ophélie. De brief was geschreven door de vrouw die achttien jaar lang

had beweerd haar beste vriendin te zijn. Het was niet te geloven en onverdraaglijk! Andrea had haar verraden, en dat had hij ook gedaan. Het enige wat dit alles kon betekenen, was dat hij niet van haar had gehouden toen hij stierf. Hij had van Andrea gehouden en haar een kind gegeven. Ophélie had de brief nog steeds in haar hand toen ze naar de badkamer liep en haar longen uit haar lijf kotste. Ze stond over de wasbak gebogen en zag groen van ellende toen Pip naar haar toe kwam.

Pip raakte in paniek zodra ze haar moeder hevig zag trillen. 'Mam, is alles met jou in orde? Wat is er aan de hand?'

'Niets,' zei ze met gebarsten stem terwijl ze haar mond spoelde. Het enige wat eruit was gekomen, was gal en een hapje kalkoen, omdat ze bijna niets had gegeten. Ze had echter het gevoel dat ze al haar ingewanden eruit had gespuugd, evenals haar hart, haar ziel en haar huwelijk.

'Wil je even gaan liggen?' vroeg Pip. Het was voor hen allemaal een afschuwelijke dag geweest en nu maakte ze zich grote zorgen over haar moeder. Die zag eruit alsof ze elk moment dood kon gaan en dat ook wenste.

'Dat zal ik straks doen. Met mij komt alles wel weer in orde.' Dat was een leugen. Ze zou zich nooit meer goed voelen. Stel dat hij haar had verlaten? Stel dat hij dat had gedaan en niet was gestorven? En Chad had meegenomen? Dat zou haar dood zijn geworden, en misschien ook die van Chad, als ze de situatie allebei hadden willen ontkennen. Maar Chad was sowieso dood. En nu had Ted een eind aan haar leven gemaakt, even definitief als wanneer hij haar had neergeschoten. De brief had een farce van hun huwelijk gemaakt, om nog maar te zwijgen over haar vriendschap met Andrea. Ze kon niet begrijpen hoe iemand haar dat had kunnen aandoen, hoe Andrea zo verraderlijk, zo oneerlijk en zo wreed had kunnen zijn.

'Mammie, ga alsjeblieft even liggen...' Pip was bijna aan het huilen. Ze had haar moeder sinds haar peuterjaren geen 'mammie' meer genoemd, en ze was heel erg bang.

'Ik moet even weg.' Ophélie draaide zich om naar haar dochter. Deze keer was de robot niet teruggekeerd. Ze zag eruit als een vampier, met een spierwit gezicht en roodomrande, waterige ogen. Pip herkende haar bijna niet, en had daar ook geen

enkele behoefte aan. Ze wilde haar moeder terug hebben, waar die het afgelopen uur ook naartoe was gegaan. Deze vrouw léék niet eens op haar moeder. 'Kun jij alleen thuisblijven?'
'Waar ga je heen? Wil je dat ik met je meega?' Pip trilde nu ook.
'Nee. Ik blijf niet lang weg. Hou de deuren op slot en hou Moussy bij je.' Ze klonk als Pips moeder, maar ze zag er heel anders uit. Opeens werd Ophélie heel doelbewust, besefte ze dat ze een kracht had waarvan ze het bestaan nooit had vermoed. Nu begreep ze dat mensen een misdaad uit hartstocht konden plegen. Maar ze wilde Andrea niet naar de andere wereld helpen. Ze wilde haar alleen zien, nog een keer kijken naar de vrouw die haar huwelijk had verwoest, die haar herinneringen aan Ted en alles wat zij met hem had gedeeld in as had veranderd. Ze kon het zichzelf niet eens toestaan hem te haten. Alles wat ze voelde, al het verdriet en alle verschrikkingen van het afgelopen jaar, was nu op Andrea geconcentreerd. Als een kogel. Maar de kogel had Ophélie geraakt en was dwars door haar heen gegaan. Ze kon die twee niets aandoen wat zich ook maar in de verste verte zou laten vergelijken met wat haar was aangedaan. Toen haar moeder vertrok, stond Pip angstig boven aan de trap. Ze wist niet wat ze moest doen, wie ze kon bellen, wat ze kon zeggen. Ze ging zitten en trok Mousse dicht tegen zich aan. Hij likte haar gezicht, likte haar tranen weg terwijl ze daar zaten te wachten tot Ophélie terugkwam.
Ze reed de tien huizenblokken naar het huis van Andrea zonder te stoppen. Ze negeerde oversteekplaatsen, stoptekens en zelfs een verkeerslicht, en parkeerde haar auto op de stoep. Toen rende ze de trap op en belde aan. Ze had geen jas over haar dunne rok aangetrokken, en zelfs niet eens een trui, maar toch voelde ze de kou niet. Het duurde even voordat Andrea opendeed. Ze had de baby op haar arm. Hij had een pyjama aan en ze glimlachten allebei zodra ze haar zagen.
'Hallo...' begon Andrea heel hartelijk. Toen zag ze Ophélie van top tot teen trillen. 'Is alles met jou in orde? Is er iets gebeurd? Waar is Pip?'
'Ja, er is inderdaad iets gebeurd.' Ophélie stond in de deuropening en viste de brief uit een zak met handen die zo hevig

trilden dat ze ze nauwelijks onder controle kon houden. 'Ik heb je brief gevonden.' Haar gezicht werd nog bleker, en even later had dat van Andrea exact dezelfde kleur. Ze deed geen poging het te ontkennen. Ze zagen eruit als twee kalkstenen vrouwen die in een deuropening stonden terwijl de wind om hen heen naar binnen waaide.

'Wil je binnenkomen?' Er waren dingen die moesten worden gezegd, maar Ophélie wilde ze niet horen en bleef staan waar ze stond.

'Hoe heb je dit kunnen doen? Hoe heb je dat een jaar lang kunnen doen en daarnaast kunnen pretenderen mijn vriendin te zijn? Hoe heb je kunnen doen alsof dit kind met behulp van een spermabank was verwekt? Hoe heb je al die dingen over Chad durven zeggen om zijn vader maar te manipuleren? Je wist hoe Ted over hem dacht. Je bent uitsluitend aan het intrigeren geweest, en je hield waarschijnlijk niet eens van hem. Jij houdt van niemand, Andrea. Niet van mij, niet van hem en waarschijnlijk niet eens van die arme baby. Je zou Chad van me hebben afgepakt, en hij zou zelfmoord hebben gepleegd terwijl jij je spelletjes aan het spelen was en hem als lokaas gebruikte. Je bent meer dan zielig. Je bent boosaardig. Je bent een door en door slecht mens. Ik haat je... Je hebt het enige verwoest wat ik nog had... het geloof dat hij van me hield... Dat was niet zo... En jij hield ook niet van hem. Ik hield wel van hem. Ik heb altijd van hem gehouden, hoe beroerd hij me ook behandelde en hoe vaak hij er voor mij en zijn kinderen ook niet was... Jij houdt nergens van... Mijn hemel! Hoe heb je dit kunnen doen?' Ze had het gevoel daar ter plekke dood te zullen gaan. Dat kon haar echter niets meer schelen. Ze hadden haar leven verwoest. Na zijn dood had het nog een jaar geduurd, maar het was die twee gelukt. Ze kon niet eens beginnen te begrijpen waarom ze dit hadden gedaan. 'Ik wil dat je bij mij... en bij Pip... uit de buurt blijft. Bel ons nooit meer. Probeer op geen enkele manier contact met me te zoeken. Wat mij betreft ben je dood. Voor altijd. Even dood als hij... Heb je me goed gehoord?' De stem van Ophélie brak en ze snikte. Andrea begon niet aan een discussie en zij trilde nu ook. Ze hadden het allebei koud en ze verkeerden beiden in een shocktoestand. Andrea wist dat ze dit had verdiend. Ze had zich voortdurend zorgen gemaakt over de vraag wat hij met die brief had gedaan, maar toen die nooit boven water kwam, was ze van de veronderstelling uitgegaan dat hij hem had vernietigd. In elk geval had ze dat gehoopt. Er was echter nog een laatste ding dat ze wilde zeggen tegen de vrouw die haar vriendin was geweest en die haar nooit had verraden.

'Ik wil dat je even naar me luistert... Ik heb je nog slechts één ding te zeggen, los van het feit dat het me spijt... Ik zal het mezelf ook nooit vergeven, maar in elk geval is de baby het waard... Het was zijn schuld niet.'

'Ik geef geen moer om jou of jouw baby.' Het probleem was echter dat ze wel degelijk om hen gaf. Daarom was dit zo verschrikkelijk pijnlijk, zeker nu ze wist dat de baby van Ted was... Hij leek zelfs op hem, zag ze nu... Meer dan Chad op hem had geleken.

'Ophélie, luister naar me. En dan bedoel ik écht luisteren. Hij had nog geen beslissing genomen. Hij heeft tegen me gezegd dat hij niet wist hoe hij jou ooit zou kunnen verlaten. Je was in het begin zo goed voor hem geweest, en later ook altijd. Dat wist hij... Hij was een egoïst en deed alleen wat hij wilde. Hij wilde mij hebben, maar ik denk dat het voor hem alleen een spel was. We hadden veel gemeen. Ik begeerde hem. Dat heb ik altijd gedaan. En toen ik mijn kans schoon zag in de tijd dat jij en de kinderen in Frankrijk waren, heb ik die gegrepen. Met beide handen. Hij niet. Hij heeft zich laten gaan, maar ik ben er niet eens zeker van dat hij van me hield. Misschien was dat niet het geval. Het kan zijn dat hij jou nooit had verlaten. Nogmaals: daar had hij nog geen beslissing over genomen. Dat moet je weten. Hij is niet gestorven toen het besluit jou in de steek te laten al was gevallen. Hij twijfelde, en daarom heb ik hem die brief geschreven. Ik probeerde hem over te halen. Dat zal jou ook wel duidelijk zijn. Het is mogelijk dat hij uiteindelijk zou hebben besloten bij jou te blijven. Om je de waarheid te zeggen ben ik er niet zeker van of hij van een van ons beiden hield. Of hij wel in staat was van iemand te houden. Hij was briljant en narcistisch. Ik weet niet of hij van me hield. Maar als hij van een van ons beiden hield, als hij van íemand hield, was jij diegene. Dat heeft hij zelf gezegd, en naar mijn idee geloofde hij dat ook. Ik heb altijd gevonden dat hij je heel beroerd behandelde en jij iets beters verdiende. Maar nogmaals: ik denk dat hij van je hield voor zover hij daartoe in staat was, en ik wil dat je dat nu weet.'

'Ik wil nooit meer met je praten,' zei Ophélie woest. Toen draaide ze zich om en liep op trillende benen de trap weer af naar haar auto, waarvan ze de motor had laten draaien. Ze keek niet een keer om naar Andrea. Ze wilde haar nooit meer zien, en Andrea wist nu dat dat ook nooit meer zou gebeuren.

Andrea snikte toen ze Ophélie zag wegrijden. In elk geval had ze haar de waarheid verteld zoals zij die kende. Ted had echt niet zeker geweten wat hij zou gaan doen. Het was mogelijk dat hij van geen van hen beiden had gehouden. Maar Ophélie had het verdiend te weten dat hij het gevoel had gehad haar iets verschuldigd te zijn, en dat hij wellicht bij haar was gebleven. Het was heel goed mogelijk dat Ophélie niet als verliezer maar als winnaar uit de bus zou zijn gekomen. Uiteindelijk waren ze echter allemaal verliezers geworden. Ted, Chad, Ophélie, Andrea en zelfs haar baby... Allemaal verliezers. Hij was gestorven voordat hij de knoop had doorgehakt en in plaats van die brief te vernietigen, had hij hem bewaard en had Ophélie hem gevonden. Misschien was dat wel zijn bedoeling geweest. Wellicht had hij daarop gerekend. Het kon zijn dat dit zijn manier was geweest om de oplossing te forceren. Dat zouden zij en Ophélie nooit weten. Het enige wat Andrea Ophélie nog had kunnen geven, was de waarheid. Dat hij niet zeker van zijn zaak was geweest, dat hij nog niets had besloten toen hij stierf... en dat hij misschien... niet meer dan misschien... zo goed als hij dat kon van haar had gehouden.

21

Ophélie wist later absoluut niet meer hoe ze naar huis was gereden, of langs welke weg. Ze parkeerde de auto op hun oprit en liep naar binnen. Pip zat nog steeds boven aan de trap, met de hond heel dicht tegen zich aan.
'Wat is er gebeurd? Waar ben je geweest?' Zo dat menselijkerwijs mogelijk was zag haar moeder er nog beroerder uit dan een halfuurtje geleden.
Ophélie hees zich de trap op en voelde zich weer misselijk terwijl ze versuft haar kamer in liep. 'Er is niets gebeurd,' zei ze met starende ogen en een hart dat door een enkele brief uit haar lijf was gerukt. Ze hadden het samen gedaan. Hij en Andrea. Het had een jaar geduurd, maar uiteindelijk hadden ze haar om zeep gebracht. Ophélie draaide zich om naar Pip en keek naar haar alsof ze haar niet kon zien. Alsof ze opeens blind was geworden. De robot was weer terug. Totaal kapot, met vonken die er overal uit schoten: een systeem dat zichzelf aan het vernietigen was terwijl Pip toekeek. 'Ik ga nu naar bed,' was alles wat ze verder nog tegen Pip zei. Toen deed ze de lampen uit, ging liggen en staarde niets ziend voor zich uit. Pip zou hebben geschreeuwd als ze dat had gedurfd, maar ze was bang alles nog erger te maken. Ze rende naar de studeerkamer van haar vader en toetste een nummer in. Toen Matt opnam, was ze aan het huilen. Zijn stem klonk ongebruikelijk gelukkig, en aanvankelijk kon hij haar niet goed verstaan.
'Er is iets gebeurd... Er is iets mis met mijn moeder.' Matt keerde meteen naar de aarde terug. Zo had hij Pip nog nooit gehoord. In de verste verte niet. Ze was in paniek en hij kon haar stem horen trillen.

'Is ze gewond geraakt? Pip, zeg het me snel. Moet je het alarmnummer bellen?'
'Ik weet het niet. Ik denk dat ze gek is geworden. Ze wil me er niets over vertellen.' Ze beschreef alles wat er was gebeurd en hij vroeg Ophélie te spreken. Toen Pip naar de kamer van haar moeder liep, was de deur echter op slot en reageerde ze niet. Pip huilde nog harder toen ze over de telefoon weer met Matt sprak. Dit alles stond hem niets aan, maar hij was bang de zaken alleen nog maar erger te maken door de politie te bellen en de slaapkamerdeur door hen te laten intrappen. Hij zei tegen Pip dat ze terug moest gaan, nog eens moest kloppen en moest zeggen dat hij aan de telefoon was.
Pip klopte lange tijd en uiteindelijk kon ze in de kamer vaag een geluid horen. Het leek alsof er iets was gevallen, zoals een lamp of een tafel. Toen ging de deur langzaam open. Ophélie zag eruit alsof ze had gehuild en nog aan het huilen was, maar ze oogde niet meer zo verdwaasd als een halfuur daarvoor.
Pip keek haar vol wanhoop aan, raakte haar hand aan alsof ze zich ervan wilde vergewissen dat ze echt was, en zei toen met trillende stem: 'Matt is aan de telefoon. Hij wil je spreken.'
'Zeg maar tegen hem dat ik moe ben,' zei ze terwijl ze naar haar nu enige kind keek alsof ze haar voor het eerst zag. 'Het spijt me zo... het spijt me zo.' Eindelijk drong het tot haar door wat ze haar dochter aandeed: hetzelfde wat zij haar hadden aangedaan. 'Zeg maar dat ik nu niet met hem kan praten en hem morgen zal bellen.'
'Hij zei dat hij hierheen komt als je niet met hem wilt praten.'
Ophélie wilde tegen Pip zeggen dat ze hem niet had moeten bellen, maar ze wist ook dat het meisje niemand anders had met wie ze contact kon opnemen. Ze zei niets meer, liep haar slaapkamer weer in en pakte de hoorn van de haak.
Hoewel het donker was, kon Pip de lamp zien die ze omver had gestoten. Dat was het geluid dat ze had gehoord. Haar moeder was in het donker gestruikeld.
'Hallo.' Het klonk als een stem uit het dodenrijk, en Matt was meteen even bezorgd als Pip.
'Ophélie, wat is er gaande? Pip is doodsbang. Wil je dat ik naar je toe kom?'

Ze wist dat hij dat zou doen als ze hem daar om vroeg, maar ze wilde hem – of wie verder dan ook – niet zien. Zelfs Pip niet. Nog niet. Niet op dit moment. Of misschien nooit meer. Ze had zich nog nooit van haar levensdagen zo alleen gevoeld, niet eens op de dag waarop Ted was gestorven.
'Ik voel me goed,' zei ze volstrekt niet overtuigend. 'Kom maar niet hierheen.'
'Vertel me wat er is gebeurd.' Hij was ferm en sterk.
'Dat kan ik niet doen. Niet nu.'
'Ik wil dat je me vertelt wat er mis is.' Hij kon haar horen snikken. 'Ik kom eraan,' zei hij heel bezorgd.
Ze schudde haar hoofd. 'Doe dat alsjeblieft niet. Ik wil alleen zijn.' Ze klonk weer iets normaler. Ze was duidelijk af en toe hysterisch, of in paniek, en hij had geen idee wat daar de oorzaak van was.
'Dit kun je Pip niet aandoen.'
'Dat weet ik... Dat weet ik... Het spijt me.' Ze kon niet ophouden met huilen.
'Ik wil naar je toe komen, maar ik wil me ook niet opdringen. Ik wou dat ik verdomme wist wat er gaande is.'
'Daar kan ik nu echt niet over praten.'
'Denk je dat je jezelf weer onder controle kunt krijgen?' Ze leek te zijn ingestort en vanaf die afstand kon hij niet vaststellen hoe ernstig de situatie precies was. Verder had hij er geen idee van wat hier de oorzaak van was. Wellicht de feestdag. Misschien kon ze de werkelijkheid van het dubbele verlies niet aan. Wat hij niet wist, was dat alles nu pas werkelijk afschuwelijk was, omdat ze niet alleen Ted en Chad had verloren, maar ook al haar illusies over haar huwelijk.
'Ik weet het niet,' zei ze als antwoord op zijn vraag.
'Moet ik hulp zoeken?' Hij dacht er nog steeds over het alarmnummer te bellen. Hij dacht er ook over Andrea te bellen, die dichter bij haar in de buurt woonde, maar een zesde zintuig, dat hij niet helemaal vertrouwde, zei hem dat hij niemand moest bellen.
'Nee, niet doen. Ik red me wel. Ik heb alleen een beetje tijd nodig.'
'Heb je iets wat je kunt innemen om tot rust te komen?' vroeg

hij, ook al stond dat idee hem al evenmin aan. Hij wilde niet dat ze alleen was met Pip terwijl ze een kalmeringsmiddel had geslikt, want daardoor zou het meisje nog meer van streek kunnen raken.
'Ik heb geen kalmeringsmiddel nodig. Ik ben dood. Ze hebben me vermoord.' Ze was weer harder aan het huilen.
'Wie hebben je vermoord?'
'Ik wil er niet over praten. Ted is er niet meer.'
'Dat weet ik...' Het was veel erger dan hij aanvankelijk had gedacht, en even vroeg hij zich af of ze dronken was.
'Ik bedoel echt weg. Voor altijd. Hetzelfde geldt voor ons huwelijk. Ik ben er niet eens zeker van of dat ooit echt heeft bestaan.' De geruststellende woorden van Andrea betekenden nu niets meer.
'Ik begrijp het,' zei hij, voornamelijk om haar tot bedaren te brengen.
'Nee, dat doe je niet. Ik deed dat ook niet. Ik heb een brief gevonden.'
'Van Ted?' Hij klonk geschokt. 'Een zelfmoordbrief?' Opeens vroeg hij zich af of Ted zichzelf en Chad van het leven had beroofd. Dat zou vrijwel de enige verklaring kunnen zijn waarom ze er zo aan toe was.
'Een moordbrief.'
Hij begreep er niets van, al was het wel duidelijk dat er iets verschrikkelijks was gebeurd. 'Ophélie, denk je dat je de komende nacht kunt doorkomen?'
'Heb ik een keus?' Haar stem klonk doods.
'Nee, die heb je niet nu Pip bij je is. De enige keus die je hebt, is mij naar de stad laten komen of niet.' Deze ene keer wilde hij echter liever niet weg van het strand. Dat wilde hij haar uitleggen, maar niet nu. Het zou moeten wachten.
'Ik kom de nacht wel door.' Vanuit haar perspectief bezien maakte het allemaal niets meer uit.
'Ik wil dat Pip en jij morgen naar me toe komen.' Dat waren ze al van plan geweest en nu wilde hij haar meer dan ooit bij zich hebben. Indien ze niet kwam, zou hij naar haar toe rijden.
'Ik denk niet dat ik daartoe in staat zal zijn,' zei ze eerlijk.
Het idee stond hem nu ook niet meer aan, want ze was er dui-

delijk te beroerd aan toe om achter het stuur te kunnen kruipen. 'Als dat zo is, kom ik naar jullie toe. Ik bel je over een uurtje om te vragen hoe het is, en dan morgenochtend weer. Misschien zou je vanavond in je eentje moeten slapen als je zo van streek bent. Ik heb de indruk dat je wat tijd voor jezelf nodig hebt, en dit zou voor Pip nog wel eens heel moeilijk kunnen zijn.' Dat was het al.

'Ik zal haar vragen wat ze wil. Je hoeft me niet terug te bellen. Ik red me wel.'

'Daar ben ik nog niet van overtuigd,' zei hij gespannen en bezorgd. 'Ik wil nog even met Pip praten.'

Ze riep Pip en die nam het toestel in de studeerkamer op. Matt zei dat ze hem moest bellen als er iets bijzonders gebeurde, en het alarmnummer indien het allemaal te erg werd.

'Ze ziet er iets beter uit,' meldde Pip. Toen ze terugliep naar haar moeder, had Ophélie de lampen in haar slaapkamer aangedaan. Ze zag nog steeds lijkbleek, maar ze probeerde Pip gerust te stellen.

'Het spijt me. Ik... Ik denk dat ik bang was.' Meer kon ze niet zeggen om uit te leggen wat er met haar was gebeurd. Ze zou haar dochter het verhaal niet vertellen. Nooit. Pip zou nimmer te horen krijgen dat de baby van Andrea haar halfbroertje was.

'Ik was ook bang,' zei Pip, die op het bed van haar moeder ging zitten en in haar armen kroop. Ze voelde ijskoud aan en Pip trok voorzichtig een deken over haar heen. 'Mam, wil je nog iets hebben?' Ze haalde een glas water voor haar en Ophélie nam een slokje om het kind een plezier te doen. Ze vond het vreselijk dat ze haar zo bang had gemaakt.

'Het gaat nu wel weer met me. Wil je vannacht bij me slapen?'

Ophélie kleedde zich uit en trok haar nachtjapon aan. Pip kwam terug in haar pyjama, met de hond. Lange tijd lagen ze in elkaars armen. Toen belde Matt. Pip verzekerde hem dat alles oké was. Ze klonk beter, en dus moest hij wel aannemen dat ze de waarheid sprak. Voordat hij de hoorn op de haak legde, verzekerde hij Pip dat hij haar de volgende dag hoe dan ook zou zien. En voor de eerste keer zei hij tegen Pip dat hij van haar hield. Hij wist dat ze het nodig had dat te horen, en hij had het nodig het tegen haar te zeggen.

Pip kroop dicht tegen haar moeder aan en ze konden allebei nog lange tijd de slaap niet vatten. Pip bleef telkens even kijken hoe het met haar moeder ging en toen ze eindelijk in slaap vielen, brandden alle lampen nog, om de demonen op een afstand te houden.

Matts Thanksgiving was het tegenovergestelde van het hunne geweest. Hij was erop voorbereid geweest die dag zoals altijd – of in elk geval de laatste zes jaar – te negeren. Hij had gewerkt aan Pips portret en was tevreden met het resultaat. Toen had hij voor zichzelf een sandwich met tonijn klaargemaakt. Hij vond het prettig alles te doen waarmee hij voor zichzelf kon bewijzen dat het niet Thanksgiving Day was. Zelfs een sandwich met kalkoen zou – hoe toevallig eventueel ook – tot de onmogelijkheden hebben behoord. Toen hij het bord van de sandwich aan het afwassen was, was er op zijn deur geklopt. Hij had zich niet kunnen voorstellen wie het kon zijn, want hij verwachtte niemand en zijn buren kwamen hem nooit storen. Het moest een vergissing zijn. Hij dacht erover niet te reageren, maar het kloppen hield aan. Dus was hij uiteindelijk met grote passen naar de deur gelopen, had opengedaan en naar een onbekend gezicht gestaard. Er stond een lange jongeman op de stoep, met bruine ogen, donker haar en een baard. Het eigenaardige was dat het gezicht hem niet helemaal onbekend voorkwam. Vol consternatie besefte hij dat hij dat gezicht jaren geleden had gezien. In de spiegel. De ervaring was volstrekt surrealistisch. Het was echt alsof hij naar zichzelf keek. Op diezelfde leeftijd had hij ook een baard gehad. Toen nam de jongeman het woord en voelde Matt een brok in zijn keel komen. 'Pap?' Het was Robert. De jongen die twaalf jaar oud was geweest toen hij hem voor het laatst had gezien. Zijn enige zoon. Opgestegen uit de as van zijn leven. Matt zei niets. Hij trok zijn zoon naar zich toe en hield hem zo stevig vast dat hij nauwelijks kon ademhalen. Hij had geen idee hoe de jongen hem had gevonden, noch waarom hij hier was. Hij was alleen dankbaar dat hij er was.
'O, mijn hemel,' zei Matt die hem iets minder stevig vasthield en niet kon geloven dat het eindelijk was gebeurd. Hij had al-

tijd geloofd dat ze elkaar op een dag weer zouden zien. Hoe of wanneer had hij niet geweten, maar het gevoel had hij aldoor gehad. 'Wat doe jij hier?'
'Ik studeer in Stanford, en ik ben al maanden naar je op zoek. Ik was je adres kwijt en mam zei dat ze dat niet had.'
'Wát zei ze?' Ze stonden nog altijd in de deuropening en met een verbaasde gezichtsuitdrukking gebaarde Matt hem naar binnen te lopen. 'Ga zitten.' Hij wees op een verweerde leren bank. Robert ging zitten en glimlachte. Hij was even blij als zijn vader. Hij had zichzelf beloofd hem te vinden, en nu was dat gelukt.
'Ze zei dat ze jouw spoor was kwijtgeraakt toen je niet langer schreef,' zei hij zacht.
'Ze stuurt me elk jaar een kerstkaart. Ze weet waar ik woon.' Matt zag Robert bevreemd naar hem kijken en voelde zich plotseling misselijk worden.
'Ze zei dat ze in jaren niets van je had gehoord.'
'Nadat jullie mij geen brieven meer stuurden, ben ik nog vier jaar naar jou en Vanessa blijven schrijven,' zei Matt aangeslagen.
'Wij zijn niet opgehouden jou te schrijven. Jij liet niets meer van je horen.'
'Nee, dat is niet waar. Je moeder zei dat jullie me niet meer in je leven wilden hebben, dat jullie genoeg hadden aan Hamish. Ik had jullie toen al drie jaar geschreven zonder ooit een brief terug te krijgen. Uiteindelijk vroeg ze me of Hamish jullie mocht adopteren. Daar was ik niet toe bereid, want jullie zijn mijn kinderen en zullen dat ook altijd zijn. Maar ik heb het opgegeven toen jullie nog eens drie jaar niets van je hadden laten horen. Je moeder en ik zijn echter wel altijd contact blijven houden. Ze zei dat Vanessa en jij allebei gelukkiger waren zonder mij in jullie leven, en het zo wilden. Dus heb ik jullie met rust gelaten.'
Het duurde een hele middag voordat alle stukjes van de legpuzzel op hun plaats lagen, maar toen ze ieder hun deel van het verhaal hadden verteld, was het duidelijk wat er was gebeurd. Sally had Matts brieven achtergehouden en tegen de kinderen gezegd dat hij nooit meer schreef. Ze had tegen Matt gezegd dat

zijn kinderen niet langer contact met hem wilden houden. Ze had ervoor gezorgd dat Hamish zijn plaats innam, en had er misschien zelfs over gelogen tegenover haar nieuwe echtgenoot. Op een sluwe en boosaardige manier had ze Matt uit hun leven verbannen. Voor altijd, had ze gedacht. Ze had hem zes jaar lang van zijn kinderen beroofd, en de kinderen van hun vader. Het was bijna briljant gedaan. Robert vertelde dat hij sinds september naar Matt op zoek was geweest en hem drie dagen eerder eindelijk had gevonden. Voor Thanksgiving had hij zichzelf een ritje naar Safe Harbour cadeau gedaan om zijn vader te verrassen, en hij was alleen bang geweest dat Matt zou weigeren hem te ontvangen. Hij had nooit begrepen waarom zijn vader hen in de steek had gelaten. De ontvangst die hem ten deel was gevallen en het verhaal dat hij te horen had gekregen, had hij nooit verwacht. Ze huilden allebei toen ze beseften wat er was gebeurd en ze sloegen hun armen telkens weer om elkaar heen terwijl ze naast elkaar op de bank zaten. Tegen de tijd dat alle mysteries waren opgelost, was het buiten donker geworden. Robert liet Matt een foto van Vanessa zien: een mooi, blond, zestienjarig meisje. Ze belden haar een paar minuten later op. Robert wist waar ze was, en bij haar was het drie uur 's middags.

'Ik heb een verrassing voor je,' zei Robert mysterieus en overweldigd door wat hij zou doen. In Matts ogen blonken tranen terwijl ze elkaars hand vasthielden. 'Ik heb je veel te vertellen, maar dat kan tot later wachten. Hier is iemand die je gedag wil zeggen.'

'Hallo, Nessie,' zei Matt zacht. Er stroomden tranen over zijn wangen en aan de andere kant van de lijn bleef het even stil.

'Pap?' In zijn oren klonk ze nog steeds als zijn kleine meisje. Haar stem was niet veranderd, alleen iets volwassener geworden. Binnen de kortste keren was zij ook aan het huilen. 'Waar ben je? Ik begrijp er niets van. Hoe heeft Robert je gevonden? Ik ben aldoor zo bang geweest dat je was overleden en dat niemand dat wist. Mam kon ons nooit iets over jou vertellen. Ze zei dat je gewoon van de aardbodem was verdwenen.'

Maar niet zo ver als ze graag had gewild. Wat was ze gemeen geweest! En dat terwijl ze al die tijd de alimentatie voor de kinderen had geënd en hem kerstkaarten had gestuurd.

'Daar zullen we het een andere keer over hebben. Ik ben nergens naartoe gegaan. Robert zal het je later uitleggen, en dat zal ik ook doen. Ik wil nu gewoon tegen je zeggen dat ik van je hou... Dat heb ik je de afgelopen zes jaar aldoor al willen zeggen. Het ziet ernaar uit dat je moeder met ons allemaal een spel heeft gespeeld. Ik heb jullie drie jaar lang geschreven en nooit een brief teruggekregen.' Dat moest ze naar zijn idee in elk geval alvast weten.
'We hebben jouw brieven nooit gekregen,' zei ze, en ze klonk verward. Het was voor hen allemaal ook nogal wat om te verwerken. Er was een afschuwelijke misdaad gepleegd door de moeder die zij hadden vertrouwd, de vrouw van wie hij had gehouden.
'Dat weet ik. Zeg er nog niets over tegen je moeder. Ik zal dit zelf met haar bespreken. Nu ben ik ontzettend blij dat ik je kan spreken, en ik wil je zien. Ik kom snel naar je toe. Misschien kunnen we de kerstdagen samen doorbrengen.'
'Wauw! Dat zou cool zijn!' Ze klonk nog steeds als een Amerikaans meisje, een ietwat oudere versie van Pip. Hij wilde dat Pip en Ophélie zijn kinderen ook zouden ontmoeten.
'Ik bel je over een paar dagen weer, want we hebben heel wat bij te praten. Je ziet er geweldig uit op de foto die Robert me heeft laten zien. Je hebt het haar van je moeder.' Maar gelukkig niet het hart van je moeder, voegde hij daar in gedachten aan toe. Noch haar verwrongen geest. Hij kon eigenlijk niet geloven dat de vrouw van wie hij had gehouden en met wie hij getrouwd was geweest, hem zijn eigen kinderen zes jaar lang had onthouden. Iets ergers kon hij niet bedenken, en hij kon zich er in de verste verte geen voorstelling van maken wat er door haar hoofd was gegaan. Hij had haar veel te zeggen, maar eerst wilde hij afkoelen, want anders zou er geen enkele fatsoenlijke zin over zijn lippen kunnen komen. Hij zou Hamish ook bellen. Hij nam aan dat die man in het complot betrokken was geweest. Robert leek echter een andere mening toegedaan te zijn en bleef volhouden dat Hamish een aardige kerel was. In elk geval had hij Robert en Vanessa fatsoenlijk behandeld. Wat Sally had gedaan was echter volstrekt onvergeeflijk.
Hij sprak nog een paar minuten met Vanessa en toen gaf hij de

hoorn weer aan Robert, die probeerde zijn zuster alles te vertellen wat hij inmiddels wist. Ook zij vonden het ongelooflijk. Robert geloofde zijn vader echter. Aan de blik in Matts ogen kon hij zien dat hij de waarheid sprak, en ook hoeveel verdriet hij hiervan had gehad. Door dit alles kwam Roberts relatie met zijn moeder echter op het spel te staan, en ook daar had hij het moeilijk mee.
Matt en Robert waren uren later nog altijd met elkaar aan het praten toen Pip over haar moeder belde. Robert luisterde aandachtig naar wat er werd gezegd.
'Waar ging dat over?' vroeg hij toen Matt de verbinding had verbroken. Hij wilde nu alles over zijn vader weten, ook wie zijn vrienden waren en hoe zijn leven eruitzag.
'Een weduwe en haar dochter. Er schijnt daar iets mis te zijn.'
'Is ze je vriendin?' vroeg Robert met een glimlach.
Matt schudde zijn hoofd. 'Nee. We zijn gewoon vrienden. Ze heeft een moeilijke tijd achter de rug, want haar man en haar zoon zijn vorig jaar overleden.'
'Wat triest. Héb je een vriendin?' vroeg Robert met een grijns. Hij was zo gelukkig nu hij bij zijn vader was, en hij wilde alles in zich opzuigen. Matt had hem inmiddels een sandwich en een glas wijn gegeven, maar hij was te opgewonden om te kunnen eten of drinken.
'Nee. Ik heb geen vriendin, en geen echtgenote,' reageerde Matt lachend. 'Ik ben een kluizenaar.'
'En je schildert nog steeds.' Robert zag de portretten van hemzelf en zijn zuster, en staarde toen naar het schilderij van Pip. 'Wie is dat?'
'Het meisje dat daarnet belde.'
'Ze lijkt op Nessie,' zei Robert, die heel aandachtig naar het portret keek. De ogen hadden iets betoverends, en de glimlach had iets roerends.
'Inderdaad. Ik heb dat portret geschilderd als een verrassing voor haar moeder, die de volgende week jarig is.'
'Het is mooi. Weet je zeker dat die moeder je vriendin niet is?' Iets aan de manier waarop hij over haar sprak, maakte Robert achterdochtig.
'Ja. En hoe zit het met jou? Heb jij een echtgenote of een vrien-

din?' Robert lachte en vertelde Matt over zijn huidige vriendin, zijn colleges, zijn vrienden, zijn passies en zijn leven. Ze moesten zes jaar inhalen. Het was vier uur 's nachts toen Robert zich in Matts bed liet ploffen. Matt sliep op de bank. Robert was niet van plan geweest een nachtje te blijven logeren, maar hij had zich er niet toe kunnen zetten om weg te gaan.

Toen hij de volgende morgen wakker was geworden, zetten ze hun gesprek meteen weer voort. Matt maakte eieren met spek klaar en om tien uur zei Robert dat hij moest vertrekken. Hij beloofde echter de volgende week terug te komen. Hij had helaas al plannen voor het weekend gemaakt. Matt zei dat hij hem snel een keer in Stanford zou komen opzoeken.

'Je zult je nu nooit meer van mij kunnen ontdoen,' zei Matt waarschuwend. Hij oogde gelukkiger dan in jaren het geval was geweest, en hetzelfde gold voor Robert.

'Pap, dat heb ik nooit gewild,' zei Robert zacht. 'Ik dacht dat jij ons was vergeten. Ik kon het voor mezelf alleen verklaren met het idee dat je was overleden. Volgens mij kon dat de enige reden zijn waarom je was opgehouden ons te schrijven. Ik wist dat je ons niet zomaar in de steek zou laten, wat er ook gebeurde, maar ik wilde daar wel honderd procent zeker van zijn.' Hij had allerlei vindingrijke middelen gebruikt om Matt op te sporen, en zijn inspanningen waren nu eindelijk beloond.

'Ik dank God dat je me hebt gevonden. Ik was van plan over een paar jaar contact op te nemen met jou en Nessie om te achterhalen of jullie misschien van gedachten waren veranderd en me weer wilden zien. Ik had het niet opgegeven. Ik was gewoon aan het wachten.' Wat zou hij tegen Sally zeggen, vroeg hij zich af. En belangrijker nog: hoe zou zij mogelijkerwijs kunnen verklaren wat zij had gedaan? Wat zou ze tegen haar kinderen kunnen zeggen? Ze had die twee beroofd van hun vader. Ze had tegen hen allemaal gelogen. Het leek Matt, en Robert, een onvergeeflijke zonde. Ze moest zich voor heel wat verantwoorden en het was niet verwonderlijk dat ze haar nooit meer zouden vertrouwen.

Om halfelf vertrok Robert die vrijdagmorgen met duidelijke tegenzin. Het was de beste Thanksgiving uit Matts leven geweest, en hij wilde Ophélie en Pip alles zo snel mogelijk vertellen. Hij

moest echter eerst achterhalen wat er met Ophélie was gebeurd en hoe het met haar ging. Seconden nadat Robert was vertrokken, belde hij haar. Hij voelde zich een nieuwe man, of de man die hij eens was geweest. Hij was weer een man met kinderen, en dat gaf hem een geweldig gevoel. Hij wist dat Ophélie en Pip gelukkig voor hem zouden zijn.
Toen de telefoon aan de andere kant van de lijn twee keer was overgegaan, nam Pip op. Ze klonk ernstig maar niet van streek en zei half fluisterend dat alles met haar moeder oké leek te zijn, of op zijn minst beter dan de avond daarvoor. Toen ging ze Ophélie melden dat Matt aan de lijn was en haar wilde spreken.
'Hoe is het met je?' vroeg hij kalm zodra hij haar aan de lijn had.
'Ik weet het niet. Ik voel me verdoofd, denk ik.' Meer zei ze niet.
'Je hebt een afschuwelijke avond achter de rug. Kom je naar me toe?'
'Dat weet ik niet.' Ze klonk besluiteloos en was duidelijk nog altijd van streek. Hij was echter zonder meer bereid naar de stad te komen als ze dat wilde. De vorige avond, toen Robert bij hem was, zou hij daar meer moeite mee hebben gehad. Toch zou hij ook toen zo nodig de auto hebben gepakt en zelfs zijn zoon hebben meegenomen. Hij wilde Ophélie en Pip zo graag vertellen wat er was gebeurd!
'Wil je dat ik naar je toe kom? Het zou jou daarentegen goed kunnen doen hierheen te komen. We kunnen een wandeling over het strand maken. Zeg maar waaraan jij de voorkeur geeft.'
Ze aarzelde, dacht na en moest toen voor zichzelf toegeven dat het idee naar het strand te gaan haar wel aansprak. Ze wilde het huis uit, weg van alles wat haar Ted in herinnering bracht. Wel was ze er nog steeds niet zeker van wat ze Matt zou vertellen. Alles was zo beschamend en vernederend. Ted had haar verraden, met haar beste vriendin. Het was heel wreed, en Andrea was zelfs bereid geweest Chad te gebruiken om haar leven te verwoesten. Ophélie wist dat dit een klap was die ze nooit te boven zou komen en nimmer zou kunnen vergeven. Dat zou Matt ook begrijpen, want hij dacht net zo over loyaliteit als zij.

'Ik zal naar je toe komen,' zei ze zacht, 'maar ik weet niet of ik wil praten. Ik wil gewoon bij het strand zijn en ademhalen.' Ze had het gevoel in dit huis niet te kunnen ademen, alsof haar longen en haar borstkas waren geplet.
'Als je dat niet wilt, hoef je ook niets te zeggen. Ik zal er zijn. Rij voorzichtig. Ik zal een lunch klaarmaken.'
'Ik betwijfel of ik kan eten.'
'Dat is niet erg. Pip zal vast wel honger hebben. Ik heb pindakaas voor haar in huis.' En foto's van zijn kinderen die hij aan hen kon laten zien. Robert had hem alle foto's gegeven die hij in zijn portefeuille had zitten. Het waren de mooiste geschenken die Matt in jaren had gekregen, en hij had het gevoel dat iemand hem zijn ziel had teruggegeven. De ziel die zijn ex had geprobeerd te verwoesten. Toch was dat haar nooit gelukt en wat hem betrof was het genezingsproces al begonnen. Hij wilde dat het al de volgende week was en hij naar Stanford kon gaan om Robert weer te zien.
Het kostte Ophélie meer tijd dan te doen gebruikelijk om zich aan te kleden en naar Safe Harbour te rijden. Ze had het gevoel dat ze zich onder water bewoog, en pas tegen het middaguur hoorde Matt hen aankomen. Haar toestand was erger dan hij had gedacht, of misschien zag het er alleen beroerder uit. Pip keek plechtig, en Ophélie was zichtbaar van streek en bleek. Ze leek haar haar niet eens te hebben gekamd. Precies zo had ze er vlak na de dood van Ted uitgezien – voor Pip was het bekend. Ze rende naar hem toe, sloeg haar armen om hem heen en klampte zich als een drenkeling aan hem vast.
'Pip, het is oké... het is oké... alles is in orde.'
Ze bleef hem lange tijd stevig vasthouden en liep toen met de hond het huis in. Hij keek naar Ophélie en zag de blik in haar ogen. Ze bewoog zich niet. Ze stond daar gewoon, zonder iets te zeggen. Hij liep naar haar toe, sloeg een arm om haar schouders en liep samen met haar naar binnen. Hij had het portret opgeborgen en Pip was met een verlegen glimlachje om zich heen aan het kijken, zoekend waar het kon zijn. Ze keken elkaar even samenzweerderig aan en hij knikte om haar duidelijk te maken dat alles in dat opzicht in orde was.
Hij maakte sandwiches voor hen drieën en Ophélie deed er tij-

dens de lunch het zwijgen toe. Even later voelde Matt aan dat Ophélie er klaar voor was om met hem te praten, en hij stelde Pip voor met Mousse een strandwandeling te gaan maken. Ze begreep het. Een minuut later trok ze haar jack aan en vertrok met de hond. Matt zei niets. Hij gaf Ophélie alleen een kop thee.

'Dank je,' zei ze zacht. 'Sorry dat ik gisteravond zo van streek was. Ik had dat Pip niet mogen aandoen, maar het leek alsof Ted opnieuw was gestorven.'

Dat had hij al wel begrepen. Hij wist alleen niet hoe dat was gekomen. 'Kwam het door de feestdag?'

Ze schudde haar hoofd. Ze wist niet wat ze tegen hem moest zeggen, maar ze wist nu wel dat ze dit met hem wilde delen. Ze liep naar de plaats waar ze haar handtas had neergelegd, haalde daar de brief van Andrea uit en gaf die aan hem. Hij aarzelde even en wilde haar vragen of het echt haar wens was dat hij die las. Hij kon echter zo wel zien dat dat het geval was. Ze ging tegenover hem aan de tafel zitten en het duurde niet lang voordat hij de brief had gelezen.

Daarna keek hij haar aan, zonder iets te zeggen. Haar ogen waren bodemloze poelen van verdriet, en nu wist hij waarom. Hij nam haar hand in de zijne en zo bleven ze lange tijd zitten. Net als zij had hij geconcludeerd dat de brief van Andrea was, en de baby van Ted. Dat te concluderen was niet zo moeilijk. Ermee te leven en het te begrijpen, was heel wat lastiger. De timing was uitermate wreed geweest!

Het duurde lang voordat Matt iets zei. 'Je weet niet wat hij zou hebben gedaan. De brief maakt vrij duidelijk dat hij nog geen beslissing had genomen.' Dat was nu slechts een schrale troost. Hij had een verhouding met haar beste vriendin gehad, en hij was de vader van haar kind.

'Dat zei zij ook.' Ophélie voelde zich opnieuw verdoofd. Haar hele lichaam leek van lood te zijn.

'Heb je met haar gesproken?' vroeg hij stomverbaasd.

'Ik ben naar haar toe gegaan. Ik heb tegen haar gezegd dat ik haar nooit meer wil zien, en dat is ook zo. Wat mij betreft is ze dood, net als Ted en Chad. Ik neem aan dat ons huwelijk ook dood was. Ik wilde dat niet inzien, evenmin als hij wilde weten dat Chad ziek was. Ook ik gaf de voorkeur aan ontkennen. We waren allemaal stom en blind, ieder op onze eigen manier.'

'Je hield van hem. Dat is niet verboden. En ondanks dit alles hield hij waarschijnlijk ook van jou.'

'Dat zal ik nooit weten.' Dat was nog wel het ergste. De brief had haar beroofd van het geloof dat Ted van haar had gehouden, en dat was heel wreed.

'Je moet geloven dat hij dat deed. Een man blijft geen twintig jaar bij een vrouw als hij niet van haar houdt. Hij kan zijn gebreken hebben gehad, maar ik ben er zeker van dat hij van je hield, Ophélie.'

'Hij had me misschien voor haar verlaten.' Ted kennende was ze daar echter niet zeker van. Niet omdat hij van haar had gehouden, maar omdat hij van niemand veel had gehouden. Behalve van zichzelf. De kans had bestaan dat hij Andrea met zijn kind alleen had gelaten en niets voor haar had gedaan. Dat was in zijn geval mogelijk geweest. Dat alles betekende echter nog niet dat hij van zijn echtgenote had gehouden. Het was ook zeer wel mogelijk dat hij van geen van hen beiden had gehouden. 'Jaren geleden heeft hij ook een verhouding gehad,' zei ze met verstikte stem tegen Matt. Ze had het hem vergeven. Ze zou hem alles hebben vergeven. Tot nu. En deze keer konden ze er niet over praten, kon er geen verklaring voor worden gegeven. Ze zou er in haar eentje mee moeten leven. Te repareren viel er niets meer. Hun hele gezamenlijke leven was binnen één avond aan flarden gescheurd, door een enkele brief en het verraad van een vriendin. Niet te repareren schade. 'Hij begon aan die verhouding toen Chad ziek werd. Ik denk dat hij me om die reden haatte en dat het zijn manier was om wraak te nemen. Of dat hij wilde ontsnappen, of het als de enige mogelijkheid zag om ermee om te gaan. Het is gebeurd toen ik met Pip op vakantie was in Frankrijk. Ik geloof niet dat hij om die vrouw gaf, maar het was wel bijna mijn dood geworden. Hij heeft toen een eind aan die verhouding gemaakt en ik heb het hem vergeven. Dat heb ik altijd gedaan. Ik vergaf hem alles. Het enige wat ik wilde, was van hem houden en zijn vrouw zijn.'

En de enige van wie Ted ooit had gehouden, was hijzelf geweest. Dat was Matt volkomen duidelijk. Hij zei er echter niets over tegen haar. Ze moest haar eigen conclusies trekken en daarmee leren leven. Matt wilde haar – en Pip – niet nog ernstiger verwonden dan inmiddels al het geval was.
'Misschien moet je dit loslaten,' zei Matt verstandig. 'Het zal je alleen maar verdriet doen. Hij leeft niet meer, en nu gaat het om jou.'
'Die twee hebben alles kapot gemaakt. Zelfs vanuit het graf is het hem gelukt ons leven te verwoesten.'
Het was stom van hem geweest om die brief te bewaren op een plek waar ze hem zou kunnen vinden, en Matt vroeg zich af of hij betrapt had willen worden. Misschien had hij erop gerekend dat zij hém dan zou verlaten. Het was pijnlijk je het drama voor te stellen dat dat zou hebben veroorzaakt, en zich nu uiteindelijk toch nog had voltrokken.
'Wat ga je tegen Pip zeggen?'
'Niets. Zij hoeft het niet te weten. Zelfs nu is dit nog een kwestie tussen Ted en mij. Op een gegeven moment zal ik tegen haar zeggen dat we Andrea niet meer zullen zien. Ik zal daar een reden voor moeten bedenken, of misschien zeg ik wel gewoon dat ik het haar later zal uitleggen. Ze weet dat er gisteravond iets afschuwelijks is gebeurd, maar niet dat Andrea daar iets mee te maken had. Toen ik de deur uit ging, heb ik haar niet verteld waarheen ik onderweg was.'
'Dat was verstandig van je.' Hij hield nog altijd haar hand vast en hij wilde zijn armen om haar heen slaan, maar hij was bang dat ze zelfs dat niet zou tolereren. Ze zag er zo kwestbaar uit, als een vogeltje dat beide vleugels heeft gebroken.
'Ik denk dat ik gisteravond even bijna gek ben geworden. Het spijt me, Matt. Het was niet mijn bedoeling jou hiermee lastig te vallen.'
'Waarom zou je dat niet doen? Je weet hoeveel ik om Pip en jou geef.' Maar misschien wist ze dat niet. Hij was het pas net zelf gaan beseffen, en nu hij naar haar keek, was hij er zeker van. Hij had van zijn levensdagen niet zoveel om iemand gegeven, met uitzondering van zijn kinderen. Dat laatste deed hem denken aan wat hij haar nog niet had verteld. 'Gisteren is mij

iets overkomen, waarbij overigens óók een afschuwelijk verraad aan het licht is gekomen. Ik heb bezoek gekregen, en daardoor is het de eerste echte Thanksgiving geworden die ik in jaren heb meegemaakt.'

'Wie was het?' Ze probeerde haar eigen ellende van zich af te zetten om naar hem te kunnen luisteren.

'Mijn zoon.' Hij vertelde haar wat er was gebeurd, en haar ogen werden groot.

'Ik kan niet geloven dat ze dat jou en haar eigen kinderen heeft aangedaan. Dacht ze dat ze er nooit achter zouden komen?' Ze keek hevig geschrokken. Ze waren allebei afschuwelijk verraden door mensen die ze hadden vertrouwd en van wie ze hadden gehouden. Het was de ergst mogelijke vorm van verraad, en ze was er niet zeker van wie er de grootste klap door had gekregen. Zij of Matt. Het hield erom.

'Kennelijk niet. Ze moet hebben gedacht dat ze me zouden vergeten, of zouden aannemen dat ik dood was. Robert en Vanessa hebben allebei gezegd dat ze inderdaad dachten dat ik dood was. Hij is naar mij op zoek gegaan, om het zeker te weten, en het verbaasde hem hogelijk dat ik nog in leven was. Hij is een geweldige jongen, en ik wil dat Pip en jij binnenkort kennis met hem maken. Misschien zouden we de kerstdagen samen kunnen doorbrengen,' zei hij hoopvol. Hij was al plannen aan het maken.

'Je hebt nu wel belangstelling voor de feestdagen?' vroeg ze met een glimlach.

Hij schoot in de lach. 'Ja. Heel binnenkort vlieg ik naar Auckland om Vanessa te zien.'

'Matt, dat is geweldig voor je,' zei ze, en ze kneep in zijn hand. Toen kwam Pip terug en ze glimlachte toen ze zag dat Matt en haar moeder elkaars hand vasthielden. Ze dacht dat het iets anders betekende dan het geval was, en was er blij mee. 'Mag ik al weer naar binnen komen?' vroeg ze terwijl Mousse de huiskamer in denderde en overal zand verspreidde.

Matt zei nadrukkelijk dat hij dat niet erg vond. 'Ik wilde je moeder net voorstellen een eindje over het strand te gaan wandelen. Heb je zin om met ons mee te gaan?'

'Moet dat?' vroeg ze terwijl ze op de bank ging zitten. Ze zag er moe uit. 'Ik heb het koud.'

'Blijf dan maar rustig hier. We komen zo weer terug.' Hij keek naar Ophélie en zij knikte. Ook zij had wel zin in een wandeling.
Ze trokken hun jas aan en liepen naar buiten. Hij sloeg een arm om haar heen en trok haar dicht naar zich toe. Opeens leek ze nog kleiner, en zo breekbaar. Ze liepen langs de waterlijn en ze leunde tegen hem aan, alsof ze een steuntje nodig had. Hij was de enige vriend die ze nog had, de enige persoon die ze met zekerheid durfde te vertrouwen. Ze wist niet langer wat ze moest geloven ten aanzien van haar huwelijk en haar overleden echtgenoot. Ze wist niet meer wat ze van wie dan ook moest denken, met uitzondering van Matt. Door alles wat er was gebeurd én wat dat betekende, was ze zo van streek dat ze de hele wandeling niets zei. Het was voldoende bij hem te zijn en zijn arm stevig om haar heen te voelen.

22

De maandag na Thanksgiving ging Matt naar zijn zoon toe en onderweg naar huis stopte hij bij Pip en Ophélie. Pip was net uit school gekomen, en Ophélie had die dag vrij genomen van haar werk. Ze was te erg van streek om helder te kunnen nadenken, en had het gevoel dat haar hele leven was veranderd. Die morgen had ze besloten Teds kleren weg te doen. Dat was haar manier om hem het huis uit te smijten en postuum te straffen vóor wat hij had gedaan. Het was de enige manier waarop ze nog wraak kon nemen, maar ze wist ook dat het goed voor haar zou zijn. Ze moest doorgaan met haar leven. Ze kon zich niet blijven vastklampen aan een man die haar had verraden en bij een andere vrouw een kind had verwekt. Ze wist nu dat ze was blijven vasthouden aan haar illusies en een leven vol dromen. Het was tijd om wakker te worden, hoe eenzaam ze zich dan ook zou voelen.

Dat besprak ze met Matt toen Pip naar haar kamer was gegaan om haar huiswerk te maken. Hij was bang om te veel te zeggen. Hij wilde niet tegen haar zeggen dat hij wijlen haar man een ellendeling vond. Dat leek niet eerlijk. Die conclusie zou ze zelf moeten trekken. Hij wist ook dat het voor haar moeilijk was hem in de dood los te laten nadat ze hem tijdens zijn leven zoveel had vergeven. Ze was bereid geweest bijna alles van hem te tolereren. Matt was echter blij te zien dat ze nu andere beslissingen nam en keurde die stilzwijgend goed.

Hij maakte een afspraak met haar voor haar verjaardag, de week daarna, en zoals altijd nodigde hij Pip ook uit. Pip en hij waren uiteindelijk degenen die in eerste instantie vrienden waren geworden. Dat zei ze vaak, en daar moest hij altijd om glimlachen. Het was ook de waarheid.

Hij had echter wel een iets luxueuzer restaurant – iets speciaals – uitgekozen dan voor Pips verjaardag. Ze verdiende dat wel na alle ellende die Ted en Andrea voor haar hadden veroorzaakt. Zij vertelde hem dat ze een brief had gekregen van Andrea, die die middag was bezorgd. Andrea schreef dat ze geen vergiffenis verwachtte, maar dat ze wilde dat Ophélie wist hoeveel ze van haar had gehouden en hoezeer het haar speet. Voor Ophélie kwam dat alles te laat, en dat zei ze ook tegen Matt.
'Ik neem aan dat dat me een verschrikkelijk mens maakt, maar ik wil haar nooit meer zien en nooit meer iets van haar horen.'
'Dat klinkt me redelijk in de oren.' Hij vertelde Ophélie dat hij van plan was Sally die avond te bellen.
'Het lijkt erop dat we allebei rekeningen aan het vereffenen zijn,' zei ze triest.
'Misschien is het tijd daarvoor.' Hij had de hele dag nagedacht over wat hij tegen zijn ex zou zeggen. Wat zei je tegen iemand die je kinderen en zes jaar van je leven had gestolen, om nog maar te zwijgen over het huwelijk en het leven dat ze daarvoor had verwoest? Dat was op geen enkele manier goed te maken, en dat wist Ophélie ook.
Ze spraken zo lang met elkaar dat Ophélie hem uitnodigde bij haar en Pip te blijven eten. Hij nam die uitnodiging aan en hielp haar koken. Meteen na het avondeten ging hij weg. De afspraak voor de komende week was gemaakt en daar verheugde Pip zich intens op.
Laat die avond belde hij Ophélie, nadat hij met Sally had gesproken. Hij klonk doodmoe.
'Wat zei ze?'
'Ze heeft geprobeerd erover te liegen,' zei hij, en hij klonk verbaasd. 'Maar dat kon ze niet volhouden, omdat ik inmiddels te veel weet. Dus is ze gaan huilen. Ongeveer een uur lang. Ze zei dat ze het voor de kinderen had gedaan, dat ze het idee had gehad dat het beter voor hen zou zijn zich samen met Hamish een gezin te voelen. Ik neem aan dat ik kon barsten. Ik kon worden gemist. Ze besloot voor God te gaan spelen. Ze kon weinig – niets, in feite – te berde brengen om het goed te maken. Na jouw verjaardag vlieg ik naar Auckland om Vanessa te zien. Ik zal er niet meer dan een paar dagen blijven, en Sal-

ly zei dat ze Vanessa voor de kerstdagen hierheen zou laten komen als ik dat wilde. Ik heb haar meegedeeld dat ik dat inderdaad prettig zou vinden. Dan zal ik allebei mijn kinderen bij me hebben.' Hij klonk diep ontroerd en zij was blij voor hem.
'Ik denk erover een huis in Tahoe te huren en met hen te gaan skiën. Misschien zouden Pip en jij zin hebben om mee te gaan? Kan zij skiën?'
'Ze is er dol op.'
'En jij?' Hij klonk hoopvol.
'Ik kan het wel, maar niet bijzonder goed, en ik haat de stoeltjesliften. Ik heb hoogtevrees.'
'We kunnen samen naar boven gaan. Ik ben ook geen geweldige skiër, maar volgens mij zou het wel leuk zijn. Ik hoop dat Pip en jij meegaan.' Hij klonk oprecht.
'Zullen jouw kinderen er geen bezwaar tegen hebben dat onbekenden meegaan nadat ze jou zo lang niet hebben gezien?' vroeg Ophélie bezorgd. 'Ik wil me niet opdringen.' Ze hield altijd evenveel rekening met zijn gevoelens als hij met de hare, anders dan de grote egoïsten met wie ze getrouwd waren geweest.
'Ik zal het aan hen vragen, maar ik kan me niet voorstellen dat ze er bezwaar tegen aantekenen. Zeker niet als ze jou en Pip hebben ontmoet. Ik heb Robert laatst al over jullie verteld.' Bijna versprak hij zich door melding te maken van Pips portret, dat de grote verrassing voor de verjaardag van Ophélie was.
Toen Matt vroeg of ze de volgende avond zoals te doen gebruikelijk met het buitenteam op pad ging, bevestigde ze dat.
'Je hebt een paar moeilijke dagen achter de rug. Waarom gun je jezelf geen adempauze?' Waarom stop je er niet definitief mee, voegde hij daar in gedachten aan toe. Hij vond het nog steeds afschuwelijk dat ze dit deed, maar ze weigerde naar hem te luisteren.
'Als ik niet meega, komen ze handen tekort. Bovendien zal het mijn gedachten verzetten.' Ze wisten allebei dat ze nu een veel diepere wond had die moest genezen. Ze had niet alleen haar zoon en haar man verloren, maar nu ook haar beste vriendin en de herinneringen aan haar huwelijk. Daardoor was alles nog veel erger geworden. Ze leek het echter te redden, en dat lucht-

te Matt op. Het enige wat hem niet aanstond, was dat ze weer met het buitenteam op pad ging – zeker nu ze afgeleid en moe was en daardoor meer risico liep.

Maar alles ging goed. Er was die avond niets bijzonders gebeurd, zoals ze Matt vertelde toen hij woensdag belde om te vragen hoe het met haar was, en die donderdag was ook een rustige avond. Ze waren een aantal groepen van kinderen en jonge mensen tegengekomen – sommigen nog fatsoenlijk gekleed omdat ze nog niet zo lang van huis waren. Dat trof haar diep. En een kamp van fatsoenlijk ogende mannen, die allemaal zeiden dat ze werk hadden maar toch dakloos waren geraakt. Op straat hoorde je heel wat hartbrekende verhalen.

Die zaterdag was haar verjaardag, en alles bleek nog beter te verlopen dan was gepland. Pip had zich die dag in haar dromen niet mooier kunnen voorstellen. Voordat ze uit eten gingen, vierden ze het thuis, en Pip was zo opgewonden dat ze niet stil kon zitten. Zij en Matt liepen naar zijn auto om het portret te halen. Pip vroeg Ophélie haar ogen dicht te doen en overhandigde haar het cadeau vervolgens met een zoen en een zwierig gebaar.

Ophélie hield even haar adem in en begon toen te huilen. 'O... wat is dit mooi... Pip! Matt...' Ze bleef het vasthouden en ernaar staren. Het was een prachtig portret, waarop hij niet alleen haar elfachtige gezicht had gevangen, maar ook haar geest. Elke keer wanneer Ophélie ernaar keek, moest ze huilen, en ze vond het erg het thuis te moeten achterlaten toen ze uit eten gingen. Ze wilde het dolgraag zo snel mogelijk ophangen. Haar reactie was alles waarop Matt had gehoopt, en ze bleef hem de hele avond bedanken.

Het eten was geweldig en hij had een taart voor Ophélie geregeld. Het was een perfecte verjaardag geweest, en Pip was aan het geeuwen toen ze weer thuis waren. Voor haar was het ook een geweldige avond geweest. Ze had maanden gewacht op het overhandigen van het portret, en ze was moe geworden van de opwinding en de voorpret. Ophélie had het weer in haar handen toen Pip Matt en haar een zoen gaf en naar bed ging. Matt was opgetogen omdat Ophélie zo gelukkig was met het cadeau. 'Ik weet niet hoe ik je hier ooit voor kan bedanken. Het is het

allermooiste geschenk dat ik ooit heb gehad.' Het was waarlijk een liefdesgeschenk. Niet alleen van Pip, maar ook van Matt.
'Je bent een verbazingwekkende vrouw,' zei hij zacht terwijl hij naast haar op de bank zat. En een vrouw van eer, wist hij. Dat was heel veel voor hem gaan betekenen, met name in het licht van wat Sally hem had aangedaan en wat Ophélie, zoals hij nu wist, was aangedaan. Zij was een heel bijzonder mens, net als hij. De mensen van wie ze hadden gehouden, waren echter bijzonder wreed geweest.
'Je bent altijd zo goed voor mij en Pip,' zei ze dankbaar.
Hij keek naar haar en nam haar hand in de zijne. Hij wilde dat ze hem vertrouwde en meende ook dat ze dat deed, al wist hij niet in welke mate. En wat hij tegen haar wilde zeggen, zou een groot vertrouwen vereisen.
'Ophélie, je verdient het dat mensen goed voor je zijn, en hetzelfde geldt voor Pip.' Hij had het gevoel dat ze deel uitmaakten van zijn familie, en hij was de enige familie die zij en Pip nog hadden. Al het overige leek te zijn verloren.
Terwijl hij naar haar keek, boog hij zich voorzichtig naar haar toe en gaf haar een kus op haar mond. Ze was de eerste vrouw die hij in jaren had gekust, en zij was na de dood van haar echtgenoot nooit meer door een man aangeraakt. Ze waren twee breekbare, voorzichtige mensen – als sterren die langzaam langs de hemel zweefden. Ophélie schrok, want ze had niet verwacht dat hij haar zou kussen, maar tot zijn grote opluchting verzette ze zich niet en trok zich ook niet terug. De tijd leek even stil te staan en toen hij een eind maakte aan de kus, waren ze allebei buiten adem. Hij was bang geweest dat ze boos op hem zou zijn, en hij was heel blij toen dat niet het geval bleek te zijn. Wel keek ze bang zodra hij haar in zijn armen nam en dicht tegen zich aan hield.
'Matt, wat zijn we aan het doen? Is dit gekkenwerk?' Meer dan wat dan ook had ze het nodig zich veilig te weten, en nu kende ze dat gevoel alleen nog bij hem. En hij bij haar.
'Dat geloof ik niet,' zei hij geruststellend. 'Dit voel ik al lange tijd voor jou. Langer dan ik aanvankelijk besefte. Ik vreesde je bang te maken als ik er iets over zei, omdat je zo diep bent gekwetst.'

'Dat ben jij ook,' fluisterde ze terwijl ze zijn gezicht zacht aanraakte en zich bedacht hoe blij Pip hiermee zou zijn. Die gedachte maakte haar aan het glimlachen, en ze deelde hem met Matt.
'Ik ben ook van haar gaan houden en ik verheug me ontzettend op het moment dat jullie mijn kinderen leren kennen.'
'Ik ook,' zei ze, en ze klonk gelukkig.
'Van harte gefeliciteerd, lieveling,' zei hij, en hij kuste haar opnieuw.
Toen hij die avond wegging, bedacht ze dat dit zonder enige twijfel de beste verjaardag van haar leven was gewcest.

23

De dinsdag na haar verjaardag ging Ophélie weer met het buitenteam op pad en waarschuwde Bob haar ervoor dat ze te zorgeloos was bij het controleren van wat zij de 'kribben' noemden: de dozen en andere bouwsels waarin daklozen sliepen. Ze liepen erheen, keken of er mensen in zaten en wakker waren, en vroegen wat zij nodig hadden. Daarbij dienden ze echter wel waakzaam te zijn om verrassingen te voorkomen. Zij had met een dromerige bik in haar ogen rondgelopen en meer dan eens groepen jonge mensen die naar hen toe kwamen haar rug toegekeerd. Zwervers waren altijd nieuwsgierig en wilden weten wie ze waren, waar ze vandaan kwamen en wat ze deden. Alert en voorzichtig zijn was voor het team echter van levensbelang. De regels van het oerwoud gingen altijd op, hoe vriendelijk mensen ook leken te zijn. Het merendeel van de daklozen met wie ze in aanraking kwamen was zachtaardig, en dankbaar voor alles wat werd uitgedeeld. Maar te midden van hen bevonden zich ook onvermijdelijk de dissidenten, de lastpakken en de roofdieren die hen als prooi zagen en het liefst het weinige wilden stelen wat ze hadden. Het was pijnlijk te beseffen dat van alles wat het team uitdeelde, een derde of zelfs de helft door iemand anders zou worden gestolen. Het was een wereld waarin overleven vrijwel de enige erecode was. Dat wisten Ophélie en de anderen. Bij het helpen van deze mensen kon je niet meer dan je best doen, en hopen dat dat verschil zou uitmaken.
'Opie, hou je rug in de gaten, meisje. Wat is er met jou aan de hand?' vroeg Bob bezorgd toen ze na hun tweede stop terugliepen naar de bestelwagen. Hij wilde dat ze zich bewust werd van wat ze aan het doen was, zodat niemand iets zou overkomen. De veiligheid van het hele team rustte op de schouders

van ieder van hen afzonderlijk. Hoewel ze af en toe nonchalant deden en grapjes maakten met elkaar en zelfs met degenen die ze hielpen, moesten ze goed bij hun positieven zijn en zich van de spelers bewust blijven. Ze moesten op het ergste anticiperen om te voorkomen dat zich dat voltrok. Er deden de onvermijdelijke verhalen de ronde over politieagenten, vrijwilligers en maatschappelijk werkers die op straat waren gedood, gewoonlijk omdat ze iets hadden gedaan wat ze niet hadden moeten doen, zoals in hun eentje op pad gaan. Ze wisten dat ze dat niet moesten doen, maar de verleiding om te geloven dat zij de uitzondering waren die de regel bevestigden en dat hun niets kon gebeuren, was er altijd. Omwille van hun eigen veiligheid dienden ze allemaal voortdurend alert te zijn.

'Het spijt me. De volgende keer zal ik voorzichtiger zijn,' beloofde ze hem. Ze was aan Matt aan het denken geweest, maar concentreerde zich nu weer ijveriger.

'Voorzichtig moet je inderdaad zijn. Wat is er met jou aan de hand? Het lijkt wel alsof je verliefd bent.' Hij herkende dat, omdat hij het zelf was. Hij amuseerde zich prima met de beste vriendin van zijn overleden echtgenote.

Ophélie keek naar hem en glimlachte terwijl ze de wagen in dook. Hij had gelijk. Ze was er de hele avond met haar hoofd niet bij geweest. De hele dag eigenlijk niet. Ze had voortdurend aan Matt moeten denken. Hun kus had haar verheugd en tegelijkertijd uit haar evenwicht gebracht. In sommige opzichten had ze niets liever gewild dan dat hij haar zou kussen, maar in andere was het precies het laatste dat ze had gewild. Kwetsbaarheid. Openheid. Liefde. Verdriet. Dat alles had haar op de knieën gedwongen toen Ted was overleden, en bijna haar dood veroorzaakt nadat ze de brief van Andrea had gevonden. Op dit moment was ze voornamelijk verdoofd terwijl ze probeerde te bepalen wat haar gevoelens waren ten aanzien van Ted, Andrea, zichzelf en nu ook Matt. Het was veel om te verwerken en te proberen te begrijpen. Maar tegelijkertijd was het zo verleidelijk om zich gewoon in zijn armen en zijn leven te storten.

'Ik weet het niet. Misschien,' zei ze eerlijk terwijl ze naar Hunters Point reden. Het was al laat op de avond en gewoonlijk was het daar dan veiliger. Tegen die tijd waren al veel mensen die problemen konden veroorzaken gaan slapen en was het rustig in die wijk.

'Dat is nieuws,' zei hij met een geïnteresseerde blik in zijn ogen. Gedurende de drie maanden dat ze nu samenwerkten, was hij haar gaan respecteren en heel aardig gaan vinden. Ze was slim, eerlijk en degelijk. Arrogantie en gekunsteldheid waren haar vreemd. Ze had een eenvoud en oprechtheid waarmee ze zijn hart had veroverd.

'Ik hoop dat hij een goeie vent is, want dat verdien je,' zei hij gemeend.

'Dank je, Bob,' reageerde ze glimlachend. Ze leek niet geneigd er nog meer over te zeggen, en hij drong niet aan. De relatie tussen hen was gemakkelijk en ze kenden elkaars ritme grondig. Soms hadden ze het over serieuze zaken, en andere keren niet. Ze hadden wel wat weg van partners bij de politie. Ze pasten bij elkaar, ze respecteerden elkaar en vertrouwden elkaar volledig. Hun levens waren daarvan afhankelijk. Maar bij de volgende stop en gedurende de rest van hun dienst lette ze wel beter op en hield ze haar rug in de gaten.

Toen ze die avond naar huis reed, besefte ze dat ze zich zorgen maakte over Matt, over wat zij aan het doen was en de deur die was opengezet. Meer dan wat dan ook wilde ze hun vriendschap niet in gevaar brengen en dat zou kunnen gebeuren als ze aan een romance begonnen en dat een mislukking werd. Dat wilde ze niet riskeren. Niet voor hem, niet voor haar en – belangrijker nog – niet voor Pip. Indien zij en Matt een verhouding kregen en die op een ramp uitdraaide, zou daarmee alles verpest kunnen worden. Dat was wel het allerlaatste wat ze wilde.

De volgende morgen, in de auto onderweg naar school, merkte zelfs Pip dat haar moeder stilletjes was en diep in gedachten verzonken leek te zijn.

'Mam, is er iets mis?' vroeg ze terwijl ze de radio zoals altijd zo hard aanzette dat Ophélie ervan schrok. Pip maakte zich de laatste tijd minder zorgen over de stemmingen van haar moeder. Wat er verder ook gebeurde, ze leek zich van de slechte dagen sneller te herstellen dan voorheen. Pip wist echter nog steeds

niet wat er op Thanksgiving was gebeurd. Het enige wat ze wist, was dat het iets met Andrea te maken had. Haar moeder had haar verteld dat ze Andrea nooit meer zouden zien, en daar had ze geschokt op gereageerd. Ophélie had geweigerd welke vraag erover dan ook te beantwoorden. 'Nooit meer?' had Pip nog gevraagd. Ophélie had dat bevestigd.
'Nee, met mij is alles in orde,' antwoordde Ophélie. Haar houding bevestigde dat echter niet en de hele dag in het Centrum kostte het haar moeite zich te concentreren. Zelfs Miriam, die baliedienst had, maakte er een opmerking over. En Matt kon het horen toen hij haar belde.
'Is alles met jou oké?' vroeg hij bezorgd.
'Dat denk ik wel,' antwoordde ze eerlijk.
Die onzekerheid van haar stelde hem niet gerust. 'Wat betekent dat? Moet ik in paniek raken?'
Ze glimlachte. 'Nee. Ik ben alleen bang, denk ik.' Ze was er niet zeker van of het door de timing kwam, of dat ze aan het idee moest wennen, of dat het een diepere oorzaak had.
'Waar ben je bang voor?' Hij wilde het met haar bespreken om haar zich beter te laten voelen. Hij had op wolkjes gelopen sinds hij haar op haar verjaardag had gekust. Het was precies geweest wat hij wilde, al had hij dat tot dan toe niet echt geweten, ondanks het feit dat hij zich al een tijdje bewust was geweest van zijn steeds sterker wordende gevoelens voor haar.
'Maak je een grapje? Ik ben bang van jou, van mij, het leven, het lot, goede dingen, slechte dingen... teleurstelling, verraad, de mogelijkheid dat jij – of ik – komt te overlijden... Moet ik nog doorgaan?'
'Nee, dat is wel voldoende. Voorlopig in elk geval. De rest kun je bewaren voor als je me weer ziet. Dan kunnen we het er een hele dag over hebben.' Het had er alle schijn van dat ze er ook werkelijk een hele dag voor nodig zouden hebben. Toen werd hij serieus. Het speet hem dat ze zo bang was, en hij wilde zijn gevoel van vertrouwen met haar delen. 'Wat kan ik doen om je gerust te stellen?' vroeg hij zacht.
Zij zuchtte. 'Ik ben er niet zeker van of je daartoe in staat zult zijn. Geef me wat tijd. Ik heb net de laatste illusie ten aanzien van mijn huwelijk verloren, en ik denk dat ik niet veel meer

aankan dan dat. Dit is er misschien het juiste moment niet voor.'
Die woorden stemden hem triest. 'Wil je ons op zijn minst een kans geven? Neem nog geen beslissingen. We hebben allebei het recht om gelukkig te zijn. Laten we niet alles verpesten voordat we goed en wel zijn begonnen. Ben je daartoe bereid?'
'Ik zal er mijn best voor doen.' Meer kon ze ook niet doen. Diep in haar hart meende ze dat hij beter af zou zijn met iemand anders. Iemand die eenvoudiger was, die minder bruut gekwetst was dan zij. Soms had ze het gevoel zo ernstig beschadigd te zijn. Toch voelde ze zich bij hem altijd vredig en veilig, en dat was veelzeggend.
Die zaterdag kwam hij naar de stad en ging met haar en Pip uit eten, en de volgende dag reden zij en Pip naar het strand om hem te zien. Robert was ook voor een dagje uit Stanford naar Safe Harbour gekomen, en Matt wilde hen graag aan elkaar voorstellen. Ophélie kwam diep van Robert onder de indruk. Hij was een heel aardige jongeman en leek opmerkelijk veel op Matt, ook al waren zij jaren van elkaar gescheiden geweest. Zoals zo vaak hadden de genen het gewonnen, en in dit geval was dat prima. Hij sprak heel open over het perfide gedrag van zijn moeder, en het was duidelijk dat hij erdoor van streek was. Hij leek het echter wel te accepteren en ondanks alles van haar te houden zoals ze was. Hij was heel vergevingsgezind. Wel maakte hij melding van het feit dat Vanessa razend op hun moeder was en niet meer met haar had gesproken sinds ze had gehoord wat er was gebeurd.
Toen Ophélie met Pip terugreed naar de stad, voelde ze zich weer beter. Matt had een aantal keren een arm om haar heen geslagen en haar hand vastgehouden terwijl ze over het strand liepen. Hij had haar echter niet onder druk gezet en Pip niet duidelijk gemaakt dat er iets aan het gebeuren was. Hij wilde Ophélie de tijd geven aan het idee te wennen. Hun relatie was voor hem van levensbelang en hij wilde haar alle tijd en ruimte geven om plaats voor hem in haar hart te maken.
Net toen hij maandagavond de telefoon wilde pakken om haar te bellen, begon dat toestel te rinkelen. Hij hoopte dat zij het was. De dag daarvoor had ze er gelukkig en ontspannen uitge-

zien, en zondagavond had ze goed geklonken toen hij haar belde. Hij wilde tegen haar zeggen dat hij van haar hield, maar zag daar toch van af. Niet over de telefoon. Het bleek echter niet Ophélie te zijn, evenmin als Pip. Het was Sally, die hem vanuit Auckland belde, en hij schrok zich dood toen hij haar stem hoorde. Ze was aan het huilen. Meteen moest hij aan zijn dochter denken. Zou er iets met haar zijn gebeurd?
'Sally?' Hij kon haar nauwelijks verstaan, maar zelfs na al die jaren kende hij haar stem nog maar al te goed. 'Wat is er aan de hand? Wat is er mis?' Het enige wat hij kon verstaan was 'neergevallen... tennisbaan'. Toen besefte hij met een opluchting die hij bijna als zondig ervoer dat ze het over haar man had en niet over hun jongste kind.
'Wat zeg je? Ik kan je niet verstaan. Wat is er met Hamish gebeurd?' En waarom belde ze hem?
Ze snikte hartverscheurend en zei toen heel snel: 'Hij is dood. Hij heeft een uur geleden op de tennisbaan een hartaanval gekregen. Ze hebben geprobeerd hem te reanimeren, maar dat is niet gelukt.' Ze begon weer te snikken.
Matt luisterde en staarde voor zich uit terwijl de laatste tien jaren als een flits aan hem voorbijgingen. Haar mededeling dat ze hem verliet en naar Auckland ging verhuizen. Het besef dat ze een verhouding had gehad met zijn vriend en om die reden een eind had gemaakt aan hun huwelijk. Haar vertrek naar Auckland, met zijn kinderen... 'Hamish en ik gaan trouwen, Matt.' De kanonskogel die ze op zijn borstkas had afgevuurd... Het vier jaar lang op en neer reizen om zijn kinderen te zien, waarna ze hem de laatste zes jaar waren onthouden... En nu belde ze hem om te vertellen dat Hamish dood was. Hij wist niet eens wat hij voelde voor zijn vriend van weleer die een verrader was geworden... voor haar... voor zichzelf... Hij kon niet helder nadenken.
'Matt? Ben je daar nog?' Ze sprak aan een stuk door, huilend en wel. Iets over de begrafenis en hun kinderen. Dacht hij dat Robert voor de dienst naar huis moest komen? Hamish was zo goed voor hem geweest... en de kinderen die Hamish en zij samen hadden gekregen waren zo jong...
Hij voelde zich even overweldigd. 'Ja, ik ben er nog.' Toen dacht

hij aan zijn zoon. 'Wil je dat ik Robert bel om het hem te vertellen? Als je denkt dat hij het beter niet over de telefoon te horen kan krijgen, kan ik naar Stanford rijden.' Het was eigenaardig hoe het lot iemand soms een goede dienst kon bewijzen. De ene vader was net op tijd in zijn leven teruggekeerd voordat de andere verdween. Gek hoe dergelijke dingen konden gebeuren.
'Ik heb hem al gebeld,' zei ze bot. Ze had duidelijk nauwelijks nagedacht over de vraag welk effect dit op Robert kon hebben. Zo was Sally.
'Hoe heeft hij gereageerd?' Matt klonk bezorgd.
'Dat weet ik niet. Hij was stapel op Hamish.'
'Ik zal hem bellen,' zei Matt, die de verbinding nu zo snel mogelijk wilde verbreken.
'Wil jij naar de begrafenis komen?' vroeg Sally, die zich zoals gewoonlijk totaal niet druk maakte over de afstand, de tijdsduur van de reis of zijn gevoelens. Hamish had hem verraden en, geholpen door Sally, verdorie bijna zijn leven verwoest!
'Nee,' zei hij kortaf.
'Misschien zullen Vanessa en ik met de kinderen overkomen voor de kerstdagen,' zei ze. 'Ik denk niet dat het verstandig is dat je haar deze week komt opzoeken, tenzij je samen met ons naar de begrafenis wilt gaan.'
Hij was van plan geweest die donderdag naar Auckland te vertrekken om Vanessa te zien na zes lange, eindeloze, lege jaren zonder zijn kinderen. Dit was daar echter duidelijk het juiste moment niet voor.
'Ik zal wachten tot alles weer tot rust is gekomen, maar je kunt haar natuurlijk ook hierheen sturen.' Hij zei 'sturen', omdat het idee dat Sally mee zou komen hem totaal niet aanstond. Hij had er geen enkele behoefte aan zijn ex weer te zien. 'Jij hebt op dit moment wel andere dingen aan je hoofd.' Een begrafenis, beslissingen die moesten worden genomen, andere levens die konden worden verwoest. Zijn gevoelens voor haar waren allesbehalve vriendelijk sinds haar verraad door Roberts terugkeer aan de kaak was gesteld. Hij wist dat hij haar dat nooit zou vergeven.
'Ik kan me niet eens voorstellen wat voor gevolgen dit voor on-

ze zaak zal hebben,' zei ze klaaglijk. Ze had altijd al alleen aan werk kunnen denken. Er was niets veranderd.
'Ik weet dat dat moeilijk is,' zei hij. Hij klonk bitter, maar dat hoorde ze niet eens. 'Verkoop hem maar, Sal. Dat heb ik ook gedaan. Zo erg is dat niet. Je zult wel iets anders vinden om te doen. Het heeft geen zin dat bedrijf aan te houden.' Dat waren vrijwel dezelfde woorden die zij tien jaar geleden tegenover hem had gebezigd. Welk ongelooflijk ongevoelige, iemands leven blijvend veranderende opmerkingen ze ook maakte... ze onthield ze nooit en was later ook nimmer bereid de verantwoordelijkheid ervoor te dragen. De gevoelens en het welzijn van anderen verschenen nooit op haar radarscherm.
'Denk je echt dat ik de zaak moet verkopen?' Ze klonk serieus en geïnteresseerd, terwijl hij niets anders wilde doen dan de verbinding verbreken en zijn zoon bellen.
'Daar heb ik geen idee van. Ik moet nu ophangen. Heel triest van Hamish. Condoleer zijn kinderen namens mij. Ik zal het je laten weten wanneer ik overkom om Ness te zien. Zeg tegen haar dat ik haar later zal bellen.' Toen legde hij de hoorn op de haak.
Hij belde Robert en kreeg hem te pakken in zijn kamer in Stanford. Hij huilde niet, maar hij klonk wel ingetogen en een beetje verloren.
'Ik vind het triest, jongen. Ik weet dat je van hem hield. Ik mocht hem ook graag.' Tot hij de bodem onder mijn leven vandaan blies, voegde Matt daar in gedachten aan toe.
'Ik weet dat hij jouw huwelijk met mam de grond in heeft geboord, maar voor ons is hij altijd echt goed geweest. Ik heb met mam te doen. Ze klonk erg van streek.'
Maar niet zo van streek dat ze het lot van hun zaak niet met Matt had kunnen bespreken. Haar wielen draaiden altijd in haar eigen voordeel. Zo was ze, en zo was ze ook altijd geweest. Destijds was Hamish een betere deal voor haar geweest. Hij had meer geld, meer speelgoedjes, meer huizen, en ze kon meer pret met hem maken. Dus had ze haar echtgenoot gedumpt en was doorgegaan. Het was nog altijd moeilijk te verwerken en Matt wist dat dat ook zo zou blijven. Het had hem te veel gekost: alles waarvan hij hield en waar hij om gaf. Zijn

vrouw, zijn kinderen. De zaak was voor hem minder belangrijk geweest, maar de rest was een verlies dat nooit zou kunnen worden vervangen: tien hartbrekende jaren van zijn leven.
'Ga je naar de begrafenis toe?' vroeg Matt.
Robert aarzelde. 'Ik zou het voor mam moeten doen, maar ik zit met de laatste tentamens. Ik heb met Nessie gesproken en zij denkt dat mam het wel redt zonder mij. Ze heeft heel wat mensen om zich heen.' En zeven andere kinderen. Vier van Hamish, Vanessa en twee kinderen van Hamish en haar. Dat waren er alles bij elkaar nogal wat, al wist Matt dat Robert voor haar ook belangrijk was. 'Pap, wat denk jij ervan?'
'Het is een beslissing die je zelf moet nemen. Ik kan dat niet voor je doen. Wil je dat ik naar Stanford kom?' Matt was heel bezorgd, en dat was aan zijn stem te horen.
'Nee. Ik red me wel. Het is een schok, maar geen echt grote. Hij had al twee hartaanvallen gehad, en hij was twee keer geopereerd voor een bypass. Verder zorgde hij niet goed voor zichzelf. Mam heeft altijd al gezegd dat dit een keer zou gebeuren.' Hij rookte en dronk en was al jaren te zwaar. Hij was tweeënvijftig jaar oud geworden.
'Als je wilt dat ik naar je toe kom, hoef je me alleen maar te bellen. Wellicht kunnen we dit weekend samen iets doen, als je niet hoeft te studeren.'
'Ik heb het hele weekend studiegroepen. Ik zal je bellen. Bedankt, pap.'
Matt bleef even zitten nadenken en belde toen Ophélie. Hij wist niet waarom, maar hij voelde zich triest vanwege Hamish. Misschien omdat diens dood van invloed was op zijn kinderen, of wellicht omdat hij eens zijn vriend was geweest. Hij had minder met Sally te doen dan met hem.
Hij vertelde Ophélie wat er was gebeurd, en zij maakte zich prompt ook zorgen over Robert. Een vreemd moment lang vroeg ze zich af wat het feit dat Sally weduwe was geworden voor Matt zou betekenen. Hij had eens hartstochtelijk veel van haar gehouden en hij had de laatste tien jaar om haar getreurd. Nu was ze weer vrij. Het was onwaarschijnlijk dat er ooit nog iets tussen hen zou gebeuren, maar je wist het maar nooit. Er waren wel vreemdere dingen gebeurd. Ze was pas vijfenveertig

jaar oud en ze zou op zoek gaan naar een nieuwe man... Eens had ze voldoende van hem gehouden om met hem te trouwen en samen met hem kinderen te krijgen.
'Ze zei dat ze misschien met Vanessa voor de kerstdagen hierheen zou komen om Robert op te zoeken,' zei Matt. 'Ik hoop dat ze dat niet doet. Ik wil alleen mijn kinderen zien. Haar niet.'
Hij was ook teleurgesteld omdat hij die week niet naar Auckland zou kunnen gaan om zijn dochter op te zoeken, maar wist dat dit daar het juiste moment niet voor was. Er was veel te veel gaande, en Vanessa zou zich moeten bezighouden met de familie van Hamish, haar moeder en de andere kinderen. Ze zou geen tijd met hem kunnen doorbrengen, en zo hoorde het gegeven de omstandigheden ook. Dat begreep Matt. Na zes jaar zou hij best nog een paar weken kunnen wachten. Zo was het beter.
'Waarom zou zij hierheen willen komen?' vroeg Ophélie bezorgd.
'Joost mag het weten. Misschien gewoon om mij te ergeren,' zei hij, en hij lachte. Toch was hij van streek geraakt toen hij haar over de telefoon sprak en haar had horen huilen. Het had hen niet dichter bij elkaar gebracht, maar hem wel weer doen beseffen hoe ongelukkig ze hem door de jaren heen had gemaakt. Hij had er absoluut geen idee van dat Ophélie zich opeens zorgen over Sally maakte en haar als een potentiële bedreiging voor hun ontluikende romance zag.
De rest van de week was voor hen beiden hectisch. Nu de feestdagen naderden, ging het er op straat steeds rauwer aan toe. Mensen gebruikten meer drugs en dronken meer, en het was koud. Op een avond vonden ze vier mensen die in hun 'kribbe' waren overleden. Zoals altijd was het werk waar je hart van brak.
Matt reed naar Stanford om Robert te zien, en over de telefoon sprak hij met Vanessa. Sally belde hem een paar keer, om hem volstrekt onduidelijke redenen gezien alles wat ze te doen had. Hij wilde haar beste vriend niet zijn en hij deed er zijn beklag over tegen Ophélie.
Het enige moment van vrede voor hen allemaal was een zonnige zondagmiddag op het strand. Ophélie en Pip waren naar

Matt toe gereden. Robert kon zich niet bij hen voegen, omdat hij nog steeds hard aan het studeren was. Over nog geen twee weken zou het Kerstmis zijn.

Ze maakten met zijn drieën een lange wandeling over het strand en Matt vertelde Ophélie over het huis dat hij vanaf kerstavond tot na nieuwjaar in Tahoe had gehuurd. Hij ging daar met Robert naartoe om te skiën, en hij hoopte dat Vanessa er ook zou zijn.

'Denkt Sally er nog steeds over om met Vanessa mee te komen?' vroeg ze. Ze klonk nonchalant, maar dat was slechts schijn. Het verbaasde haar zelf ook dat het weer opduiken van zijn ex haar zo dwars zat. Toch was dat het geval, zeker nu zij weduwe was geworden. Ophélie wist dat ze in dat opzicht een beetje paranoïde was. Matt leek geen enkele belangstelling meer voor Sally te hebben, maar nogmaals: je wist het maar nooit en er waren wel vreemdere dingen gebeurd. Veel vreemdere dingen. Zoals het feit dat haar man een kind had verwekt bij haar beste vriendin. Daardoor waren al haar gezichtspunten veranderd.

'Joost mag het weten. Het kan me niets schelen. Als Nessie hierheen komt zal ik haar door iemand naar Tahoe laten rijden. Ik ben absoluut niet van plan Sally weer te zien. Wel zou ik het heerlijk vinden als Pip en jij ook naar Tahoe kwamen. Wat doen jullie met de kerstdagen?'

Dat was dit jaar een teer punt voor haar, nog meer dan het jaar daarvoor.

'Dat weet ik nog niet. Onze familie lijkt steeds kleiner te worden. Vorig jaar hebben we de feestdagen met Andrea gevierd.' Andrea was toen vijf maanden zwanger geweest. De gedachte daaraan maakte Ophélie aan het trillen nu ze wist dat de baby van Ted was en de vriendschap van Andrea gehuicheld was geweest. 'Ik denk dat Pip en ik de vijfentwintigste december in alle stilte samen zullen vieren. Misschien zou het leuk zijn om de dag daarna naar Tahoe te komen. Naar mijn idee horen we de eerste kerstdag samen door te brengen.' Hij knikte. Hij wist hoe gevoelig ze in dat opzicht was. Deze tijd was voor hen bitterzoet, vol herinneringen waaraan eer moest worden bewezen, hoe pijnlijk ze ook waren. 'Het zou leuk zijn iets te hebben om naar uit te kijken.' Ze glimlachte hem toe. Pip was zoveel verder op het strand dat hij zijn gezicht naar het hare toe bracht en ze elkaar een kus gaven. Terwijl hij haar zoende, leek er een elektrische schok door hem heen te gaan. Die onderdrukte hij echter meteen. Hij wilde meer van haar, maar de afgelopen weken was er te veel gebeurd en hij wilde niets overhaasten of haar zo bang maken dat ze op de vlucht zou slaan. Ze gingen heel voorzichtig te werk, in een bijzonder rustig tempo. Hij wist dat ze nog aarzelde om aan een vaste relatie met hem te beginnen en hij was bereid te wachten, hoe lang dan ook, ook al was hij zich ervan bewust dat hij werd afgeleid door de hartstocht die hij voor haar voelde. Hij was zich ook bewust van alle traumata die zij had moeten doorstaan, met name de laatste tijd. Desondanks voelde hij aan dat zij ook steeds sterker naar hem ging verlangen en steeds dichter naar hem toe leek te groeien.

Ze hadden het met Pip over Tahoe toen zij naar hen terug was gelopen, en het meisje vond het een schitterend idee. Toen ze die dag weer vertrokken, was Ophélie met het plan akkoord gegaan, en had Matt geprobeerd haar nog een belofte te ontlokken.

'Voor Kerstmis wil ik maar één ding van je,' zei hij ernstig terwijl ze bij de open haard in de huiskamer zaten.

'Wat dan wel?' Ze glimlachte naar hem. Pip had al een cadeautje voor hem gekocht, maar zij, Ophélie, moest dat nog doen.

'Ik wil dat je niet meer met het buitenteam op pad gaat.'

Hij meende het serieus, en zij zuchtte. Hij was heel veel voor haar gaan betekenen, maar ze wist nog altijd niet wat ze daarmee moest doen, zo ze er al iets mee moest doen. Hoewel haar gevoelens voor hem sterk waren, waren ze ook voortdurend in conflict met haar angsten. Hij vroeg echter niet om antwoorden of beloften. Hij zette haar nooit onder druk, behalve dan ten aanzien van dat buitenteam. Daar bleef hij voortdurend op terugkomen.

'Matt, je weet dat ik dat niet kan doen. Het is belangrijk voor mij. En voor hen. Ik weet hoe goed het voor me is, en het is moeilijk om mensen te vinden die deel willen uitmaken van dat team.'

'Weet je waarom?' Hij keek ongelukkig. 'Omdat de meeste mensen slim genoeg zijn om er doodsbang voor te zijn en er dus niet aan willen meewerken.' Meer dan eens was het idee bij hem opgekomen dat ze het misschien deed uit een soort gesublimeerde wens om zelfmoord te plegen. Wat haar redenen ook waren... hij was vast van plan de strijd in deze uiteindelijk te winnen. Hij vond het niet erg dat ze in het Centrum werkte, maar hij wilde niet dat ze de straat op ging. Het was niet zo dat hij haar wensen niet respecteerde. Wel wilde hij haar tegen zichzelf en haar altruïstische ideeën in bescherming nemen. 'Ophélie, ik meen het serieus. Ik wil dat je dat werk opgeeft, omwille van jezelf, en Pip. Als die anderen gek genoeg zijn om het te doen, mogen ze hun gang gaan. Jij kunt de daklozen op andere manieren helpen. Je bent het aan jezelf verplicht ermee op te houden.'
'Niets is zo effectief als het werk dat de leden van het buitenteam doen. Ze gaan naar de mensen toe en geven ze wat ze nodig hebben. De echt wanhopige gevallen zijn niet in staat naar het Centrum toe te komen om daar te worden geholpen. Wij moeten naar hen toe gaan,' zei ze. Net zoals hij haar probeerde te overtuigen, trachtte zij hem voortdurend tot andere gedachten te brengen. 'Wat jij niet beseft, is dat het geen slechteriken of criminelen zijn. Ze zijn trieste, behoeftige, gebroken mensen die ontzettend hard hulp nodig hebben. Er zijn ook kinderen bij, en oude mensen. Ik kan niet weglopen met het idee dat iemand anders dat werk wel zal doen. Wie zal het doen als ik ermee stop? Veel van die mensen zijn echt fatsoenlijk, en ik heb een verantwoordelijkheid jegens hen. Wat wil je verder nog voor Kerstmis hebben?' vroeg ze, zowel omdat ze van onderwerp wilde veranderen als omdat ze suggesties wilde horen.
Hij deed echter niets anders dan zijn hoofd schudden. 'Meer wil ik niet van je hebben. En als je me dat niet geeft, zal de kerstman kolen in je kous stoppen, of rendierenpoep.' Soms vroeg hij zich af of hij te heftig reageerde en zij gelijk had. Ze kon heel overtuigend zijn, maar toch had ze hem nog niet overstag kunnen halen. Ze schoot in de lach, zonder te weten dat hij het cadeautje voor haar al geruime tijd geleden had ingepakt. Hij hoopte dat ze het mooi zou vinden. En met toestem-

ming van Ophélie had hij voor Pip een prachtige nieuwe fiets gekocht, die ze in de stad in het park kon gebruiken, evenals bij hem op het strand. Hij was daar blij mee, want het was het cadeautje dat een vader zijn kind kon geven – iets waaraan haar moeder nooit zou hebben gedacht. Ophélie was al weken op zoek naar kleren en spelletjes voor Pip. Ze was op een lastige leeftijd, ergens tussen speelgoed – waar ze te oud voor was – en cadeautjes voor een puber in. Hij had de fiets verstopt in zijn garage, onder een laken, en Ophélie had hem verzekerd dat Pip hem prachtig zou vinden.

Het enige cadeau dat Matt niet wilde hebben, was wat hij in de week voor Kerstmis kreeg. Sally belde hem op met de mededeling dat ze de volgende dag met Vanessa en haar twee jongste kinderen zou arriveren. De vier kinderen uit het eerste huwelijk van Hamish waren voor de feestdagen naar hun moeder gegaan, en zij had besloten naar San Francisco te vliegen om – zoals ze het zelf verwoordde – 'hem te zien'. Hij wilde alleen dolgraag zijn dochter zien. Niet zijn ex. Ze waren van plan in het Ritz Hotel te gaan logeren. Zodra hij de hoorn op de haak had gelegd, belde hij Ophélie om erover te klagen. Zij was voorbereidingen aan het treffen om met het buitenteam op pad te gaan.

'Wat moet ik daar nu mee?' vroeg hij geïrriteerd. 'Ik ben niet van plan haar te ontmoeten. Ik wil alleen maar Nessie zien. Het goede nieuws is dat ze naar Tahoe komt. Nessie, bedoel ik. Niet Sally.'

Ophélie maakte zich desondanks zorgen, al wilde ze hem daar niets van laten merken. Ze was inmiddels te sterk aan Matt gehecht geraakt om zich niets aan te trekken van het spookbeeld van zijn ex. Stel dat hij opnieuw verliefd op haar werd? Ondanks alles wat Sally had gedaan, was dat mogelijk. Het was immers al eens eerder gebeurd? Ophélie was zich de laatste tijd steeds meer gaan ontspannen ten aanzien van Sally, maar opeens was daar nu weer verandering in gekomen door de op handen zijnde komst van die vrouw. Haar zesde zintuig waarschuwde haar ervoor dat hij zijn ex wel degelijk weer zou zien en daardoor oude gevoelens bij hem zouden worden opgeroepen. Mannen waren naïef in dat soort zaken en het feit dat Sal-

ly erop leek te staan hem weer te zien, moest betekenen dat ze iets van plan was. Ophélie probeerde hem zo voorzichtig mogelijk te waarschuwen.
'Sally? Doe niet zo belachelijk. Dat is verleden tijd. Ze verveelt zich domweg en weet niet wat ze met zichzelf moet doen. Ze is aan het proberen een beslissing te nemen over haar bedrijf. Ophélie, je hoeft je echt nergens zorgen over te maken. Over Sally ben ik al tien jaren heen.' Hij klonk opmerkelijk nonchalant, maar alle vrouwelijke antennes van Ophélie draaiden op volle toeren.
'Er zijn wel vreemdere dingen gebeurd,' waarschuwde ze hem wijs.
'Niet met mij. Voor mij is het al jaren over – en voor haar nog langer dan dat. Ze heeft mij verlaten, weet je nog wel? Voor een man met meer geld en meer speelgoedjes.' Het was duidelijk dat die klap voor hem nog steeds pijnlijk was.
'Nu heeft ze het geld en is hij er niet meer. Ze is bang en eenzaam. Geloof me. Je hebt nog niet voor het laatst van haar gehoord.'
Matt was dat volstrekt niet met haar eens. Tot Sally zich in het Ritz Hotel had ingeschreven en hem een uur daarna belde. Ze klonk poeslief en ze vroeg of hij op de thee wilde komen. Ze zei dat ze uitgeput was door de lange vlucht en er niet uitzag, maar hem dolgraag wilde zien. Hij schrok daar zo van dat hij niet goed wist wat hij moest zeggen.
Hoewel hij meteen moest denken aan de waarschuwingen van Ophélie, zette hij die prompt weer van zich af. Ze probeerde gewoon omwille van het verleden vriendelijk te zijn. Zelfs dat sprak hem echter niet aan. Zeker niet nu ze hem zijn kinderen had afgepakt. Rationeel gesproken haatte hij haar, maar in andere opzichten reageerde hij instinctief op herinneringen. Het was een pavlovreactie die hem net zo irriteerde als zij dat deed. Het was haar manier om hem te kwellen, om te kijken of ze nog aan de oude, bekende touwtjes kon trekken.
'Waar is Nessie?' vroeg hij vrij bot. De enige die hij wilde zien, was zijn dochter. En liefst zo snel mogelijk.
'Ze is hier. Zij is ook moe.'
'Zeg tegen haar dat ze later kan slapen. Over een uur ben ik in

de lobby. Vraag haar dan klaar te staan.' Zij beloofde de boodschap aan Vanessa door te geven en toen verbrak hij de verbinding.
Opgetogen nam hij een douche, schoor zich en trok een blazer en een grijze broek aan. Hij zag er heel knap uit toen hij de lobby van het Ritz-Carlton in liep en gespannen om zich heen keek. Stel dat hij haar niet herkende. Stel dat ze zoveel was veranderd dat... Toen zag hij haar staan, als een jong hertje. Ze had nog hetzelfde gezicht dat ze als klein meisje had gehad, maar het lichaam van een vrouw en lang, steil en blond haar. Ze huilden allebei toen ze elkaar omhelsden. Zij begroef haar gezicht in het holletje bij zijn hals, kuste hem en raakte zijn gezicht aan. Hoe wreed hun lange scheiding was geweest, bleek duidelijk uit de honger waarmee ze elkaar vasthielden. Hij wilde haar nooit meer loslaten en moest zichzelf dwingen dat toch te doen om haar eens goed te kunnen bekijken. Terwijl hij haar liefhebbend opnam, glimlachten ze allebei door hun tranen heen.
'O, pap... Je bent niets veranderd... Helemaal niets...' Ze bleef huilen en lachen en hij had nooit iemand gezien die zo mooi was als zijn jongste kind. Wat was het vreselijk geweest dat ze zo lang uit zijn leven was verdwenen! Alle gevoelens die hij zes jaar lang had onderdrukt, kwamen weer boven.
'Jij bent overigens wel veranderd! Wauw!' Ze had een spectaculair figuur, net als haar moeder toen die nog een jong meisje was. Ze ging gekleed in een korte, grijze jurk en schoenen met hoge hakken, en ze had zich net voldoende opgemaakt om er schitterend, maar niet vulgair, uit te zien. In haar oren prijkten diamanten knopjes, die ze waarschijnlijk van Hamish had gekregen. Hamish was altijd vrijgevig geweest ten aanzien van Matts kinderen. 'Wat wil je doen? Theedrinken? Ergens naartoe gaan?' Het enige wat hij wilde, was bij haar zijn.
Vanessa leek even te aarzelen en toen zag hij hen een eindje verderop staan, achter zijn dochter. Zodra hij haar had gezien, had hij nergens anders meer aandacht voor gehad. Maar Sally stond daar verderop in de lobby, met een vrouw die er als een kindermeisje uitzag en twee kleine jongens. De jaren waren vriendelijk voor haar geweest en ze zag er nog steeds goed uit, al was ze wel iets dikker geworden. De jochies, zes en acht

jaar oud, waren leuk om te zien. Matt wilde echter absoluut niet dat Sally zich na al die tijd bij hem en Vanessa voegde. Hij raakte meteen geërgerd toen ze zijn kant op kwam, en Vanessa zond haar een woedende blik toe. Sally had een korte, zwarte en duidelijk dure jurk aan, sexy schoenen en een nertsjas. De diamanten in haar oren waren heel wat groter dan die van Vanessa, en zij had die ongetwijfeld ook van wijlen haar echtgenoot gekregen, dacht Matt.
'Sorry, Matt. Ik hoop dat je het niet erg vindt... Ik kon de verleiding niet weerstaan... en ik wilde je de jongens laten zien.'
De laatste keer dat hij hen in Auckland had ontmoet, waren ze respectievelijk twee jaar en een paar maanden oud geweest. Maar hoe leuk ze ook waren... hij wilde nu samen zijn met zijn eigen kind en niet met Sally en haar kinderen. Zij had hem genoeg aangedaan. Nu wilde hij dat ze zich uit de voeten maakte.
Matt zei de jongens met een warme glimlach gedag, streek met een hand over hun bol en gaf het kindermeisje een beleefd knikje. Het was niet de schuld van die kinderen dat hun moeder zich ongepast gedroeg, maar hij wilde haar volstrekt duidelijk maken hoe hij erover dacht.
'Ik denk dat Vanessa en ik graag een tijdje samen willen zijn. We hebben heel wat bij te praten.'
'Natuurlijk. Dat begrijp ik,' zei ze luchtig. Ze begreep er echter niets van. Het kon haar niets schelen wat anderen – en met name hij – nodig hadden. Vanessa's woede werd door haar eveneens straal genegeerd. Ze had het haar moeder nog niet vergeven dat ze Matt zes jaar bij haar en haar broer uit de buurt had gehouden, en gezworen dat ook nooit te zullen doen. 'Ik heb de jongens beloofd naar Macy's te gaan om de kerstman te zien, en wellicht gaan we ook even bij Schwarz langs. Misschien kunnen we morgenavond samen gaan eten als jij vrij bent.'
Ze glimlachte op de manier die hem de eerste keer dat ze elkaar ontmoetten had betoverd. Nu liet die glimlach hem echter koud. Hij wist dat daarachter een haai school, en hij was door haar te ernstig gebeten om zich nog eens te laten inpakken. Ze speelde echter wel een schitterend spel. Iedereen zou

haar charmant hebben gevonden, en vriendelijk jegens hem. Hem kon het echter niets meer schelen wat ze van hem hebben wilde.
'Ik zal het je laten weten,' zei hij vaag. Toen nam hij Vanessa mee naar het deel van de lobby waar de thee werd geserveerd. Even later zag hij Sally, het kindermeisje en de jongens door de draaideur naar een wachtende limousine lopen. Ze was nu een heel rijke vrouw, nog rijker dan ze vroeger was geweest, maar voor Matt voegde dat niets aan haar charme toe. Ze had alles wat je je zou kunnen wensen: een fraai uiterlijk, talenten, hersens en stijl. Alles, behalve een hart.
'Pap, het spijt me dat dit is gebeurd,' zei Vanessa zacht terwijl ze gingen zitten. Ze bewonderde haar vader zeer om de keurige manier waarop hij alles had afgehandeld. Ze had uitgebreid met haar broer gesproken over de gebeurtenissen van de afgelopen jaren en zij was heel wat minder vergevingsgezind dan Robert, die altijd met excuses voor hun moeder kwam en zei dat ze niet begreep welk effect ze op mensen had. 'Pap, ik haat haar,' zei ze vol overtuiging. Hij kon dat best begrijpen, maar hij wilde geen olie op het vuur gooien of haar aanmoedigen haar moeder te haten. Omwille van Vanessa probeerde hij een beetje discreet te zijn. Het kon echter niet fraaier worden gemaakt dan het was, en het liet zich ook op geen enkele manier verklaren. Sally had Robert en Vanessa zes jaar lang van hun vader vandaan gehouden om er zelf beter van te worden. Zes jaar. Voor hen bijna de helft van hun leven, en voor zijn gevoel een eeuwigheid. Het enige wat zijn kinderen nu wilden doen, was de verloren tijd inhalen. 'Je hoeft morgen niet met haar te gaan eten, pap. Ik wil gewoon samen met jou zijn.' Vanessa begreep alles en was wijs voor haar zestien jaren. Zij had eveneens heel veel meegemaakt.
'Ik ben ook liever samen met jou,' zei hij eerlijk. 'Ik wil de strijd niet met je moeder aanbinden, maar ik sta niet te springen om haar beste vriend te worden.' Het was al opmerkelijk genoeg dat hij bereid was haar beleefd te bejegenen, en dat pleitte voor hem.
'Pap, het is oké.'
Ze zaten drie uur lang met elkaar te praten in de lobby van het

hotel. Hij vertelde haar nogmaals wat ze al wist – wat er de reden van was dat ze zes jaar van elkaar gescheiden waren geweest. Toen vroeg hij naar haar, haar vrienden, haar school, haar leven en haar dromen. Hij vond het heerlijk bij haar te zijn en zoog alle informatie in zich op. Zij en Robert zouden de kerstdagen bij hem in Tahoe doorbrengen, zónder hun moeder. Sally ging met haar twee jongste kinderen naar New York, naar vrienden. Ze leek nu nergens naartoe te kunnen en was naar iets op zoek. Als hij niet zo'n hekel aan haar had, zou hij met haar te doen hebben.

Sally belde hem de volgende dag weer, over dat etentje, en probeerde hem ertoe over te halen daar ja op te zeggen. Hij bleef echter geduldig weigeren, had het over Vanessa en stak de loftrompet over haar af.

'Ze is een braaf meisje.' Toen zei Sally dat ze nog vier dagen in de buurt zou blijven. Matt zag haar het liefst meteen vertrekken, want hij wilde haar niet nog eens zien. 'Hoe is jouw leven, Matt?'

Dat was een onderwerp waarover hij het al helemáál niet met haar wilde hebben. 'Prima. Dank voor je belangstelling. Ik vind het triest van Hamish. Het zal een grote verandering voor jou zijn. Ben je van plan in Auckland te blijven wonen?' Hij wilde alleen praten over zaken, huizen en zijn kinderen. Zij wilde dat echter niet.

'Daar heb ik nog geen idee van. Wel heb ik besloten het bedrijf te verkopen. Ik ben moe, Matt. Het is tijd om pas op de plaats te maken en te genieten van de geur van rozen.'

Dat was een mooie gedachte, maar hij kende Sally en wist dat de kans dat ze die rozen zou verpletteren en de blaadjes in brand zou steken, veel groter was.

'Dat klinkt verstandig.' Hij hield zijn reacties kort en emotieloos, want hij was absoluut niet van plan de ophaalbrug te laten zakken, en hij hoopte dat de kaaimannen in de slotgracht haar zouden verslinden als ze probeerde het kasteel in te nemen.

'Ik neem aan dat je nog steeds schildert? Daar heb je een ontzettend groot talent voor.' Ze leek even te aarzelen en toen ze weer het woord nam, klonk haar stem kinderlijk en triest. Dat

was een door hem bijna vergeten tactiek van haar om te krijgen wat ze hebben wilde. 'Matt... zou je vanavond echt niet met me willen dineren? Ik wil niets van je hebben. Ik wil alleen de strijdbijl begraven.'
Die strijdbijl had ze jaren geleden in zijn rug gestoken en daar was hij zwerend en roestend blijven zitten. Hem er nu uittrekken zou alles alleen maar erger maken en tot gevolg hebben dat hij doodbloedde.
'Het is een aardige gedachte,' zei hij, en hij klonk moe. Ze putte hem uit. 'Ik vind het echter geen goed idee. Het heeft geen zin. Je moet slapende honden niet wakker maken. We hebben elkaar echt niets meer te zeggen.'
'Wat zou je denken van sorry? Er is veel waarvoor ik jou excuses moet aanbieden, nietwaar?' Haar stem klonk zacht en uiterst kwetsbaar.
Hij wilde tegen haar schreeuwen dat ze dat niet moest doen. Het was maar al te gemakkelijk zich alles te herinneren wat ze eens voor hem was geweest, en tegelijkertijd was het te moeilijk. Het zou zijn dood kunnen worden.
'Sally, je hoeft niets te zeggen,' zei hij, en hij klonk als de echtgenoot die hij eens voor haar was geweest, de man die ze had gekend en van wie ze had gehouden, en die ze bijna kapot had gemaakt. Wat er in de tussentijd ook was gebeurd... ze waren nog steeds dezelfde mensen en ze herinnerden zich allebei de goede en de slechte tijden. 'Dat alles hebben we achter ons gelaten.'
'Ik wil je gewoon zien. Misschien kunnen we weer vrienden worden,' zei ze hoopvol.
'Waarom? We hebben ieder onze eigen vrienden. We hebben elkaar niet nodig.'
'We hebben twee kinderen samen. Misschien is het voor hen belangrijk dat er weer een band tussen ons ontstaat.'
Het was verbazingwekkend dat die gedachte de afgelopen zes jaar nooit bij haar was opgekomen. Nu paste het om de een of andere reden echter in haar straatje. Matt wist dat het goed zou zijn voor haar, maar heel beslist niet voor hem. Narcisme was altijd haar stuwende motor. Alles draaide om haar behoeften en nooit om die van een ander.

'Ik weet het niet...' Hij aarzelde. 'Ik zie er het nut niet van in.'
'Vergeving. Menselijkheid. Mededogen. We zijn vijftien jaar getrouwd geweest. Kunnen we nu geen vrienden zijn?'
'Zou het te onbeleefd zijn om je in herinnering te brengen dat jij me hebt verlaten voor een van mijn beste vrienden, met mijn kinderen duizenden kilometers hiervandaan bent gaan wonen en het mij de afgelopen zes jaar niet hebt toegestaan contact met hen te houden? Dat is nogal wat, zelfs onder "vrienden" om dat woord van jou maar eens te gebruiken. Hoe vriendelijk is dat?'
'Ik weet het... Ik weet het... Ik heb veel vergissingen gemaakt.' Ze klonk nu alsof ze aan het biechten was, en daar had hij geen enkele behoefte aan. 'Misschien zal het je troosten te weten dat Hamish en ik nooit gelukkig zijn geweest. Er waren veel problemen.'
'Het spijt me dat te horen,' zei hij, en hij voelde een koude rilling over zijn rug gaan. 'Ik heb aldoor de indruk gehad dat je heel gelukkig was. Hij was bijzonder vrijgevig jegens jou en de kinderen.' En hij was in wezen een goede man geweest. Tot hij er met Sally vandoor was gegaan, had Matt hem altijd aardig gevonden.
'Vrijgevig was hij inderdaad. Maar hij "had" het niet echt. Niet zoals jij, in elk geval. Hij wilde zich altijd amuseren en hij zoop als een tempelier. Dat is uiteindelijk zijn dood geworden,' zei ze zonder een spoortje van medeleven. 'Een seksleven hadden we niet.'
'Sally, alsjeblieft... Dat wil ik niet weten.' Matt klonk hevig geschrokken en grimmig.
'Sorry. Ik was even vergeten hoe preuts jij bent.' In het maatschappelijke verkeer, misschien, maar nooit in bed. Dat wist ze. Ze had hem gemist. Hamish kon ontzettend schuine moppen vertellen en vond het heerlijk naar tieten en konten te kijken, maar hij ging net zo lief met een pornofilm en een fles drank naar bed als met haar.
'Laten we er nu maar een punt achter zetten. Je kunt een film niet terugdraaien. Het is allemaal voorbij tussen ons. Einde verhaal.'
'Nee, dat is niet zo, en dat weet je.'

Ze had een heel gevoelige snaar geraakt. Hier had hij zich al tien jaar lang voor verstopt. Wat er ook was gebeurd en hoe beroerd dat ook was geweest, hij had altijd van haar gehouden. En dat wist ze. Ze kon het nog aanvoelen. Ze was een haai met een radarscherm en feilloze instincten.
'Het kan me niets schelen. Het is voorbij.'
Zijn stem klonk bijna schor en net als vroeger reageerde haar lichaam daar meteen op. Zij was ook nooit over hem heen gekomen. Ze had hun huwelijksleven geamputeerd, als een arm of een been dat ze niet langer nodig had, maar alle zenuwen rond de stomp waren nog rauw, klopten en leefden.
'Kom dan een borrel met me drinken. Gewoon om me even te zien. Mijn hemel, wat voor kwaad kan dat? Waarom ben je daar niet toe in staat?'
Omdat hij niet nog meer verdriet wilde kennen, bracht hij zichzelf in herinnering. Desondanks voelde hij zich onweerstaanbaar tot haar aangetrokken en haatte zichzelf daarom. 'Ik heb je gisteren al gezien in de lobby van het hotel.'
'Nee, dat is niet waar. Je hebt de weduwe van Hamish gezien, plus zijn twee kinderen en jouw dochter.'
'Je bent toch ook de weduwe van Hamish?' Hij wilde geen ander antwoord van haar horen.
'Nee. Niet voor jou, Matt.' De stilte die daarop volgde was oorverdovend, en hij kreunde. Zoals altijd – zelfs nadat ze hem had verlaten – gaf ze hem het gevoel gek te zijn. Ze wist welke snaren en gevoelige plekken ze moest beroeren, en ze vond het heerlijk dat te doen.
'Oké. Een halfuurtje dan. Niet langer. We zullen de strijdbijl begraven en verklaren dat we vrienden zijn. Daarna moet je uit mijn leven verdwijnen voordat je me gek maakt.' Het was haar gelukt. Ze was de ondergang van zijn leven: het vagevuur waartoe zij hem had veroordeeld toen ze hem verliet.
'Dank je, Matt,' zei ze zacht. 'Morgenavond om zes uur? Kom maar naar mijn suite. Daar kunnen we in alle rust met elkaar praten.'
'Tot morgen dan,' zei hij koud en woedend op zichzelf omdat hij haar haar zin had gegeven.
Het enige wat zij kon doen, was hopen dat hij de afspraak het

komende etmaal niet zou afzeggen. Ze wist dat alles zou kunnen veranderen als ze hem zag, al was het maar een halfuurtje. En het ergste van alles was nog wel dat Matt dat ook wist toen hij de verbinding verbrak.

24

De volgende dag reed Matt om vijf uur naar de stad en arriveerde een kwartier te vroeg bij het hotel. Hij liep rond in de lobby, alsof hij die aan het stalken was, en om precies zes uur belde hij aan bij haar suite. Hij wilde daar niet zijn, maar hij wist dat hij nu de definitieve confrontatie moest aangaan. Indien hij dat niet deed, zou dit hem eeuwig blijven achtervolgen. Ze deed open en zag er ernstig en elegant uit in een zwart mantelpakje, zwarte kousen, schoenen met hoge haken en even prachtig blond haar als haar dochter. Ze was nog steeds spectaculair om te zien.
'Hallo, Matt,' zei ze soepeltjes. Toen bood ze hem een stoel en een martini aan. Ze wist nog dat hij martini altijd lekker had gevonden. Hoewel hij dat spul tegenwoordig niet meer dronk, nam hij het glas deze keer wel aan.
Ze schonk er ook een voor zichzelf in en ging tegenover hem op de bank zitten. De eerste minuten waren onvermijdelijk gespannen, maar de martini's hielpen. En zoals voorspelbaar was geweest, duurde het niet lang voordat ze de wederzijdse aantrekkingskracht weer voelden. In elk geval ging dat op voor haar. Matts gevoelens hadden een subtiele verandering ondergaan. Hij kon de vinger nog niet echt op de verschillen leggen. Hij wist echter wel dat ze er waren, en dat luchtte hem op.
'Waarom ben je nooit hertrouwd?' vroeg ze terwijl ze met haar olijven speelde.
'Daar heb jij me van genezen,' zei hij met een glimlach, en hij bekeek haar benen bewonderend. Die zagen er nog altijd geweldig uit en de korte rok stelde hem in staat ze goed in ogenschouw te nemen. 'Ik heb de afgelopen tien jaar als een kluizenaar geleefd. Een kluizenaar... en een kunstenaar.' Hij zei het

luchtig, omdat hij niet de wens had haar een schuldig gevoel te geven. Zijn leven was nu eenmaal zo, en hij voelde zich er prettig bij. Hij was er zelfs de voorkeur aan gaan geven boven het leven dat zij samen hadden gehad.
'Waarom doe je jezelf dat aan?' vroeg ze, en ze keek bezorgd.
'Ik vind het prima zo. In deze wereld heb ik gedaan wat ik wilde doen. Ik heb alles bewezen wat ik wilde bewijzen. Ik woon aan een strand, ik schilder... en ik praat met kinderen en honden.' Hij glimlachte, denkend aan Pip, en moest opeens ook aan Ophélie denken, die op haar eigen manier veel mooier was dan deze vrouw. Ze waren totaal verschillend.
'Matt, je hebt een écht leven nodig,' zei Sally zacht. 'Heb je er ooit over gedacht om terug te gaan naar New York?' Daar had ze zelf over zitten denken. Auckland had haar nooit aangestaan, en nu stond het haar vrij te doen wat ze wilde.
'Nee, geen moment,' zei hij eerlijk. 'Die fase heb ik achter me gelaten.' Omdat hij even aan Ophélie had gedacht, was hij weer bij zijn positieven gekomen en lukte het hem afstand van Sally te bewaren.
'Parijs, dan? Of Londen?'
'Misschien. Als ik genoeg krijg van het leven op het strand. Maar zover is het nog niet. Het zou inderdaad kunnen dat ik dan naar Europa verhuis. Maar nu Robert hier de eerstkomende vier jaar studeert, heb ik een duidelijke reden om hier eveneens te blijven.' Vanessa had hem verteld dat ze over twee jaar aan de UCLA wilde gaan studeren, of misschien zelfs in Berkeley. Op dit moment zou hij blijven waar hij was. Hij wilde bij zijn kinderen in de buurt zijn. Ze waren hem lang genoeg onthouden en nu wilde hij genieten van elk moment dat hij samen met hen kon doorbrengen.
'Matt, het verbaast me dat dat alles je niet stierlijk verveelt. Leven als een kluizenaar! Vroeger kon je de bloemetjes behoorlijk buiten zetten.' Toen was hij de art director van een van de grootste reclamebureaus in New York geweest en had hij veel machtige, belangrijke cliënten gehad. Hij en Sally hadden vliegtuigen, huizen en jachten gehuurd om die mensen aangenaam bezig te houden. Daar verlangde hij echter niet meer naar terug. Al tien jaar niet meer.

'Ik denk dat ik op een gegeven moment volwassen ben geworden. Dat overkomt sommigen van ons.'
'Je ziet er nog geen dag ouder uit.' Ze probeerde het over een andere boeg te gooien, omdat haar eerdere tactieken duidelijk geen succes hadden. Ze zag zichzelf niet samen met hem in een huis aan het strand wonen. Dat zou werkelijk haar dood worden.
'Ik voel me anders wel ouder. Maar bedankt voor het compliment, dat ik overigens kan retourneren.' Ze zag er zelfs beter uit dan ooit. Ze was iets zwaarder geworden, en dat paste bij haar, gaf haar een weelderiger figuur. Vroeger was ze altijd te mager geweest, hoewel hij daar geen problemen mee had gehad. 'Wat ga jij nu doen?' vroeg hij met gemeende belangstelling.
'Dat weet ik niet. Ik ben er nog over aan het nadenken. Hamish is pas zo kort dood.' Ze zag er niet direct uit als een treurende weduwe, en zo voelde ze zich ook niet. Ze zag er eerder uit als een uit de gevangenis ontslagen crimineel. Anders dan Ophélie, die door de dood van haar man volledig van de kaart was geweest. De contrasten tussen de twee vrouwen waren ontzettend groot. 'Ik heb aan New York gedacht,' zei ze, en toen keek ze hem verlegen aan. 'Ik weet dat het een krankzinnig idee is, maar ik heb me afgevraagd of...' Ze keek hem diep in de ogen en maakte haar zin niet af. Dat hoefde ze ook niet te doen. Hij kende haar. Dat was nu precies het punt. Hij kende haar.
'Of ik het prettig zou vinden een tijdje bij jou te zijn, om te zien hoe dat gaat... Of we de klok kunnen terugdraaien en weer verliefd op elkaar kunnen worden... Mijn hemel! Dat zou me wat zijn, nietwaar?' Hij maakte de zin voor haar af en keek peinzend. Zij knikte. Hij had haar begrepen. Dat had hij altijd gedaan. Beter dan zij zelf wist. 'Het probleem is... dat dat alles is wat ik tien jaar lang heb gewild. Niet openlijk. Ik heb mezelf niet dagelijks gekweld. Je was met Hamish getrouwd en voor ons was er geen hoop... En nu is hij er niet meer... Het gekke is, Sally, dat ik nu weet dat ik er niet toe in staat zou zijn. Je bent mooi, even mooi als je was, en als ik nog een paar martini's tot me zou nemen, zou ik met je naar bed gaan en het idee krijgen dat ik was gestorven en naar de hemel was gegaan.

Maar daarna? Jij bent nog steeds jij, en ik ben ik... Alle redenen waarom ons huwelijk op de klippen is gelopen, zijn er nog steeds en zullen ook altijd blijven bestaan... Ik zou je waarschijnlijk vervelen. Hoeveel ik ook van je hou – en wellicht altijd van je zal blijven houden – ik wil niet meer bij je zijn. De prijs die ik daarvoor moet betalen is te hoog. Ik wil bij een vrouw zijn die van me houdt, en ik ben er niet zeker van of jij dat ooit hebt gedaan. Liefde is niet eenvoudigweg een object, iets wat je koopt of verkoopt. Er moet sprake zijn van een wisselwerking, een geschenk dat wordt gegeven en ontvangen...'
Hij voelde zich opmerkelijk vredig toen hij dat tegen haar zei. Nu had hij de kans gekregen waar hij tien jaar op had gewacht, en gemerkt dat hij die niet wilde hebben. Het gaf hem een ongelooflijk gevoel van bevrijding... van teleurstelling, overwinning en vrijheid.
'Je bent altijd al zo'n romanticus geweest,' zei ze, en ze klonk lichtelijk geïrriteerd. Het liep allemaal niet zoals zij dat wenste.
'En jij niet,' reageerde hij glimlachend. 'Misschien is dat het probleem. Ik geloof in al die romantische onzin. Jij wilt doorgaan. De ene man begraven, de andere weer opgraven. En dan zwijg ik nog maar over wat je met onze kinderen hebt gedaan. Het probleem is dat je bijna mijn dood had veroorzaakt. Nu is mijn geest vrij... en ik denk dat hij dat prettig vindt...'
'Je bent altijd al een beetje krankzinnig geweest.' Ze lachte. Hij wist echter dat hij nog nooit van zijn levensdagen zo goed bij zijn gezonde verstand was geweest. 'Wat zou je denken van een verhouding?' Nu probeerde ze een deal te sluiten.
Hij had met haar te doen. 'Denk je ook niet dat het dwaas zou zijn en verwarrend zou werken? En daarna? Ik zou niets liever doen dan met je naar bed gaan, maar daarmee komen de problemen. Ik geef om je. Jij geeft niet om mij. Er verschijnt iemand anders in jouw leven en dan word ik het raam uit gesmeten. Niet direct mijn favoriete middel van transport. Slapen met jou is een gevaarlijke sport. In elk geval voor mij, en ik heb een gezond respect voor mijn pijndrempel. Ik ben daar niet toe in staat, denk ik. Nee, dat weet ik wel zeker.'
'Wat gaan we dan doen?' Ze zag er gefrustreerd en boos uit

terwijl ze voor zichzelf nog een martini inschonk. Haar derde. Hij had zijn eerste glas nog niet eens leeg. Ook over martini's was hij heen gegroeid. Ze smaakten niet meer zo lekker als vroeger.
'Nu gaan we doen wat jij wilde. We zullen verklaren vrienden te zijn, elkaar het beste wensen, afscheid nemen en dan ieder ons weegs gaan. Ga naar New York, amuseer je daar, zoek een nieuwe echtgenoot. Of verhuis naar Parijs, Londen of Palm Beach en breng je kinderen groot. Ik zie je wel weer bij de huwelijken van Robert en Vanessa.' Dat was alles wat hij voor en van haar wilde.
'En jij? Je zult toch niet eeuwig op het strand blijven wonen?' reageerde ze scherp.
'Misschien wel. Het is ook mogelijk dat ik net zoiets word als een sterke, oude boom, ergens wortel schiet en van mijn leven geniet met de mensen die onder die boom zitten en niet de behoefte hebben daar om de tien minuten aan te schudden, of hem om te hakken. Soms is een rustig leven zo slecht nog niet.'
Daar begreep ze niets van. Zij was dol op opwinding en moest die altijd scheppen, hoe dan ook. 'Je bent nog niet oud genoeg om zo te denken. Je bent verdorie pas zevenenveertig. Hamish was tweeënvijftig en hij gedroeg zich alsof hij half zo oud was als jij.'
'En nu is hij dood. Dus was dat misschien ook niet zo'n geweldig idee. Wellicht is een middenweg het beste. Hoe dan ook... onze wegen hebben zich definitief gescheiden. Ik zou jou gek maken, en jij zou mijn dood worden. Geen fraai beeld.'
'Is er iemand anders in jouw leven?'
'Misschien. Maar daar gaat het niet om. Als ik van jou hield, zou ik alles laten voor wat het was en je voor altijd naar de uiteinden van deze wereld volgen. Je kent me. Ik ben een romantische dwaas, hoe ongelooflijk stom jij dat ook vindt. Het probleem is echter dat ik niet van je hou. Ik dacht dat ik dat deed. Ik denk dat ik ergens, zonder het te beseffen, uit de trein ben gestapt. Ik hou van onze kinderen, en de gemeenschappelijke herinneringen, en een krankzinnig, verloren, stokoud deel van mij zal voor altijd van jou blijven houden. Maar niet genoeg om het nogmaals te willen proberen, Sally, of jou voor altijd te

volgen.' Toen ging hij staan, boog zich over haar heen en gaf haar een kusje boven op haar hoofd.
Ze kwam niet in beweging toen ze hem naar de deur zag lopen en die zag openmaken. Ze probeerde hem niet tegen te houden. Ze wist dat dat geen zin had. Hij had elk woord dat over zijn lippen was gekomen gemeend. Dat was altijd al zo geweest, en dat zou ook altijd zo blijven. In de deuropening keek hij nog even naar haar voordat hij voor altijd haar leven uit liep.
'Vaarwel, Sally. Het allerbeste.' Hij voelde zich beter dan in jaren het geval was geweest.
'Ik haat je,' zei ze, en ze voelde zich dronken toen de deur werd gesloten.
Voor Matt was de betovering eindelijk verbroken. Het was voorbij.

25

Matt at op de avond voor kerstavond bij Pip en Ophélie, om cadeautjes uit te wisselen. Ze hadden de boom opgetuigd en Ophélie had erop gestaan een gans voor hem te bereiden, omdat dat een Franse traditie was. Pip vond gans helemaal niet lekker en zou een hamburger eten, maar Ophélie had een echt lekker kerstdiner willen klaarmaken, en ze was van mening dat Matt er nog nooit zo goed had uitgezien.

De afgelopen week hadden ze het allebei druk gehad en elkaar daardoor nauwelijks gesproken. Hij had haar niet verteld dat hij met Sally had gepraat, en was er niet zeker van of hij dat überhaupt zou doen. Wat er tussen hen was gebeurd, was naar zijn idee een persoonlijke aangelegenheid en hij was er niet aan toe die ervaring met haar te delen. Het leed echter geen twijfel dat die episode voor hem bevrijdend had gewerkt, en dat voelde Ophélie aan. Zoals altijd bejegende hij haar heel vriendelijk en liefhebbend.

Ze waren van plan geweest elkaar na het eten de cadeautjes te geven, maar Pip kon daar niet op wachten. Ze stond erop hem haar presentje te geven en zei dat hij het pakje meteen moest openmaken toen hij dreigde het voor de eerste kerstdag te bewaren.

'Nee! Je moet het nu openmaken.' Ze sprong op en neer en klapte in haar handen. Opgewonden keek ze toe terwijl hij het papier lostrok en zodra hij zag wat het was, begon hij te lachen. Het waren reusachtig grote, gele, pluizige Pino-pantoffels, die hem perfect bleken te passen.

'Ik vind ze prachtig,' zei hij, en hij gaf haar een knuffel. Hij deed ze aan en bleef ze tijdens het diner aanhouden. 'Ze zijn perfect. We kunnen ze aantrekken als we in Tahoe zijn. Jij en

je moeder moeten Grover en Elmo meenemen.' Dat beloofde Pip hem, en ze was laaiend enthousiast toen hij haar de schitterende fiets gaf. Ze karde ermee door de huiskamer en de eetkamer, reed de kerstboom bijna omver en ging toen een eindje buiten fietsen terwijl haar moeder de laatste hand legde aan het diner.
'Ben jij klaar voor een cadeautje?' vroeg hij aan Ophélie terwijl ze samen een glas witte wijn dronken. Hij wist dat dit een aan twee kanten snijdend zwaard zou zijn. De kans bestond dat ze erdoor van streek zou raken, maar hij twijfelde er niet aan dat ze er op den duur blij mee zou zijn. 'Heb je een momentje?' Ze knikte. Pip was nog buiten en Matt was blij dat hij even met haar moeder alleen kon zijn. Hij gaf haar het cadeau, dat in een grote, platte doos was verpakt die niet rammelde.
'Wat is het?' vroeg ze, en ze voelde zich nu al ontroerd.
'Dat zul je wel zien.' Ze scheurde het papier los en maakte de doos open. Voorzichtig haalde ze de rest van het verpakkingsmateriaal weg en toen dat was gebeurd, snakte ze naar adem en verschenen er meteen tranen in haar ogen. Ze drukte een hand tegen haar mond en deed haar ogen dicht. Het was Chad. Het portret leek sprekend en paste bij dat van Pip. Ze deed haar ogen weer open, keek hem even aan en liet zich toen huilend tegen zijn borst aan zakken.
'O, Matt... Dank je... Dank je...' Ze keek opnieuw naar het portret. Het was alsof ze haar zoon weer zag terwijl hij naar haar glimlachte. Ze besefte hoe erg ze hem nog altijd miste, maar tegelijkertijd leek dit de pijn te verzachten. Het was perfect. 'Hoe heb je dit voor elkaar gekregen? De gelijkenis is zo treffend.'
Matt haalde iets uit zijn zak en gaf dat aan haar. Het was de ingelijste foto van Chad die hij uit haar huiskamer had meegenomen. 'Mijn excuses. Ik ben een kleptomaan.'
Ze schoot in de lach. 'Ik had die foto al gemist, weet je, en ik kon maar niet bedenken waar hij was gebleven. Ik dacht dat Pip hem had meegenomen en ik wilde haar niet van streek maken door ernaar te vragen. Ik dacht dat ze hem ergens in haar kamer, of in een la, had verstopt. Wel ben ik er weken naar op zoek geweest.' Ze zette hem terug op de tafel in de huiskamer.
'Matt, hoe kan ik je hier ooit voor bedanken?'

'Dat hoef je niet te doen. Ik hou van je, en ik wil dat je gelukkig bent.' Hij wilde nog meer zeggen, maar op dat moment stormde Pip naar binnen, op de voet gevolgd door een blaffende Mousse, die met haar mee was gerend.
'O, wat een mooie fiets!' riep ze terwijl ze in de hal net aan twee tafeltjes kon ontwijken en met piepende remmen vlak voor hen tot stilstand kwam. Toen liet Ophélie haar het portret van Chad zien, en werd ze stilletjes.
'Wauw! Het lijkt sprekend.' Ze keek naar haar moeder en samen staarden ze er, hand in hand, lange tijd naar. Ze hadden alle drie tranen in hun ogen. Het was een teder moment, maar toen rook Ophélie een ramp in de keuken. De gans was niet alleen gaar. Hij was bijna verbrand.
'Jasses,' zei Pip toen Ophélie hem opdiende.
Het werd een heerlijk etentje, en een geweldige avond. Ophélie wachtte tot Pip naar bed was gegaan voordat ze haar cadeau aan Matt gaf. Het was speciaal, en bijzonder voor haar, en ze hoopte dat hij het mooi zou vinden. Toen hij het pakje had opengemaakt, keek hij even ontroerd als zij dat had gedaan bij het zien van Chads portret. Het was een oud Breguethorloge, dat eens van haar vader was geweest en uit de jaren vijftig van de twintigste eeuw dateerde. Het was mooi, en ze had nu niemand anders aan wie ze het kon geven. Geen echtgenoot, geen zoon, geen broer. Ze had het in feite bewaard voor Chad, maar nu wilde ze dat Matt het zou dragen.
'Ik weet niet wat ik moet zeggen,' zei hij terwijl hij het eerbiedig om zijn pols deed. Toen kuste hij haar. 'Ik hou van je, Ophélie.' Wat zij deelden was alles wat hij wilde dat het zou zijn. Heel iets anders dan wat hij samen met Sally had gehad. Dit was rustig, sterk en echt: twee mensen die langzaam een hechte band aan het smeden waren. Hij zou bereid zijn bijna alles voor haar – en voor Pip – te doen, en dat wist ze. Ze was een goede, geweldige vrouw en hij vond dat hij ontzettend veel mazzel had. Bij haar voelde hij zich volkomen veilig, en dat was wederzijds. Ze deelden iets heel sterks, waardoor niets hun leek te kunnen deren.
'Matt, ik hou ook van jou... Een gelukkig kerstfeest,' fluisterde ze, en toen kuste ze hem. Die kus maakte alles wat ze voor

hem voelde duidelijk, evenals alle hartstocht waartegen ze zich was blijven verzetten.
Toen hij die avond vertrok, met het horloge van haar vader om zijn pols, lag ze in haar bed glimlachend naar het portret van Chad te kijken. De rode fiets stond tegen Pips bed, op de plaats waar ze hem had neergezet. Hier was echt sprake van de magie van Kerstmis!

De 'echte' kerstavond van Pip en Ophélie was veel moeilijker en onvermijdelijk pijnlijk. Ondanks al hun pogingen het anders te laten verlopen, ging het meer om wie er niet waren dan om wie er wel waren. De afwezigheid van Andrea werd gevoeld, evenals die van Ted en Chad. Halverwege de dag wilde Ophélie haar handen de lucht in steken en krijsen: 'Oké! Nu is het welletjes! Jullie kunnen weer tevoorschijn komen.' Natuurlijk gebeurde dat niet. Ophélie voelde zich ook overweldigd door het besef dat de herinneringen aan haar huwelijk, die ze eens had gekoesterd, onherstelbaar waren besmeurd door Andrea en haar baby.
De eerste kerstdag viel ook niet mee en ze waren allebei blij toen hij voorbij was. Die avond klauterden ze het bed van Ophélie in, en het enige waardoor ze wat opvrolijkten, was de wetenschap dat ze de volgende morgen naar Tahoe, naar Matt en zijn kinderen zouden gaan. Zoals beloofd had Pip hun pantoffels ingepakt, en om tien uur was ze diep in slaap in de armen van haar moeder. Ophélie lag lange tijd wakker, met haar kleine meisje dicht tegen zich aan.
De feestdagen waren wel minder erg geweest dan het jaar daarvoor, voornamelijk omdat ze eraan gewend begonnen te raken dat de helft van hun gezin er niet meer was. Maar in sommige opzichten was het ook moeilijker, omdat ze begonnen te beseffen dat deze situatie nooit meer zou veranderen. Het leven dat ze hadden gekend en gekoesterd was voor altijd verdwenen. Misschien zouden ze zich op een dag weer gelukkig voelen, maar het zou nooit meer zoals vroeger zijn. Zelfs Pip begreep dat.
Ze hadden er allebei veel aan gehad Matt regelmatig over de telefoon te spreken. Ophélie had niets van Andrea gehoord, en

verlangde daar ook niet naar. Andrea was voor altijd uit hun leven verdwenen. Pip was een keer over haar begonnen, had de gezichtsuitdrukking van haar moeder gezien en daarna nooit meer melding van haar gemaakt. De boodschap van Ophélie was luid en duidelijk overgekomen. In hun wereld bestond Andrea niet meer.
Terwijl Ophélie in bed aan dat alles lag te denken, gingen haar gedachten naar Ted en Chad, en toen naar Matt. Ze vond het portret dat hij had gemaakt prachtig, net als de manier waarop hij met Pip omging. Vanaf het moment waarop ze elkaar hadden leren kennen, was hij zo ongelooflijk vriendelijk voor hen geweest. Ze wist dat ze van hem begon te houden en zich steeds sterker tot hem aangetrokken voelde, maar ze had geen idee wat ze daarmee wilde doen. Ze was er niet zeker van of ze al toe was aan een andere man in haar leven, noch of dat ooit het geval zou zijn. Niet alleen omdat ze van Ted had gehouden, maar ook omdat ze sinds Thanksgiving niet meer geloofde in wat 'houden van' voor twee mensen kon betekenen. Voor haar was het nu synoniem met verdriet, teleurstelling en verraad, het verloren gaan van alles waarin je eens had geloofd en vertrouwen in had gehad. Iets dergelijks wilde ze niet nog eens meemaken, met wie dan ook, hoe liefhebbend en aardig Matt ook leek. Hij was een mens en mensen deden elkaar verschrikkelijke dingen aan, meestal onder het mom van liefde. Alles riskeren leek haar te gortig. Ze wist dat ze niemand ooit nog zo volledig zou kunnen vertrouwen als ze dat eens had gedaan. Zelfs Matt niet. Hij verdiende iets beters, zeker na wat hij met Sally had moeten doorstaan.
Toch waren zij en Pip allebei opgewekt toen ze de volgende dag vertrokken. Ze had sneeuwkettingen meegenomen voor het geval ze onderweg met een dik pak sneeuw werden geconfronteerd. De wegen waren echter schoon tot aan Truckee en daarvandaan reed ze, geholpen door Matts aanwijzingen, moeiteloos door naar Squaw Valley. Daar had hij een spectaculair huis gehuurd, met vijf slaapkamers. Voor haar, voor Pip, voor hemzelf en voor zijn kinderen.
Vanessa en Robert waren aan het skiën toen zij arriveerden. Matt zat in de huiskamer van het mooie, luxueuze huis bij een

loeiende open haard op hen te wachten. Hij had al warme chocolademelk en sandwiches voor hen klaargemaakt. Hij ging gekleed in een zwarte skibroek en een dikke, grijze trui en zag er even knap uit als altijd. Ophélie vond hem razend aantrekkelijk, maar ze was nog steeds bang om daar iets mee te doen. Het was nog altijd niet te laat om om te draaien, ook al wist ze dat hem dat verschrikkelijk teleur zou stellen. Toch kon teleurstelling voor hen beiden nog wel eens beter zijn dan uiteindelijke wanhoop. De risico's die ze liep wanneer ze zich volledig aan hem overgaf, leken haar gevaarlijk hoog, en tegelijkertijd zou ze niets liever willen doen dan dat. Met die botsende emoties worstelde ze voortdurend, terwijl ze ook steeds dichter naar hem toe groeide. Ze kon zich een leven zonder hem niet meer voorstellen, en ondanks haar angsten wist ze dat ze van hem hield.

'Hebben jullie je pantoffels meegenomen?' vroeg Matt bijna meteen aan Pip, die grinnikte.

'Ik heb de mijne ook meegenomen.'

Ze trokken ze alle drie aan. Hij zette wat muziek op en ze gingen lachend bij de open haard zitten. Iets later kwamen Vanessa en Robert naar binnen. Ze zagen er geweldig uit en Vanessa vond het fijn Ophélie en Pip te leren kennen. Ze raakte meteen op het jongere meisje gesteld en keek met verlegen bewondering naar de moeder. Ophélie had iets vriendelijks dat haar aansprak – een bijna tastbare zachtaardigheid. Zij zag dezelfde dingen in haar als Matt en dat zei ze later ook tegen hem toen ze hem hielp met het klaarmaken van het avondeten en Pip en Ophélie in hun kamers hun koffers aan het uitpakken waren.

'Pap, het is me duidelijk waarom je haar graag mag. Ze is goed, en aardig. Maar soms kijkt ze zo triest, zelfs wanneer ze glimlacht, dat je haar een knuffel wilt geven. En Pip is een ontzettend leuk meisje!'

De twee meisjes werden die dag al snel vriendinnen en Vanessa nodigde Pip uit in haar kamer te komen slapen. Pip vond het prachtig. In haar ogen was Vanessa geweldig, mooi en ontzettend cool. Dat zei ze ook tegen haar moeder toen ze haar pyjama aantrok. Nadat de jongeren naar bed waren gegaan, zaten Ophélie en Matt uren bij de open haard, tot daar alleen nog nagloeiende stukjes hout in lagen. Ze hadden het over muziek en kunst, de politiek in Frankrijk, hun kinderen en hun ouders, zijn schilderkunst en hun dromen. Ze hadden het over mensen die ze hadden gekend en honden die ze als kind hadden gehad. Ze leerden elkaar steeds beter kennen en draaiden elke steen om omdat ze alles van elkaar wilden weten. Voordat ze ieder met tegenzin naar hun eigen kamer gingen, kuste hij haar.

De volgende morgen gingen ze alle vijf tegelijkertijd de deur uit en namen plaats in de rij voor de stoeltjesliften. Robert wilde gaan skiën met een paar studiegenoten die hij tegen het lijf was gelopen, Vanessa vertrok met Pip, en Matt bood aan bij Ophélie te blijven.

'Ik wil niet dat je je inhoudt omwille van mij,' zei ze. Ze had een zwart skipak aan dat al jaren oud was maar er eenvoudig en elegant uitzag, met een grote bontmuts die naar zijn idee heel chic was. Ze hield echter vol dat ze lang niet zo goed kon skiën als het pak deed vermoeden.

'Ik kan je verzekeren dat ik dat niet zal doen,' zei hij. 'Ik heb in vijf jaar niet meer geskied, en ik ben hierheen gegaan voor de kinderen. Je bewijst me er een gunst mee, en de kans bestaat dat je me zult moeten redden.' Ze bleken aan elkaar gewaagd te zijn en ze skieden die ochtend op de middelhoge hellingen. Meer wilden ze niet, en tegen lunchtijd zaten ze in een restaurant te wachten op de kinderen, die even later met rode gezichten arriveerden. Pip leek in extase te zijn terwijl ze haar pet afzette en haar handschoenen uittrok. Ze amuseerde zich geweldig, en Vanessa zag er ook gelukkig uit. Ze had een paar leuke jongens gezien en die waren op de hellingen achter haar aan gekomen. Bijzonder veel betekenis hechtte ze daar echter niet aan. Ze leek alles goed onder controle te hebben en niet zo wild te zijn als haar moeder toen die even oud was als zij.

De kinderen stonden de hele middag op de lange latten, maar zodra het begon te sneeuwen gingen de twee volwassenen naar huis. Matt stak de haard aan en zette muziek op, terwijl Ophélie voor hen beiden een warme grog klaarmaakte. Ze gingen met een stapel tijdschriften en boeken op de bank zitten en keken elkaar af en toe even glimlachend aan. Het verbaasde Ophé-

lie hoe gemakkelijk het was bij hem te zijn. Ted was veel moeilijker en veeleisender geweest en had over bijna alles aan een woordenstrijd kunnen beginnen. Ze maakte daar een opmerking over tegen Matt. Zij voelden zich bij elkaar op hun gemak. Ze koesterden een diepe affectie en een nauwelijks verborgen hartstocht voor elkaar, en verder waren ze de allerbeste vrienden.
'Ik vind dit ook geweldig,' zei hij, en toen besloot hij haar te vertellen over de laatste keer dat hij Sally had gezien.
'Je voelde niets meer voor haar?' vroeg Ophélie terwijl ze een slokje van de grog nam en hem aandachtig opnam. Ze had zich al een tijdje zorgen over Sally gemaakt, zeker nadat die weduwe was geworden.
'Heel wat minder dan ik verwachtte, of vreesde. Ik was bang dat ik me tegen haar zou moeten verzetten, op zijn minst in mijn hoofd. Maar dat bleek niet nodig te zijn. Het leek triest en geestig en het illustreerde nog eens alles wat er tussen ons altijd al mis was geweest. Ze wilde me weer manipuleren om te krijgen wat ze hebben wilde, en ik had met haar te doen. Ze is een heel trieste vrouw, en dan doel ik niet op het feit dat de man met wie ze bijna tien jaar getrouwd is geweest, nog geen maand dood is. Loyaliteit is niet een van Sally's sterkste punten.'
'Hmmm.' Ophélie was een beetje geschokt door wat Sally had gedaan, na al het verdriet dat ze voor Matt had veroorzaakt. Schuldgevoelens leek ze ook al niet te hebben! Ze voelde zich echter voornamelijk opgelucht. 'Waarom heb je me niet eerder verteld dat je haar had gesproken?' Hij vertelde haar zoveel over zijn leven dat het een beetje vreemd leek dat hij hier geen melding van had gemaakt.
'Ik moest er zelf nog eens diep over nadenken, denk ik. Maar toen ik die kamer uit liep, was ik voor het eerst in tien jaar een vrij man. Ik heb er heel verstandig aan gedaan naar haar toe te gaan.' Hij leek tevreden over zichzelf te zijn toen hij naar Ophélie keek, en zij glimlachte hem toe.
'Daar ben ik blij om,' zei ze zacht, wensend dat haar eigen gevoelens ten aanzien van haar huwelijk even gemakkelijk waren op te lossen. Zij kon er met niemand over praten, ze kon tegen

niemand uitvaren, met niemand discussiëren. Ze had geen schouder om op uit te huilen en er was niemand die haar kon uitleggen waarom het was gebeurd of waarom hij had gedaan wat hij had gedaan. Zij zou dit in de loop der tijd zelf moeten oplossen – in haar eentje en in stilte.
Toen de kinderen thuiskwamen, maakte Ophélie het avondeten klaar en daarna vertelden ze elkaar verhalen bij de open haard. Vanessa had het over haar vele vriendjes in Auckland, waarbij Pip haar vol bewondering aankeek, en Robert plaagde allebei de meisjes. Het was een familietafereeltje dat beide volwassenen ontroerde. Hier had Matt naar verlangd in de jaren dat hij zijn kinderen niet had gezien, en dit miste Ophélie zo erg sinds Ted en Chad er niet meer waren. Het had iets zo normaals: twee volwassenen, omringd door drie kinderen, lachend bij een haard. In hun vorige leven hadden Matt en Ophélie iets dergelijks nooit echt gehad, hoe intens ze er ook naar hadden verlangd.
'Fijn zo, hè?' zei Matt glimlachend tegen haar toen ze elkaar in de keuken tegenkwamen. Zij was koekjes voor de kinderen op een schaal aan het doen en hij schonk een glas wijn in voor zichzelf en voor haar.
'Heel fijn.' Ze glimlachte eveneens. Gemeten naar de normale maatstaven, en zelfs naar de hunne, was het een droom die werkelijkheid was geworden. Matt wilde dat er nooit een eind aan zou komen. Hij wist dat ze nog met bepaalde kwesties worstelde en angst moest overwinnen – net als hij – maar hij wilde dat ze tot dezelfde conclusies zouden komen en elkaar uiteindelijk zouden vinden. Toch bleef hij voorzichtig. Hij wist beter dan wie dan ook hoe nerveus ze was door wat Ted had gedaan. Het was een gemene streek geweest, bijna alsof hij haar had vervloekt of haar ertoe had veroordeeld de rest van haar leven wantrouwend te blijven. En Matt wist ook heel goed hoe erg zo'n vloek was. Op dit moment waren ze echter veilig in hun kleine wereldje in Tahoe.
Op oudejaarsdag gingen ze in een restaurant in de buurt eten en namen daarna deel aan de festiviteiten die in een hotel waren georganiseerd. De gasten gingen gekleed in skikleding en grote, felgekleurde truien, en slechts een paar mensen droegen

net als Ophélie bont. Ze zag er heel chic uit in een zwartfluwelen jumpsuit met een jasje van zwart vossenbont eroverheen en een bijpassende muts.
'Mam, je ziet eruit als een zwarte paddestoel,' zei Pip afkeurend. Vanessa daarentegen vond de outfit 'cool'. Ophélie zou die kleding sowieso hebben gedragen. Pips smaak op kledinggebied was conservatiever dan de hare, maar daar trok ze zich niets van aan, en Matt vond dat ze er geweldig uitzag. Wat ze ook droeg en hoe goed ze ook Engels sprak, ze oogde altijd heel Frans. Dat kwam door een sjaal die ze droeg, een paar oorbellen, of een schoudertas van Hermès die ze al vanaf haar negentiende jaar had. De accessoires waarvoor ze koos en de manier waarop ze die droeg, verrieden haar nationaliteit onveranderlijk.
Gezien haar Franse afkomst en de sfeer in het hotel mocht Pip die avond van Ophélie een glas champagne drinken. Matt gaf Vanessa daar ook het groene licht voor. Omdat Robert niet achter het stuur zou gaan zitten, mocht hij van Matt wat wijn drinken, al was hij daar volgens de wet nog te jong voor. Hij leek er behoorlijk goed tegen te kunnen en zijn vader twijfelde er niet aan dat hij in Stanford net als alle studenten alcohol gebruikte.
Om twaalf uur 's nachts waren ze nog in het hotel. Ze kusten elkaar allemaal op beide wangen en wensten elkaar een gelukkig nieuwjaar. Pas toen ze een uur later thuis waren en de kinderen naar bed waren gegaan, kuste Matt Ophélie hartstochtelijker. Ze zaten samen in de huiskamer. Het vuur in de haard brandde nauwelijks meer, maar toch was het er nog behaaglijk warm. Het was een plezierige avond geweest, zeker voor de kinderen, die het uitzonderlijk goed met elkaar leken te kunnen vinden. Datzelfde gold overigens ook voor hen. Matt was nog nooit in zijn leven zo gelukkig geweest, en Ophélie voelde zich opmerkelijk vredig. Ondanks alles wat ze de afgelopen tijd had moeten doorstaan, kon ze de lasten die ze zo lang had moeten torsen, een voor een langzaam van haar schouders voelen glijden.
'Ben je gelukkig?' vroeg Matt terwijl hij haar dicht tegen zich aan hield. Het enige licht in de kamer kwam van de haard, en

ze waren er zeker van dat alle kinderen inmiddels onder zeil waren. Pip was weer in Vanessa's kamer gaan slapen, en ze beschouwde het oudere meisje als de grote zus die ze nooit had gehad maar wel altijd had willen hebben. Vanessa had alleen broers – zowel ouder als jonger dan zij – dus dit was voor haar ook een aangename verandering.
'Heel gelukkig,' zei Ophélie zacht. Bij hem was ze altijd gelukkig. In zijn wereld voelde ze zich beschermd, veilig en bemind. Ze had het gevoel dat haar niets kon overkomen zolang ze maar bij hem was. Matt wilde niets anders dan haar in bescherming nemen tegen al het verdriet dat ze had moeten doorstaan en balsem op de vele wonden doen. Dat vooruitzicht joeg hem totaal geen angst aan.
Hij kuste haar nogmaals en toen verkenden ze elkaar verder dan tot dan toe ooit was gebeurd. Terwijl ze zijn handen langzaam over haar lichaam voelde glijden, besefte ze hoe intens ze naar hem verlangde. Het leek alsof alles in haar wat vrouw was de afgelopen veertien maanden net als Ted dood was geweest en ze onder Matts handen langzaam weer tot leven kwam. Hij voelde zich overweldigd door zijn verlangen naar haar. Lange tijd bleven ze dicht naast elkaar zitten. Toen gingen ze op de bank liggen, met hun armen en benen verstrengeld.
Uiteindelijk fluisterde hij: 'Als we nog veel langer zo blijven liggen, zullen we in de problemen komen.' Ze giechelde en voelde zich voor het eerst in jaren weer een jong meisje. Hij verzamelde alle moed die hij kon opbrengen om haar de volgende vraag te stellen. De tijd leek daar voor hen beiden nu eindelijk rijp voor te zijn. 'Wil je meegaan naar mijn kamer?' Toen ze knikte, voelde hij zich ontzettend opgelucht. Hij had hier al zo lang naar verlangd. Hij begeerde haar meer dan hij zelfs voor zichzelf had durven toegeven.
Ze gingen staan. Hij pakte haar hand en samen liepen ze op hun tenen naar zijn kamer. Ophélie schoot bijna in de lach, want het was geestig zoals ze dit voor de kinderen – die immers allang lagen te slapen – verborgen wilden houden. Zodra ze in zijn kamer waren, deed hij de deur dicht en op slot. Toen tilde hij haar op, liep naar het bed, legde haar daar voorzichtig op neer en ging naast haar liggen.

'Ophélie, ik hou zoveel van je,' fluisterde hij terwijl het maanlicht de kamer in stroomde. Het was er gezellig en warm. Ze kusten elkaar en kleedden elkaar uit. Niet meer dan een paar seconden later lagen ze tussen de lakens. Hij voelde haar trillen toen hij zijn armen naar haar uitstak, en het enige wat hij wilde doen, was haar gelukkig maken en het gevoel geven bemind te zijn.
'Ik hou ook van jou,' fluisterde ze terug, en hij kon haar stem eveneens horen trillen. Hij voelde aan hoe bang ze was, en lange tijd hield hij haar alleen dicht tegen zich aan. 'Het is oké, lieveling. Bij mij ben je veilig. Ik beloof je dat er niets beroerds met je zal gebeuren.'
Toen hij haar kuste, voelde hij tranen op haar wangen en ze fluisterde: 'Matt, ik ben zo bang...'
'Dat hoef je echt niet te zijn... Ik hou zoveel van je... Ik zal je nooit verdriet doen. Ook dat beloof ik je.'
Ze geloofde hem, maar ze geloofde niet langer in het leven. Het leven zou hun verdriet doen als het daar de kans toe kreeg. Er zouden verschrikkelijke dingen gebeuren wanneer ze zich liet gaan en hem volledig in haar wereld toeliet. Ze zou hem verliezen, hij zou haar verraden, hij zou haar verlaten, of doodgaan. Ze wist dat ze nergens meer zeker van kon zijn. Ze kon niets en niemand vertrouwen, zelfs hem niet. Ze kon hem niet te dicht bij haar in de buurt laten komen. Op dat moment besefte ze dat ze dwaas was geweest door te denken dat ze dit kon doen.
'Matt, ik kan het niet...' zei ze triest. 'Ik ben er te bang voor.' Ze kon hem niet beminnen, kon hem niet zo dicht bij haar in de buurt laten komen. Het idee zoveel van iemand te gaan houden was te angstaanjagend en als ze hem eenmaal volledig had toegelaten in haar leven, haar ziel, haar lichaam en haar hart, zou niets meer veilig zijn. Dan zou hij dat alles bezitten, en zouden zij worden bezeten door de demonen die mensenlevens verwoestten.
'Ik hou van je,' zei hij zacht. 'We kunnen wachten. Haast hebben we niet. Ik ga nergens heen. Ik zal je niet verlaten, je geen pijn doen, je geen angst aanjagen... Het is niet erg. Ik hou van je.' Hij definieerde de betekenis van dat begrip zoals geen en-

kele man dat ooit had gedaan. Niet eens Ted. Zeker Ted niet. Ze voelde zich afschuwelijk omdat ze Matt teleurstelde, maar ze was zich ervan bewust dat ze er niet klaar voor was. Ze wist niet eens of ze er ooit klaar voor zou zijn. Dat liet zich onmogelijk bepalen. Het was haar alleen duidelijk dat ze dit nu niet kon doen. Het zou te angstaanjagend zijn geweest. Gelukkig was hij bereid te wachten...

Die nacht hield hij haar lange tijd in zijn armen en terwijl hij haar gratievolle lichaam naast zich voelde, bleef hij naar haar verlangen. Toch was hij dankbaar voor wat ze samen hadden. Als het op dit moment niet meer kon zijn, was het voldoende...

Toen ze het bed uit stapte en zich aankleedde, werd het buiten al licht. Ze had naast hem liggen doezelen, had zich de hele nacht aan hem vastgeklampt. Dat ze naakt was geweest maakte haar niet verlegen. Ze begeerde hem, maar niet genoeg.

Hij kuste haar voordat ze zijn kamer uit liep en naar haar eigen bed ging. Ze sliep twee uur onrustig en toen ze wakker werd, voelde ze de bekende loden last weer op haar borstkas. Maar deze keer was het anders. Chad of Ted was er de reden niet van. Wel wat ze de afgelopen nacht niet met Matt had kunnen doen. Ze had het gevoel hem te hebben bedrogen en haatte zichzelf omdat ze hem had teleurgesteld. Ze nam een douche en kleedde zich aan. Ze zag ertegenop Matt weer onder ogen te komen. Zodra ze hem zag, wist ze echter dat alles oké was. Hij glimlachte haar vanaf de andere kant van de kamer toe en liep op haar af om geruststellend een arm om haar heen te slaan. Hij was een ongelooflijke man en op een eigenaardige manier had ze het idee wel degelijk de liefde met hem te hebben bedreven. Ze voelde zich zelfs nog meer bij hem op haar gemak dan voorheen. Ze vond zichzelf een dwaas omdat ze in paniek was geraakt, maar tegelijkertijd was ze hem ook dankbaar omdat hij het niet erg had gevonden te wachten.

Nieuwjaarsdag gingen ze samen skiën. De nacht daarvoor kwam niet ter sprake. Ze skieden gewoon en praatten over van alles en nog wat. Ze maakten samen pret, en de laatste avond aten ze met de drie kinderen. De volgende dag zou Vanessa tot Matts grote verdriet teruggaan naar Auckland, maar over een maand zou hij naar haar toe vliegen. Pip en Ophélie zouden de volgende morgen naar huis rijden, omdat Pip de dag daarna weer naar school moest. Robert had nog twee weken vakantie, en hij ging naar Heavenly om met vrienden te skiën. Matt ging terug naar het strand. De vakantie was voorbij. Het was een heerlijke week geweest, maar tussen Matt en Ophélie was nog niets opgelost. Ze wisten echter allebei dat ze zich aan hun eigen tijdsplan dienden te houden, en Ophélie was ervan overtuigd dat zelfs de hoop op een romance tussen hen verloren zou zijn gegaan als hij haar die avond ergens toe had gedwongen of boos op haar was geworden. Matt was daar echter veel te verstandig voor, en hij was eerder nog meer van haar gaan houden. Ze namen de volgende morgen afscheid zonder beloften, zonder zekerheden. Er was alleen sprake van liefde en hoop. Dat was al veel meer dan ze ieder hadden gehad toen ze elkaar leerden kennen, en voorlopig was het voor hen allebei voldoende.

26

Nadat Matt Vanessa had afgezet op het vliegveld om naar Auckland terug te gaan, ging hij langs bij Ophélie en Pip. Hij was triest gestemd en aanvaardde dankbaar het aanbod van een kop thee voordat hij zou teruggaan naar zijn bungalow op het strand. Hij besefte nu meer dan ooit dat het leven dat ze de afgelopen weken samen hadden gehad, alles was wat hij wenste. Hij was het eenzame bestaan moe, maar op dit moment had hij domweg geen andere keus. Ophélie was nog niet klaar voor meer dan ze hadden: vriendschap met een belofte van hartstocht en een romance in de toekomst. Ze was in de verste verte nog niet klaar voor meer dan dat, en hij moest domweg de gebeurtenissen afwachten. Indien het nooit meer zou worden, als ze zich nooit volledig voor hem zou kunnen openstellen, zou hij voor haar en Pip op zijn minst een goede vriend kunnen zijn. Hij wist dat dat ook een mogelijkheid was. Het leven bood geen garanties. Daar hadden ze allemaal genoeg bewijzen van gezien. Toen hij het huis van Ophélie in liep, deed het hem genoegen te zien dat de portretten die hij van Pip en Chad had gemaakt, op een ereplaats in de huiskamer hingen.

'Ze zien er prachtig uit, nietwaar?' Ze glimlachte trots en bedankte hem nogmaals. 'Hoe was Vanessa vlak voor haar vertrek?' Ophélie was heel erg op haar, en op Robert, gesteld geraakt. Net als hun vader waren ze aardig, hadden ze goede manieren, een goed hart en een juist waardenstelsel.

'Het deed haar verdriet dat ze weg moest,' zei hij, en het kostte hem heel veel moeite de herinneringen te verdringen aan de nacht die hij met een naakte Ophélie in zijn bed had doorgebracht. Hij wenste dat ze in staat was geweest hem te vertrouwen en kon alleen maar hopen dat dat later alsnog zou gebeu-

ren. 'Over een paar weken zie ik haar weer. Ze is stapel op jou en Pip.'
'Dat is dan wederzijds,' zei Ophélie zacht. Toen Pip naar boven was gegaan om haar huiswerk te maken, keek Ophélie Matt triest aan. 'Ik heb spijt van wat er in Tahoe is gebeurd.' Het was de eerste keer dat een van hen daar melding van maakte. Hij had haar niet in verlegenheid willen brengen door eraan te refereren, en haar ook niet onder druk willen zetten. Hij had gemeend dat het beter onbesproken kon blijven. 'Dat had ik niet moeten doen. De Fransen hebben er een woord voor: een *allumeuse*. Volgens mij bestaat er in het Engels een veel minder aantrekkelijk woord voor. Maar als je dat bent, ben je niet aardig. Ik was niet aan het proberen jou uit te dagen of je een rad voor ogen te draaien. Mezelf misschien wel. Ik dacht dat ik er klaar voor was, maar dat was niet zo.'
Hij vond het niet prettig daarover te praten, want hij was bang dat ze alleen al daardoor extreme conclusies zou kunnen trekken, en hij wilde niet dat er deuren tussen hen werden gesloten. Hij wilde die wijd open laten staan en haar de kans geven erdoorheen te lopen indien ze er klaar voor was. Wanneer en als dat gebeurde, zou hij op haar staan wachten. In de tussentijd kon hij alleen zo goed mogelijk van haar houden. 'Ophélie, je hebt niemand een rad voor ogen gedraaid. Tijd is een merkwaardig iets. Je kunt het niet definiëren, je kunt het niet kopen, je kunt het effect ervan op een mens niet voorspellen. Sommige mensen hebben meer tijd nodig dan andere. Jij moet alle tijd nemen die je nodig hebt.'
'En als het moment voor mij nooit aanbreekt?' vroeg ze triest, bang dat dat inderdaad nimmer zou gebeuren. De diepte van haar angsten en hun verlammende effect hadden haar bang gemaakt.
'Dan zal ik toch van je blijven houden,' verzekerde hij haar. Meer hoefde ze niet te horen. Zoals altijd gaf hij haar het gevoel veilig te zijn en niet onder druk te worden gezet. Bij Matt zijn was net zoiets als een lange, vredige strandwandeling maken. Haar ziel kwam erdoor tot rust.
'Kwel jezelf niet. Je hebt genoeg andere dingen om je zorgen over te maken. Voeg mij niet aan die lijst toe. Ik red me wel.'

Hij glimlachte en boog zich over de tafel heen om haar een kus op haar mond te geven. Daar verzette ze zich niet tegen. In tegendeel. Ze verwelkomde dat gebaar. Diep in haar hart hield ze van hem. Ze wist alleen nog niet wat ze met die gevoelens moest doen. Als ze het zichzelf zou toestaan weer te gaan leven, zou dat met Matt gebeuren. Ze erkende echter de mogelijkheid dat Ted voor altijd een eind had gemaakt aan haar leven als vrouw. Hij verdiende het niet zoveel macht over haar te hebben, maar toch was dat nog steeds het geval, hoe afschuwelijk ze het ook vond dat te moeten toegeven. Hij had een essentieel deel van haar verwoest, dat ze niet langer kon vinden of terughalen. Als een sok die zoek was geraakt: een sok die gevuld was geweest met liefde en vertrouwen. Hij leek onvindbaar te zijn. Ted had hem weggegooid, had hem niet eens met zich meegenomen. Ze bleef zich afvragen wat zij voor hem had betekend, en of hij van haar had gehouden toen hij stierf. Of hij ooit van haar had gehouden. Ze wist dat die vragen nooit zouden worden beantwoord.
'Wat zijn je plannen voor vanavond?' vroeg Matt voordat hij vertrok.
Ze wilde hem dat vertellen, maar aarzelde toen hun blikken elkaar kruisten. Haar gezichtsuitdrukking vertelde hem echter wat hij weten wilde, en dat vond hij afschuwelijk.
'Het buitenteam?'
'Ja,' zei ze, en ze zette hun koppen in de spoelbak. Ze wilde hier met hem geen ruzie over maken.
'Ik wou echt dat je daarmee ophield, Ophélie. Ik weet niet wat ervoor nodig is om je te overtuigen. Een dezer dagen zal er iets verschrikkelijks gebeuren, en ik wil niet dat dat jóú overkomt. Tot nu toe hebben ze mazzel gehad. Dat kan echter niet altijd zo blijven. Jullie lopen allemaal te veel risico's. Je gaat twee avonden per week de straat op en vroeg of laat moet het misgaan.'
'Ik red me wel.' Ze probeerde hem gerust te stellen, maar zoals altijd kon ze hem niet overtuigen.
Hij vertrok om vijf uur en een paar minuten later kwam Alice om op Pip te passen. Dat was sinds september een vaste routine geworden en anders dan Matt – die voortdurend het gevoel

had dat zich een ramp zou voltrekken – had Ophélie er volkomen vrede mee. Ze kende de teamleden goed en wist hoe capabel ze waren. Ze gebruikten altijd hun gezonde verstand en ze waren voorzichtig. Ze waren cowboys, zoals ze zelf zeiden, maar wel cowboys die vertrouwd waren met het leven op straat en hun rug – en de hare – in de gaten hielden. Zij was inmiddels ook door de wol geverfd geraakt.

Om zeven uur zat ze in de bestelwagen die door Bob werd bestuurd. Jeff en Millie reden in het andere bestelwagentje. Ze hadden nog wat extra voorraden ingeladen: etenswaren, medicijnen, warme kleren, condooms en met dons gevoerde jacks die ze regelmatig van een groothandelaar cadeau kregen. Hun wagens waren afgeladen, en het was buiten bitterkoud. Bob zei met een grijns tegen haar dat ze een lange onderbroek had moeten aantrekken.

'Hoe is het verder met je?' vroeg hij vriendelijk. 'Hoe zijn jouw kerstdagen geweest?'

'Best wel goed. Alleen de eerste kerstdag was moeilijk.' Hij knikte begrijpend. 'Maar de dag daarna zijn we naar Tahoe gegaan om met vrienden te skiën, en dat was leuk.'

'Dat kan ik me voorstellen. Vorig jaar zijn wij naar Alpine gegaan, en dit jaar zou ik het met de kinderen weer moeten doen. Het kost echter wel veel geld.'

Dat deed haar opnieuw beseffen dat ze zich gelukkig mocht prijzen met het feit dat zij die zorgen niet had. Hij moest drie monden te eten geven, en had erg weinig geld. Maar hij deed wat hij kon voor zijn kinderen.

'Hoe gaat het tussen twee haakjes met die romance van jou?' vroeg Bob. Terwijl ze 's avonds rondreden, deelden ze veel met elkaar. Ze wisselden heel wat adviezen en informatie uit en spraken meer met elkaar dan op een kantoor het geval zou zijn geweest.

'Welke romance?' Ze keek onschuldig.

Hij gaf haar speels een zetje. 'Hou je maar niet van de domme! Een paar maanden geleden had je een twinkeling in je ogen die door Cupido werd veroorzaakt... Wat is er gebeurd?' Hij mocht haar graag. Ze was een goede vrouw met een groot hart en een fikse dosis lef, zoals hij al vaak tegen Jeff had gezegd. Ze was

bijna nergens bang van. Ze had zich nooit ingehouden en ze was nimmer op de achtergrond gebleven. Elke avond wás ze er in alle opzichten, om samen met de anderen hulp te verlenen. De drie vaste medewerkers van het buitenteam mochten haar heel erg graag. 'Nou, hoe zit het met die romance?' hield hij vol. Ze hadden tijd om te praten terwijl ze naar de Mission reden.
'Ik ben bang. Dat zal wel stom klinken, want hij is een geweldige man en ik hou van hem. Toch kan ik domweg niet aan een romance beginnen, Bob. Ik denk dat er te veel is gebeurd.' Het had geen zin hem te vertellen over de baby van Ted en Andrea. Noch over de afschuwelijke dingen die Andrea in haar brief over haar, Ophélie, en Chad had geschreven en die impliceerden dat Ted het met haar eens was geweest en dat zij niet competent was, hun geesteszieke zoon abominabel had behandeld en de oorzaak van zijn problemen was. Dat alles was zo wreed. Ze had zich afgevraagd of Andrea de waarheid onder woorden had gebracht, namelijk dat zíj Chads problemen erger had gemaakt. Zelfs als Andrea Ted had gemanipuleerd, school er misschien iets waars in haar opmerkingen. Ophélie had zichzelf eindeloos gemarteld met die brief en hem uiteindelijk verbrand, zodat Pip hem nooit zou kunnen vinden en lezen.
'Ik begrijp het. Mij is ook heel wat ellende overkomen toen mijn vrouw overleed. Je zult het nu moeilijk kunnen geloven, maar je komt eroverheen. Voldoende om de draad van je leven weer op te pakken. Tussen twee haakjes...' Hij probeerde er nonchalant uit te zien terwijl hij naar buiten keek en niet naar 'Opie' zoals ze haar allemaal waren gaan noemen. 'Ik ga trouwen.'
Ze begon te juichen. 'Goed van je! Dat is geweldig. Wat vinden je kinderen ervan?'
'Ze mogen haar graag... Ze houden van haar... Dat hebben ze altijd al gedaan.'
Ophélie wist dat zijn verloofde de beste vriendin van zijn vrouw was geweest – dat leek een vaak voorkomend verhaal bij mannen die hun echtgenote hadden verloren. Ze trouwden met een zuster of de beste vriendin van de overledene: iemand die bekend en vertrouwd was.
'Wanneer gaat het gebeuren?' vroeg ze.

'Dat weet ik nog niet... Zij is nooit getrouwd geweest, dus wil ze er veel werk van maken. Ik wil eigenlijk alleen even naar het stadhuis gaan om het zo snel mogelijk af te handelen.'

'Verpest het voor haar alsjeblieft niet. Geniet ervan. Hopelijk zul je niet nogmaals hoeven te trouwen.'

'Dat hoop ik inderdaad. Ze is een goede vrouw, en zoiets als mijn beste vriendin.'

'Hmmm.' Matt en zij waren ook goede vrienden. Het was jammer dat ze niet voldoende over haar doodsangsten heen kon komen om aan een relatie met hem te beginnen, en ze was bijna jaloers op Bob. Maar zijn vrouw was al langer dood dan Ted. Misschien zou zij op een dag haar angsten en voorzichtigheid kunnen laten varen...

Ze reden langs de rand van de Mission, deelden spullen uit bij Hunters Point, en werden totaal niet met problemen geconfronteerd. Het bracht haar in herinnering hoe ongegrond Matts angst was dat haar op straat iets zou overkomen. Ze was volledig ontspannen en maakte grapjes met Millie en Jeff toen ze even halt hadden gehouden om koffie en iets te eten te halen. Het was buiten ijskoud. De mensen op straat voelden zich ellendig en waren dankbaar voor alles wat zij uitdeelden.

'Mijn hemel, wat is het koud vanavond,' zei Bob toen ze weer verder reden. Ze gingen zoals gewoonlijk naar de dokken en de spoorwegemplacementen, de viaducten en de steegjes. Ze deden hun werk op Third, Fourth, Fifth en Sixth Street, waar Bob zich volgens zijn eigen zeggen nooit op zijn gemak voelde. Daar werden te veel drugs verhandeld, daar waren te veel mensen die zich door hen bedreigd konden voelen omdat ze het idee hadden dat zij tussenbeide zouden komen. Straathandel onderbreken was altijd onverstandig. De mensen die zij wilden bereiken, waren degenen die domweg probeerden in leven te blijven, niet degenen die hen als hun prooi zagen. Soms konden de signalen onduidelijk zijn. Jeff ging echter graag naar die buurt toe en vaak troffen ze er grote aantallen daklozen aan die in de portieken en de steegjes lagen, onder vodden of een stuk zeildoek, en in de dozen die zij 'kribben' noemden.

Ze reden een steegje – Jesse geheten – tussen Fifth en Sixth Street in omdat Millie tegen Jeff had gezegd dat ze aan het eind daar-

van een paar daklozen had gezien. Ze sprongen allebei de wagen uit. Bob en Ophélie wachtten. Er waren slechts een paar mensen te zien en ze meenden dat de andere twee het wel konden afhandelen. Jeff gebaarde echter dat ze slaapzakken en jacks nodig hadden die in de wagen van Bob en Ophélie lagen. Zij sprong als eerste de auto uit.
'Ik pak ze wel,' riep ze over haar schouder.
Bob aarzelde. Ze was echter zo snel dat ze met de slaapzakken en de jacks al halverwege het steegje was voordat hij had kunnen uitstappen.
'Wacht even op mij!' riep hij, en hij ging achter haar aan. Het steegje leek verlaten, met uitzondering van een 'kribbe' aan het uiteinde ervan. Jeff en Millie waren daar al en Ophélie was bijna bij hen toen een lange, magere man uit een portiek tevoorschijn kwam en haar beetpakte. Bob rende hun kant op. De man had een arm van Ophélie vast, maar merkwaardigerwijze was ze niet bang. Ze deed wat ze instinctief had geleerd te doen. Ze keek hem recht aan en glimlachte.
'Wil je een slaapzak en een jack?' Ze kon merken dat hij high was – waarschijnlijk door het gebruik van speed of een ander verdovend middel – maar haar ferme blik deelde hem mee dat ze niet bang was en hem geen kwaad wilde berokkenen.
'Nee, schatje, dat wil ik niet. Wat heb je nog meer? Heb je iets wat ik hebben wil?' De man had immense ogen die voortdurend wild heen en weer schoten.
'Eten, medicijnen, warme jacks, een paar regencapes, slaapzakken, sjaals, mutsen, sokken, rugtassen. Zeg het maar.'
'Verkoop je die troep?' vroeg hij boos op het moment dat Bob hen had bereikt en het tafereel in zich opnam.
'Nee, die geven we weg,' zei ze rustig.
'Waarom?' Hij was vijandig en leek zenuwachtig.
Bob bleef doodstil staan. Hij kon problemen aanvoelen en wilde het delicate evenwicht tussen Ophélie en de man niet verstoren.
'Omdat ik het idee heb dat je die nodig hebt.'
'Wie is die kerel?' Hij hield Ophélie nu iets steviger vast. 'Is hij een smeris?'
'Nee. We zijn van het Wexlercentrum. Wat kan ik je geven?'

'Je mag me pijpen, kreng. Verder heb ik geen troep van jou nodig.'
'Zo is het welletjes.' Bob liep verder naar hen toe en vanaf de andere kant van de steeg kwamen Jeff en Millie langzaam hun kant op. Ze wisten dat er iets aan het gebeuren was, maar waren nog niet in staat te zien wat. Ze konden echter wel horen wat er werd gezegd. 'Laat haar los, man,' zei Bob zacht maar gedecideerd.
'Wie ben jij? Haar pooier?'
'Jij hebt geen behoefte aan problemen, en wij ook niet. Geef het op. Laat haar los,' zei Bob nadrukkelijk. Het speet hem dat hij geen wapen meer bij zich had, want bij het zien daarvan zou de man zich wel uit de voeten hebben gemaakt. Toen waren Jeff en Millie inmiddels zo dichtbij dat de man hen kon zien. Opeens keek hij woest en trok Ophélie dicht naar zich toe.
'Wat is dit? Een undercoveroperatie? Jullie zien eruit als smerissen.'
'We zijn niet van de politie!' schreeuwde Jeff heel duidelijk. 'Ik heb bij de marine gezeten, bij de SEALS, en ik zal je te grazen nemen als je haar niet loslaat.' De man had Ophélie al een eindje naar de andere kant van het steegje meegetrokken, naar een portiek waar Bob twee andere kerels ongeduldig op hem kon zien wachten. Dit was de situatie die ze het ergst vonden: ze waren toevallig in aanraking gekomen met een drugsdeal. 'Het kan ons geen moer schelen wat jij doet. We hebben medicijnen, eten en kleren voor de mensen hier. Als jij die niet wilt hebben is dat best, maar wij hebben werk te doen. Ga jij maar rustig door met je eigen bezigheden. Dat laat mij Siberisch.' Het enige wat ze konden doen, was harde taal uitslaan wanneer het moeilijk werd. Ze hadden echter niets om die kracht bij te zetten en de drugsdealer die Ophélie had vastgegrepen, leek hen niet te geloven.
'Wat is zij? Ze ziet er ook uit als een smeris.' Hij wees op Millie.
Ophélie hield haar mond. Zij had ook altijd gevonden dat Millie er als iemand van de politie uitzag.
'Dat is ze vroeger inderdaad geweest. Ze is ontslagen wegens prostitutie,' zei Jeff dapper.

'Geouwehoer. Ze riekt naar een smeris, net als deze tante.' Toen liet hij de arm van Ophélie los en gaf haar een zet, waardoor ze achteruit wankelde. Daar had ze niet op gerekend en ze kwam bijna ten val. Toen ze haar evenwicht had hervonden, hoorden ze schoten. Ze hadden hem niet eens een wapen zien trekken. Binnen een fractie van een seconde sprong de man de lucht in, draaide als een balletdanser honderdtachtig graden om en rende weg.
Jeff zette de achtervolging in en Bob riep hem iets toe terwijl de twee mannen uit het portiek spoorloos verdwenen en er een deur werd gesloten. Alles gebeurde heel snel. Millie rende achter Jeff aan en schreeuwde hem eveneens iets toe. Ze waren niet gewapend en het had geen zin achter de man aan te gaan. Als ze hem te pakken kregen, konden ze niets doen. In dat geval zouden ze alleen het risico lopen dat ze werden neergeschoten terwijl ze probeerden hem tegen de grond te werken. Ze waren geen politiemensen en Bob wilde hier zo snel mogelijk weg. Hij draaide zich om om tegen Ophélie te zeggen dat ze weer in de wagen moest gaan zitten, en toen hij dat deed, zag hij haar op de grond liggen. Hij zag ook overal bloed. De man met het wapen had haar neergeschoten.
'Verdomme, Ophélie... wat heb je gedaan?' vroeg hij terwijl hij op zijn knieën ging zitten en probeerde haar op te tillen. Hij wilde haar daar weghalen, hopend dat het een oppervlakkige verwonding zou zijn, maar hij zag meteen dat ze veel te ernstig gewond was om haar zomaar te kunnen optillen, terwijl het tegelijkertijd ook zo was dat ze op deze plaats niets anders waren dan schietschijven. Hier werd in drugs gehandeld. Ze hadden dit steegje nooit in moeten gaan.
Bob schreeuwde zo luid hij kon en Millie was de eerste die hem hoorde. Hij gaf haar een teken, en zij riep Jeff. Zo snel ze konden, kwamen ze teruggerend. Jeff had zijn gsm in zijn hand en was het alarmnummer al aan het bellen. Binnen seconden waren ze bij Bob en Ophélie. Bob leek in een shocktoestand te verkeren en zij was bewusteloos, maar ze ademde nog wel. Net aan.
'Shit,' zei Jeff terwijl hij op zijn knieën naast Ophélie ging zitten en Millie naar het uiteinde van de steeg rende om de ambulance op te wachten. 'Zal ze in leven blijven?'

'Het ziet er niet goed uit,' zei Bob tussen opeengeklemde kaken door. Hij was spinnijdig op Jeff. Deze steeg in rijden was een slechte beslissing geweest: de eerste stommiteit die ze in lange tijd hadden begaan. Hij was nog nijdiger op zichzelf omdat hij haar dit had laten doen en niet snel genoeg achter haar aan was gegaan. Maar zonder wapens konden ze elkaar in situaties als deze vrijwel niet beschermen. Op een gegeven moment hadden ze het over kogelvrije vesten gehad, en toen geconcludeerd dat ze die niet nodig hadden. Tot nu toe was dat ook zo geweest.
'Ze is weduwe, en ze heeft een kind,' zei Bob tegen Jeff.
'Dat weet ik... Ik weet dat... Waar blijft die ambulance, verdomme?'
'Zo te horen komt hij eraan,' zei Bob, die naar Ophélie bleef kijken en zijn vingers tegen de ader in haar hals gedrukt bleef houden. Haar hartslag werd zwakker. Er waren slechts minuten verstreken sinds ze was neergeschoten, maar het leek een eeuwigheid. Nu was er echter hulp in aantocht. Een seconde later zag Jeff Millie zwaaien en kwamen de ambulancebroeders hun kant op gerend.
Ze legden haar snel op een brancard en onder het lopen werd er een infuus in haar arm aangebracht. 'Hoe vaak is er geschoten?' vroeg een van de broeders aan Jeff, die naast hen meerende. Bob racete naar zijn wagen om achter de ambulance aan naar het General te kunnen rijden, dat de beste trauma-afdeling in de stad had. Terwijl hij de motor startte en de wagen keerde, begon hij te bidden.
'Drie keer,' zei Jeff terwijl ze de brancard de ambulance in schoven en de twee ziekenbroeders op de voorbank plaatsnamen. Ze reden al weg toen een portier nog moest worden gesloten. Jeff rende terug naar zijn wagen. Millie zat al achter het stuur. In volle vaart gingen de twee wagens van het Centrum achter de ambulance aan. Dit was het eerste ongeluk waarmee ze te maken hadden gekregen, maar dat bood nu geen enkele troost.
'Denk je dat ze het zal redden?' vroeg Millie. Ze keek strak naar de weg en bleef plankgas geven terwijl ze tussen het overige verkeer door laveerde.
Jeff haalde een keer diep adem en schudde zijn hoofd. 'Nee, dat denk ik niet,' zei hij eerlijk. 'Ze is van dichtbij drie keer ge-

raakt. Tenzij die kerel met een proppenschieter aan het zwaaien was, is ze vrijwel zeker ten dode opgeschreven. Niemand kan zoiets overleven. In elk geval geen vrouw.'
'Ik heb het wel overleefd,' zei Millie grimmig. Ze had er haar werk bij de politie door moeten opgeven en het had heel lang geduurd voordat ze was hersteld, maar ze was in leven gebleven. Haar mannelijke partner, die tegelijkertijd was neergeschoten, had het niet gehaald. Soms was het bij een situatie als deze domweg de vraag welk strootje je had getrokken.
In zeven minuten waren ze bij het ziekenhuis. Jeff, Bob en Millie stapten uit en liepen achter de brancard aan naar binnen. Ze hadden de kleren van Ophélie al opengeknipt en ze lag daar halfnaakt, met zoveel bloed op haar lichaam dat je niet kon zien wat er precies aan de hand was. Een paar seconden later was ze de trauma-afdeling op gereden, buiten bewustzijn en met een zuurstofmasker op. Haar drie collega's gingen zitten en zwegen. Ze wisten niet wie ze moesten bellen, maar iemand diende het toch te weten!
'Jongens, wat denken jullie ervan?' vroeg Jeff. Hij had de leiding, maar het zou een heel moeilijk telefoontje worden.
'Mijn kinderen zouden het willen weten,' zei Bob zacht. Ze zagen er alle drie beroerd uit en Jeff draaide zich nog even naar Bob toe voordat hij naar een telefoon in de hal liep.
'Hoe oud is haar dochter?'
'Twaalf. Ze heet Pip, en er is een babysitter bij haar.'
'Wil je dat ík die babysitter bel of met haar dochter praat?' bood Millie aan. Het zou misschien iets minder angstaanjagend zijn als een vrouw met de boodschap kwam. Maar wat kon er angstaanjagender zijn dan te horen dat je moeder twee keer in haar borst was geraakt en een keer in haar maag? Jeff schudde zijn hoofd en liep naar de telefoon terwijl de anderen in de buurt van de deur naar de trauma-afdeling bleven. In elk geval was er nog niemand die deur door gekomen om te vertellen dat ze was overleden. Bob was er echter zeker van dat het niet lang zou duren voordat dat wel gebeurde.

Even na twee uur 's nachts rinkelde de telefoon in de bungalow in Safe Harbour. Matt had bijna twee uur geslapen. Nu hij

de kinderen weer terug had, zette hij de telefoon nooit meer uit en hij vroeg zich bezorgd af of het Robert was, of Vanessa die hem vanuit Auckland belde. Hij hoopte dat het Sally niet was.
'Hallo?' zei hij slaperig nadat hij op de tast de hoorn van de haak had gepakt.
'Matt.' Het was Pip en hij hoorde haar stem trillen.
'Is er iets mis?' Al voordat ze die vraag beantwoordde wist hij dat er iets aan de hand was, en hij werd doodsbang.
'Het gaat om mam. Er is op haar geschoten. Ze ligt in het ziekenhuis. Kun je hierheen komen?'
'Natuurlijk. Ik kom meteen.' Hij sloeg snel de dekens terug en stapte zijn bed uit. 'Wat is er precies gebeurd?'
'Dat weet ik niet. Ze hebben Alice gebeld en toen heb ik met hen gesproken. De man zei dat ze door drie kogels is geraakt.'
'Leeft ze nog?' Hij stikte bijna terwijl hij dat vroeg.
'Ja.' Ze huilde.
'Heeft hij gezegd hoe het is gebeurd?'
'Nee. Kom je echt hierheen?'
'Zo vlug ik kan.' Hij wist niet of hij naar het ziekenhuis moest gaan, of naar Pip. Hij wilde bij Ophélie zijn, maar Pip klonk alsof ze hem nodig had.
'Mag ik met je meegaan?'
Hij aarzelde slechts een fractie van een seconde terwijl hij een spijkerbroek pakte. 'Oké. Kleed je aan. Ik ben zo snel mogelijk bij je. In welk ziekenhuis ligt ze?'
'Het San Francisco General. Ze is daar net opgenomen. Meer weet ik niet.'
'Pip, ik hou van je. Tot straks.' Hij wilde geen tijd verspillen door met haar te praten of haar gerust te stellen. Hij kleedde zich aan, pakte zijn portefeuille en zijn autosleutels en racete naar buiten. Hij nam niet eens de moeite zijn voordeur op slot te doen, en vanuit de auto belde hij het ziekenhuis. Ze hadden geen nieuws. Haar toestand was kritiek, ze werd geopereerd en ze wisten verder nog niets.
Matt reed zo snel als hij durfde de berg over en gaf op de snelweg meteen plankgas. Hij vloog bijna over de brug, smeet de vrouwelijke tolbediende het tolgeld toe en arriveerde vierentwintig minuten later bij het huis van Pip en Ophélie. Daar toe-

terde hij. Pip rende naar hem toe, gekleed in een blauwe spijkerbroek en haar ski-jack, dat ze in de hal had gevonden. Ze was lijkbleek en zag er doodsbang uit.
'Is alles met jou oké?' vroeg hij.
Zij schudde haar hoofd. Op dit moment was ze zelfs te bang om te kunnen huilen. Ze leek zó te kunnen flauwvallen, en hij bad dat dat niet zou gebeuren. Hij bad nog harder voor Ophélie, en maakte tegenover Pip geen opmerking over het feit dat het krankzinnig was dat haar moeder zo laat 's avonds met het buitenteam de straat op was gegaan. Hier was hij aldoor al bang voor geweest. Dit had hij telkens weer voorspeld. Het feit dat hij gelijk had gekregen, bood hem echter geen troost. Naar zijn idee – en dat van Pip – zou ze dit niet overleven. Drie kogels leken voor een mens te veel, ook al wist Matt dat het in sommige gevallen wel in orde was gekomen.
Zwijgend reden ze naar het ziekenhuis. Hij parkeerde de wagen op een van de plaatsen voor hulpverlenende instanties en toen renden hij en Pip naar binnen. Jeff, Bob en Millie zagen hen zodra ze de deur door kwamen en wisten meteen wie ze waren. Of in elk geval wie het kind was. Met uitzondering van haar rode haar leek ze sprekend op haar moeder.
'Pip?' Bob liep naar haar toe en gaf haar een schouderklopje. 'Ik ben Bob.'
'Dat weet ik.' Pip herkende hem aan de hand van de beschrijving die haar moeder van hem en de anderen had gegeven. 'Waar is mijn moeder?' Ze zag er zenuwachtig uit, maar tegelijkertijd ook opmerkelijk kalm.
Matt stelde zich met een nijdige frons in zijn voorhoofd voor. Hoewel hij het deze mensen niet kwalijk kon nemen, omdat Ophélie er zelf voor had gekozen, was hij desondanks boos.
'Ze zijn de kogels nu aan het verwijderen,' zei Millie.
'Hoe is het met haar?' Matt keek strak naar Jeff, aanvoelend dat hij de leider was.
'Dat weten we niet. Sinds ze binnen is gebracht, hebben we niets meer van de artsen gehoord.' Ze bleven nog geruime tijd staan en gingen toen zitten.
Bob vertrok om koffie te halen en Millie hield Pips ene hand vast, terwijl Matt haar andere hand stevig in de zijne hield. Ze

zwegen. Er was niets wat een van hen kon zeggen om dit te excuseren of uit te leggen, of om troost te bieden. Ze hadden geen van allen veel hoop, en daar wilden ze tegen Pip niet over liegen. De kans dat Ophélie dit zou overleven was heel klein, zo er al een kans bestond.

'Hebben ze de man die haar heeft neergeschoten te grazen genomen?' vroeg Matt uiteindelijk.

'Nee, maar we hebben een goede persoonsbeschrijving van hem. Als de politie foto's van hem heeft, zullen we hem te pakken krijgen. Ik ben achter hem aan gerend, maar ik kon hem niet inhalen en ik wilde bij haar blijven,' zei Jeff.

Matt knikte. Zelfs als die man werd gearresteerd... wat voor verschil zou dat dan uitmaken als Ophélie dood was? Geen enkel. Noch voor hem, noch voor Pip. In elk geval was ze op dit moment nog niet overleden. Matt liep een aantal keren naar de balie van de verpleging om naar Ophélie te vragen. Het enige wat ze hem konden meedelen, was dat ze nog op de operatietafel lag.

De operatie duurde zeven uur, en na afloop was ze nog in leven.

Jeff had inmiddels het Centrum verwittigd en verslaggevers hadden het ziekenhuis gebeld, maar gelukkig had nog niemand van de pers zich daar laten zien. Om halftien 's morgens kwam er eindelijk een chirurg naar hen toe. Matt en Pip waren doodsbang voor wat ze te horen zouden krijgen. Sinds ze in het ziekenhuis waren gearriveerd had hij Pips hand niet meer losgelaten.

'Ze leeft nog,' zei de arts om hen gerust te stellen. 'Wat er verder gaat gebeuren, weten we nog niet. De eerste kogel is dwars door haar long heen gegaan en via haar rug haar lichaam weer uit gekomen. De andere heeft haar hals doorboord, maar haar ruggengraat niet geraakt. Alles bij elkaar heeft ze redelijk veel geluk gehad. Ze is echter nog niet uit de gevarenzone. De derde kogel heeft een eierstok en haar blindedarm geraakt, en vrij ernstige schade toegebracht aan haar maag en ingewanden. Daar zijn we de laatste vier uur mee bezig geweest. We waren met een team van vier chirurgen. Veel meer hebben we hier niet te bieden.'

‘Kunnen we haar zien?’ vroeg Pip schor. Ze had de hele nacht niets gezegd.
De arts schudde zijn hoofd. ‘Nog niet. Ze ligt op de intensive care van de afdeling Chirurgie. Maar als ze stabiel blijft, kunnen jullie over een paar uur naar haar toe. Ze is nog buiten bewustzijn door de narcose, en als ze daaruit is bijgekomen, zullen we haar voorlopig verdoofd houden.’
‘Gaat ze dood?’ vroeg Pip, die keihard in Matts hand kneep.
Matt hield zijn adem in.
‘We hopen van niet,’ zei de chirurg terwijl hij het meisje recht aankeek. ‘Maar het is mogelijk, omdat ze heel, heel ernstig gewond is geraakt. Het positieve is dat ze de operatie en het trauma heeft overleefd. Ze is behoorlijk taai, en wij doen alles wat we kunnen.’
‘Zo hoort het ook,’ zei Bob, die bad dat Ophélie in leven zou blijven.
Pip ging weer zitten en zag eruit als een klein, houten standbeeld. Zij was niet van plan ergens anders heen te gaan, en dat waren Matt en de anderen ook niet. Ze zaten daar gewoon te wachten en om twaalf uur ’s middags kwam een verpleegster melden dat ze naar de intensive care konden gaan. Het was een angstaanjagende afdeling en Ophélie werd omgeven door machines, monitoren en allerlei slangetjes. Ze werd door drie mensen in de gaten gehouden en ze zag lijkbleek. Haar ogen waren gesloten toen Matt en Pip haar kamer in liepen.
‘Mam, ik hou van je,’ zei Pip, die naast Matt bij het voeteneinde van het bed ging staan.
Matt deed zijn uiterste best niet te gaan huilen. Omwille van Pip moest hij sterk zijn, maar het enige wat hij in feite wilde, was een hand uitsteken en Ophélie aanraken, om haar bij wijze van spreken te dwingen in leven te blijven. Verder leken ze hier al het mogelijke voor haar te doen. Ze bewoog zich volstrekt niet. Net toen ze uit zichzelf weer wilden weggaan, kwam een verpleegster meedelen dat ze moesten vertrekken. Ophélie mocht elk uur slechts vijf minuten bezoek hebben. De tranen stroomden over Pips wangen, omdat ze doodsbang was ook haar moeder te verliezen: de enige familie die ze op deze wereld nog had. Het leek alsof Ophélie haar verdriet aanvoelde,

want ze deed haar ogen open en keek eerst naar Pip en vervolgens naar Matt. Ze glimlachte, alsof ze hen moed wilde inspreken, en deed haar ogen toen weer dicht.
'Mammie, kun je me horen?' vroeg Pip.
Ophélie knikte. Het enige wat niet zeer deed, was haar hoofd, en ze had een zuurstofmasker voor. 'Ik hou van je, Pip,' fluisterde ze. Toen deed ze haar ogen weer open en keek naar Matt. Zonder iets te zeggen liet ze hem weten dat ze wist wat hij zou hebben gezegd. Het was het laatste waaraan ze had gedacht voordat ze op de grond viel en alles zwart werd. Dat hij gelijk had gehad. Nu stond hij daar, en ze was bang dat hij razend op haar was. Wel was ze blij dat hij bij Pip was, en ze vroeg zich af hoe dat zo was gekomen. Pip moest hem hebben gebeld, concludeerde ze. 'Hallo, Matt.' Toen deed ze haar ogen weer dicht en doezelde weg. Pip en Matt waren allebei aan het huilen toen ze de kamer uit liepen. Het waren niet alleen tranen van verdriet, maar ook van opluchting. Het zag ernaar uit dat ze het zou halen, al wisten ze allebei dat dat nog niet zeker was.
'Hoe gaat het met haar?' vroegen de anderen zodra zij zich weer bij hen hadden gevoegd. Zij hadden in de wachtkamer van de intensive care gezeten en ze maakten zich vreselijke zorgen toen ze Matt en Pip zagen huilen, bang dat Ophélie was overleden.
'Ze heeft iets tegen ons gezegd,' zei Pip, en ze veegde haar ogen droog.
'Werkelijk?' vroeg Bob opgetogen. 'Wat heeft ze gezegd?'
'Dat ze van me houdt,' zei Pip blij. Het was eenieder – inclusief Pip – echter duidelijk dat Ophélie nog lang niet buiten levensgevaar was.
Die middag gingen de anderen terug naar het Centrum, nadat ze hadden beloofd 's avonds tijdens hun dienst weer langs te komen. Nu moesten ze naar huis om een paar uur te slapen. Verder was er in het Centrum een vergadering belegd om over de veiligheid van het buitenteam te spreken. Dit was voor iedereen een grote shock geweest. Bob en Jeff hadden al gezegd dat ze voortaan een wapen bij zich zouden hebben – wat kon omdat ze hun wapenvergunning nog hadden – en Millie was daar zonder meer mee akkoord gegaan. De belangrijkste vraag was nu of er wel vrijwilligers met het team konden meedraai-

en. Het was iedereen duidelijk dat dat niet kon, maar die conclusie was voor Ophélie te laat gekomen.
Die middag bleven Matt en Pip in het ziekenhuis en gingen ze nog twee keer naar Ophélie toe. De eerste keer sliep ze, en de tweede keer leek ze pijn te hebben. Zodra zij weer waren vertrokken, kreeg ze morfine toegediend. Matt probeerde Pip ertoe over te halen een uurtje naar huis te gaan om te rusten, zich op te frissen en iets te eten. Nadat Ophélie de morfine had gekregen om haar in slaap te brengen, ging Pip daar eindelijk mee akkoord, zij het aarzelend. Ze werden begroet door Mousse. Matt maakte roereieren en toast voor hen klaar en controleerde het antwoordapparaat. Er stonden twee boodschappen op van Pips school, waarin medeleven werd betuigd. Alice had de school die ochtend kennelijk gebeld, en ze had op de keukentafel een briefje voor Pip achtergelaten om mee te delen dat ze Mousse die middag had uitgelaten.
Matt nam hem voor het eten nog een keer mee naar buiten. Toen gingen hij en Pip aan de keukentafel zitten, eruitziend als overlevenden van een gezonken schip. Pip was zo uitgeput dat ze nauwelijks iets kon eten, en Matt kon ook vrijwel geen hap door zijn keel krijgen.
'Moeten we niet teruggaan?' vroeg ze zenuwachtig. Ze wilde niet dat er iets zou gebeuren als zij er niet was.
'Zullen we eerst nog even een douche nemen?' stelde hij geduldig voor, omdat ze er echt niet uitzagen. Verder hadden ze eigenlijk ook slaap nodig, en hij probeerde Pip ertoe over te halen op zijn minst even een dutje te doen.
'Ik ben niet moe,' zei ze dapper, en hij drong niet aan. Ze kwamen overeen een douche te nemen, de vuile vaat weg te werken en dan weer naar het ziekenhuis te gaan. Matt liet Mousse nog een keer uit, waarna hij naar het General reed en ze in de wachtkamer van de intensive care opnieuw samen op de bank gingen zitten.
De verpleegster vertelde dat hun vrienden langs waren gekomen om Ophélie te bezoeken, maar dat ze toen had geslapen en nu nog sliep. Haar toestand was nog steeds kritiek. Pip doezelde even later op de bank in de wachtkamer weg, en dat luchtte Matt op. Hij zat daar naar haar te kijken en vroeg zich af

wat er met haar zou gebeuren als Ophélie kwam te overlijden. Dat idee was onverdraaglijk, maar het was wel een mogelijkheid. Als ze het hem toestonden, zou hij Pip bij hem in huis nemen, of een appartement in de stad voor hen zoeken. Om twee uur 's nachts, toen er allerlei afschuwelijke mogelijkheden door zijn hoofd bleven spelen, kwam een verpleegster naar hem toe. Ze keek ernstig en Matt raakte meteen in paniek.

'Uw vrouw wil u zien,' zei ze zacht, en hij corrigeerde haar niet. Hij liet Pips hand voorzichtig los en liep achter de verpleegster aan de intensive care op.

Ophélie was wakker. Ze gaf hem een teken dat hij dichter naar haar toe moest lopen, en hij was doodsbang dat ze aanvoelde dat haar eind naderde. Zodra hij zich naar haar toe boog en voorzichtig haar wang aanraakte, begon ze tegen hem te fluisteren. Het ademhalen kostte haar duidelijk moeite.

'Matt, het spijt me zo... Je had gelijk... Het spijt me zo... Ben jij bereid voor Pip te zorgen?' Hier was hij bang voor geweest. Ze vreesde dat ze stervende was en wilde dat hij iets regelde voor Pip. Hij wist dat ze heel weinig familie had, met uitzondering van een paar verre neven en nichten in Parijs. Hij was de enige die haar dochtertje in huis kon nemen.

'Je weet dat ik dat zal doen... Ophélie, ik hou van je... Ga nergens heen lieveling... Blijf hier, bij ons... We hebben jou allebei nodig... Je moet beter worden,' zei hij smekend.

'Dat zal ook gebeuren.' Ze viel weer in slaap toen de verpleegster hem een teken gaf dat de vijf minuten om waren.

'Hoe is het met haar?' vroeg hij aan de verpleegster bij de balie. 'Is er iets veranderd?'

'Haar toestand is stabiel,' verzekerde de vrouw hem. Ze was onder de indruk van het feit dat hij en het kind hier de hele dag en nacht waren. Zoiets kon verschil uitmaken en het had haar altijd verbaasd dat er zoveel mensen waren die die moeite niet namen. Pip en Matt waren echter nog geen twee uur weg geweest, en toen de ochtendploeg van de verpleging de volgende morgen aantrad, waren ze er nog. Met Ophélie leek het iets beter te gaan.

Matt nam Pip weer mee naar huis en zei dat hij ofwel wat kleding moest gaan kopen, of even naar huis moest om schone

kleren te halen. Ze besloten op de terugweg naar het ziekenhuis bij Macy's te stoppen om het een en ander aan te schaffen, want het was duidelijk dat Pip wilde dat hij bij haar bleef. Dus deed hij dat ook.
Die morgen had hij eindelijk de tijd om Robert te bellen en hem alles vertellen, en daarna sprak hij met Alice af dat zij de hond regelmatig zou uitlaten. Hij belde ook Pips school en zij verzekerden hem dat het meisje zich daar niet hoefde te laten zien. Ze reageerden heel meelevend en spraken de hoop uit dat mevrouw Mackenzie spoedig zou zijn hersteld. Mensen van het Wexlercentrum hadden een aantal verontruste boodschappen op het antwoordapparaat ingesproken, maar hij had er geen enkele behoefte aan met een van hen te spreken, en belde dus niet terug.
Na een korte stop bij Macy's gingen ze terug naar het ziekenhuis en hervatten hun wake in de wachtkamer van de intensive care. Die avond zag Ophélie er eindelijk iets beter uit. Bob, Jeff en Millie kwamen langs, en het viel dat drietal ook op. Nadat zij waren vertrokken, installeerde Matt Pip op de bank met een deken die een verpleegster hem had gegeven.
Pip keek naar hem op en zei: 'Ik hou van je.'
'En ik hou van jou, Pip,' zei hij zacht. Hij had genoeg kleding en ondergoed gekocht om het er een week mee te kunnen uitzingen. Vroeg of laat zou hij terug moeten gaan naar zijn huis aan het strand, maar hij was van plan in de stad bij Pip te blijven zolang zij hem nodig had. Het zag er niet naar uit dat hij binnenkort naar zijn bungalow zou teruggaan.
'Hou je ook van mijn moeder?' Ze wist niet precies wat er tussen hen gaande was, omdat ze allebei voortdurend heel discreet waren geweest.
'Ja,' zei hij glimlachend, en zij glimlachte terug.
'Ga je met haar trouwen wanneer ze weer beter is?' Hij was blij dat ze het woord 'wanneer' gebruikte, en niet 'als'. 'Ze heeft je nodig, Matt, en ik heb je ook nodig.'
Die woorden maakten hem bijna aan het huilen, en hij wist niet precies wat hij tegen haar moest zeggen. Voordat Ophélie was neergeschoten, was ze absoluut niet zeker geweest van haar gevoelens voor hem of wat ze daarmee wilde doen, hoewel hij

geen seconde had getwijfeld aan zijn gevoelens voor haar. 'Dat zou ik graag willen, Pip,' zei hij eerlijk. 'Maar ik vind dat we dat aan haar moeten vragen. Ben je dat met me eens?'
'Ik denk dat ze ook van jou houdt en alleen bang is. Mijn vader was niet altijd aardig voor haar. Hij schreeuwde veel, voornamelijk over Chad. Chad was behoorlijk ziek en heeft nogal wat erge dingen gedaan, zoals proberen zelfmoord te plegen. Mijn vader dacht dat hij helemaal niet ziek was. Dus schreeuwde hij tegen mijn moeder en vond dat ze raar deed.' Dat was – in Pips eigen woorden – een vrij accuraat verslag van wat er was gebeurd, zoals Matt wist. 'Misschien is ze bang dat jij ook gemeen tegen haar zult zijn als ze met je trouwt, ook al ben je dat tegenover ons nooit geweest. Mijn vader kon ontzettend mopperen en hij was erg slim. Misschien was hij niet zo aardig voor haar als hij had moeten zijn... Het is ook mogelijk dat ze bang is dat jij dood zult gaan, omdat ze echt van hem heeft gehouden, hoe mopperig en gemeen hij ook was, en hoe weinig hij ook met ons praatte. Hij had het altijd druk, maar ik denk dat hij wel van ons hield. Zou je tegen haar kunnen zeggen dat je aardig voor ons zult zijn? Dan zal ze vast ja zeggen.'
Hij wist niet of hij moest gaan lachen of huilen. In plaats daarvan boog hij zich naar haar toe en gaf haar een kusje op haar voorhoofd. 'Als zij niet met me wil trouwen, zal ik dat met jou moeten doen. Je hebt heel zinnige dingen gezegd, Pip.'
Ze grinnikte daar op de bank in de verder verlaten wachtkamer. 'Matt, jij bent te oud voor me. Maar voor een oude man ben je best leuk... Als een vader, bedoel ik dan.'
'Ik vind jou ook best leuk.'
'Ga je het haar vragen?' Pip keek weer bezorgd.
'Ik zal mijn best doen, maar ik heb het idee dat ik daar beter mee kan wachten tot ze zich wat beter voelt. Ben je dat met me eens?'
Daar dacht Pip over na. Toen keek ze hem met gefronste wenkbrauwen aan. 'Ik geloof niet dat je er te lang over moet doen. Het kan zijn dat ze zich beter gaat voelen als je haar ten huwelijk vraagt. Wat denk jij? Misschien zal ze zich zelfs heel wat beter gaan voelen als ze iets heeft om zich op te verheugen.'
'Dat is een idee.' Het zou haar echter ook doodsangst kunnen

aanjagen. Beter dan Pip wist hij dat die mogelijkheid bestond, want hij kon zich nog maar al te goed die avond in Tahoe herinneren, toen ze te bang was geweest om de liefde met hem te bedrijven. Een huwelijk kon nog wel eens niet de oplossing zijn waar Pip op hoopte. Maar net als zij wenste hij dat dat wel zo zou zijn. Pip viel in slaap, blij dat ze met hem had gepraat, en hij zat lange tijd stil en glimlachend naar haar te kijken.
Daarna belde hij Robert weer, zoals hij had beloofd, en deed verslag. Robert had aangeboden die morgen vanuit Stanford naar het ziekenhuis te komen, maar Matt had hem uitgelegd dat hij Ophélie toch niet zou kunnen zien, en dat hij hem telefonisch op de hoogte zou houden. Het had Robert, die zich een ongeluk was geschrokken toen hij het nieuws vernam, immens opgelucht te horen dat ze in elk geval nog in leven was.
Van de schietpartij op Ophélie werd die avond tijdens het nieuws van elf uur door alle stations melding gemaakt, maar het ziekenhuis had verslaggevers op een afstand gehouden. Met sombere gezichten werd gemeld dat de toestand van de neergeschoten vrijwilligster van het Wexlercentrum, die in het San Francisco General was opgenomen, nog steeds kritiek was.
Jeff kwam om middernacht langs om Matt te vertellen dat de dader was gepakt. Ze spraken fluisterend met elkaar omdat Pip sliep, en Jeff was duidelijk blij dat nieuws te kunnen meedelen. Hij en de anderen waren naar het politiebureau gegaan en hadden de man aan de hand van foto's kunnen identificeren. Hij was in zijn kraag gegrepen tijdens een drugsdeal slechts drie huizenblokken van Jesse vandaan: het steegje waarin zij was neergeschoten. De verdachte had het wapen nog bij zich gehad. Hij zou voor lange tijd achter de tralies verdwijnen, want hij had al een heel lang strafblad. Dat was allemaal goed nieuws, maar het leven van Ophélie liep nog steeds gevaar.
Toen Matt en Pip de volgende morgen naar haar toe gingen, glimlachte ze echter naar hen beiden en vroeg wanneer ze naar huis mocht. De chirurg verklaarde dat haar toestand ernstig maar niet meer kritiek was. Niemand was daar meer opgelucht over dan Pip, met uitzondering van Matt. Ophélie zei tegen het tweetal dat ze naar huis moesten gaan om te rusten. Hoewel ze bleek zag, leek ze beter bij haar positieven te zijn en ook min-

der pijn te hebben. Matt zei dat hij Pip mee naar huis zou nemen, maar dat ze die middag zouden terugkomen. Terwijl ze de intensive care af liepen, keek Pip Matt samenzweerderig aan en vroeg of hij dacht dat hij nu met haar moeder moest gaan praten over wat ze de avond daarvoor hadden besproken.

'Nu?' Hij keek geschrokken. 'Ik denk echt dat we moeten wachten tot ze zich wat beter voelt en minder pijn heeft.'

'Misschien kun je het juist beter met haar bespreken wanneer ze nog een beetje verdoofd is.' Pip was bereid het gewenste resultaat hoe dan ook te verkrijgen, en Matt lachte toen ze het ziekenhuis uit liepen, onderweg naar zijn auto.

'Jij denkt kennelijk dat ze verdoofd moet zijn om een huwelijksaanzoek van mij te kunnen aannemen,' zei hij, een stuk opgewekter dan hij zich had gevoeld sinds Ophélie was neergeschoten. Toch maakte hij zich nog steeds zorgen over haar.

'Het zou kunnen helpen,' zei Pip. 'Je weet hoe koppig ze is, en ze is behoorlijk bang om opnieuw te trouwen. Dat heeft ze zelf tegen me gezegd.'

'Ik zal haar in elk geval niet neerschieten. Dat moet iets te betekenen hebben,' zei hij met een grimmige gezichtsuitdrukking.

'Misschien wel,' zei Pip, en ze schoot in de lach.

Ze gingen naar huis en werden heel enthousiast begroet door Mousse, die niet kon begrijpen waarom iedereen hem in de steek had gelaten. Matt maakte eten voor hen drieën klaar en ging toen even op bed liggen. Hij was twee etmalen in touw geweest. Pip leek zich lekkerder te voelen terwijl ze druk bezig was in het huis. Ze vond het heerlijk Matt bij zich te hebben, en hij had beloofd te blijven logeren tot Ophélie weer naar huis kwam. Later dan gepland gingen ze terug naar het ziekenhuis. Ophélie had een zware avond. De verpleegster zei dat dat te verwachten was na het trauma en de operatie. Ze had veel pijn en ze hadden haar een behoorlijk zware dosis morfine gegeven. Toch werd de beschrijving van haar toestand gewijzigd van ernstig in stabiel. Tot een ieders verbazing herstelde ze zich opmerkelijk goed, en Matt besloot Pip mee naar huis te nemen in plaats van de nacht in het ziekenhuis door te brengen. Hij zei tegen haar dat ze best een fatsoenlijk bed konden gebruiken, en daar stemde ze aarzelend mee in. Ze gaf haar moeder, die

diep in slaap was, een kus. Om negen uur waren ze thuis. Een halfuurtje later lag Pip in haar eigen bed, en Matt in dat van Ophélie.
Ze sliepen allebei de hele nacht door en ze ontbeten samen voordat ze weer naar het ziekenhuis gingen. Toen ze Ophélie zagen, voelden ze zich allebei immens opgelucht. Ze had een beetje kleur op haar wangen en het slangetje in haar neus waarvan ze zoveel last had gehad, was verwijderd. Haar toestand werd nog steeds als stabiel omschreven en ze klaagde over alles, wat volgens de verpleegster een goed teken was. Ze glimlachte toen Matt en Pip naar binnen liepen.
'Wat hebben jullie gedaan?' vroeg ze, alsof ze alleen in een ziekenhuisbed lag om uit te rusten en niet om te herstellen van drie schotwonden.
Haar twee bezoekers keken haar stralend aan.
'Mam, Matt heeft boterhammen geroosterd voor het ontbijt, en hij zegt dat hij heerlijke pannenkoeken kan bakken.'
'Prima. Neem er dan maar een paar voor me mee,' zei ze. Ze wisten echter allemaal dat ze nog lange tijd alleen vloeibaar voedsel tot zich zou mogen nemen. Toen draaide ze zich naar Matt toe en keek ernstig. 'Dank dat je namens mij voor Pip hebt gezorgd.' Ze wisten allebei dat ze dat aan niemand anders had kunnen vragen. De tijd, de omstandigheden – en Ted – hadden haar van veel mensen vervreemd, en behalve Pip had ze geen naaste familieleden meer. 'Het spijt me dat dit alles is gebeurd. Het was stom van me, denk ik,' zei ze, hoewel ze haar werk met het buitenteam geweldig had gevonden.
'Ik zal niet zeggen dat ik je hiervoor had gewaarschuwd, maar je weet hoe ik erover denk. Jeff heeft me verteld dat ze vrijwilligers dat werk niet meer zullen laten doen, en dat lijkt me een juiste beslissing. Het was een schitterend idee, maar het was ook veel te gevaarlijk.'
'Dat weet ik. Het is die avond heel snel uit de hand gelopen. Toen ik op de grond viel, wist ik niet eens waardoor ik was geraakt.' Denken aan het feit dat het haar dood had kunnen worden, was ondraaglijk. Ze spraken een tijdje over het incident en Pip bleef Matt betekenisvolle blikken toezenden terwijl hij probeerde zijn gezicht in de plooi te houden.

Tijdens de lunch zei hij: 'Pip, ik kan haar toch niet ten huwelijk vragen terwijl jij erbij staat?'
'Toch kun je het maar beter snel doen,' zei Pip zogenaamd dreigend.
Hij schoot in de lach. 'Waarom? Ze kan nergens heen. Vanwaar die haast?'
'Omdat ik wil dat jullie gaan trouwen.' Het had er alle schijn van dat Pip zou gaan stampvoeten.
'En als ze nee zegt?'
'Dan zal ik met je trouwen, ook al ben je te oud voor mij... Mijn hemel, ik heb nog nooit iemand gekend die zo traag is!'
De volgende keer dat Matt naar Ophélie toe mocht, liet Pip hem met een vermanende blik in zijn eentje gaan.
'Ik beloof je niets,' bracht hij haar in herinnering. 'Ik zal eerst eens bekijken hoe ze zich voelt.' Hij wilde Pip niet teleurstellen, noch zichzelf, maar hij wilde Ophélie ook niet onder druk zetten. Hij moest vertrouwen op zijn eigen instincten en niet op die van een kind van twaalf, ook al was dit een goed idee van haar, had ze haar hart op de juiste plaats zitten en hield hij ook van haar.
'Je bent de grootste lafaard die ik ken!' zei ze beschuldigend, en hij schoot in de lach.
Toen hij de kamer van Ophélie in liep, zag ze er vredig uit. Even later keek ze echter bezorgd.
'Waar is Pip?'
'Die ligt in de wachtkamer op de bank te slapen,' loog hij. Hij voelde zich belachelijk en vroeg zich opeens af of Pip gelijk had. Misschien was alles door de schietpartij veranderd. Het leven was kort, en ze hielden van elkaar. Misschien was het de moeite waard dit risico te nemen.
'Het spijt me dat ik dit iedereen heb laten doorstaan,' zei ze, en ze keek schuldig. 'Ik had nooit verwacht dat iets dergelijks zou gebeuren.' Ze zag er moe uit. Ze had volgens de arts nog een lange weg te gaan en dat was gezien de schade die de kogels hadden veroorzaakt nauwelijks verbazingwekkend. Het had allemaal echter nog veel erger kunnen aflopen.
'Ik ben aldoor bang geweest dat zoiets zou gebeuren,' zei Matt eerlijk.

'Dat weet ik, en je had gelijk,' zei ze terwijl hij haar hand in de zijne nam en met zijn andere hand haar haar streelde.
'Soms heb ik gelijk, en soms heb ik ongelijk,' zei hij.
'Er zijn maar weinig dingen waar je geen gelijk in hebt gehad,' zei ze, en ze keek hem dankbaar aan.
Dat troostte hem. 'Ik ben blij dat je er zo over denkt.'
'Ik dank God dat Pip op het strand contact met jou heeft gezocht,' zei ze, en ze schoten allebei in de lach.
'Als ik het me goed herinner, was je daar aanvankelijk helemaal niet zo enthousiast over.'
'Ik dacht dat je een kinderverkrachter was,' zei ze luchtig. 'Ook in dat opzicht had ik het mis.' Ze glimlachte, sloot haar ogen, deed ze toen weer open en keek hem aan. Ze leek verbazingwekkend vredig gezien alles wat ze had doorstaan. Ze was een bijzonder dappere vrouw, en hij hield van haar. Met heel zijn hart.
'En wat denk je nu?' vroeg hij zacht.
'Van jou? Dat je de beste vriend bent die ik ooit heb gehad... Ik hou ook van jou,' voegde ze er voorzichtig aan toe terwijl ze hem diep in de ogen keek. 'Heel veel zelfs.' Meer dan ze had geweten. Hij was bijna meer dan ze verdiende – of meende te verdienen – zeker na alle problemen die ze voor Pip, hem en zichzelf had veroorzaakt. Ze waren er alle drie vreselijk van geschrokken.
'Ik hou ook van jou, Ophélie...' Hij was bang het haar te vragen, maar toen dacht hij aan het standje dat Pip hem ongetwijfeld zou geven, glimlachte en ging door. 'Hou je genoeg van me om met me te trouwen?'
Geschokt keek ze naar hem op. 'Heb je net gevraagd wat ik denk dat je hebt gevraagd, of ben ik een beetje beneveld door de pijnstillers?
'Het kan een combinatie van beide zijn. Wat denk je dat ik heb gevraagd?'
Er verschenen tranen in haar ogen en ze was nog altijd bang, maar niet meer zo erg als voorheen. Toen ze was neergeschoten, had ze bijna alles verloren. Hoeveel meer zou ze nog kunnen verliezen? Met hem had ze immers alles te winnen.
'Het klinkt me goed in de oren,' fluisterde ze terwijl er een traan

over haar wang rolde. 'Maar ga alsjeblieft niet dood, Matt... Iets dergelijks zou ik niet nog eens kunnen overleven.'
'Dat zal ik niet doen,' zei hij. Toen boog hij zich naar haar toe om haar een kus te geven. 'In elk geval nog heel lange tijd niet. Verder zou ik het waarderen als jij er je best voor doet niet nogmaals te worden beschoten. Ik ben niet degene die bijna was gestorven. O, Ophélie, het zou mijn dood zijn geworden als jij was overleden... Ik hou zo ontzettend veel van je.'
'En ik van jou.' Ze kusten elkaar en op dat moment verscheen de verpleegster met de mededeling dat zijn tijd er weer op zat. Mensen die op de intensive care lagen mochten niet langer dan vijf, hoogstens tien minuten bezoek hebben, maar dat was voor hen lang genoeg geweest.
'Dus het is nu officieel?' vroeg hij voordat hij de kamer uit liep. 'Wil je met me trouwen?' Hij wilde het haar nog een keer duidelijk horen zeggen.
'Ja,' zei ze zacht en uit de grond van haar hart. Ze was er klaar voor, en het was tijd dat het ervan kwam.
'Mag ik het Pip vertellen?' vroeg hij terwijl de verpleegster op de deur wees.
'Ja,' zei ze nogmaals, glimlachend van oor tot oor. Toen hij was vertrokken, keek ze de verpleegster grijnzend aan. 'Ik ben verloofd.'
'Ik dacht dat jullie getrouwd waren,' zei de vrouw verbaasd.
'Dat ben ik... Nee, dat ben ik niet... Dat was ik... Dat ben ik bijna.' Ze was zo opgewonden dat ze er duizelig van werd. Om de knoop te kunnen doorhakken, waren niet meer dan drie kogels nodig geweest. Een geringe prijs.
'Gefeliciteerd,' zei de verpleegster, en vervolgens overhandigde ze Ophélie de thermometer.
Matt liep de wachtkamer weer in en Pip staarde hem aan, hopend aan zijn gezicht te kunnen zien wat hij had gedaan. 'Ben je er weer te laf voor geweest?' vroeg ze beschuldigend en bezorgd.
Hij schudde zijn hoofd en probeerde zijn opwinding voor haar verborgen te houden. 'Nee.'
Haar ogen werden groot. 'Heb je haar echt ten huwelijk gevraagd?'

'Ja.'
Pip kon zich nauwelijks meer beheersen, en voor hem gold hetzelfde. 'Wat heeft ze gezegd?' Ze hield haar adem in terwijl hij glimlachend een arm om haar schouders legde.
'Ze heeft ja gezegd,' zei hij, en er verschenen weer tranen in zijn ogen. Het was een heel emotionele dag geweest.
'Werkelijk? Wauw! Jullie gaan trouwen! O, Matt!' Ze sloeg haar armen om hem heen en samen met haar draaide hij een rondje door de wachtkamer. 'Je hebt het gedaan! Je hebt het gedaan!'
'Wij hebben het gedaan. Ik moet je bedanken voor dat briljante idee van jou, voor je moed en voor het feit dat je mij een trap onder mijn achterste hebt gegeven. Als jij niet zo had aangedrongen, had ik er waarschijnlijk nog een jaar mee gewacht.'
'Misschien is het wel goed dat er op haar is geschoten... Tja... Je begrijpt wel wat ik bedoel,' zei Pip peinzend.
'Nee, dat begrijp ik niet. En als ze ooit nog eens zoiets uithaalt, zal ik haar eigenhandig vermoorden.'
'Dan zal ik je daarbij helpen,' zei Pip terwijl ze naast elkaar op een bank gingen zitten, als partners in de misdaad. Alles was precies volgens plan verlopen, dankzij Pip. Nu hoefden ze alleen nog maar een datum vast te stellen.

27

Ophélie moest drie weken in het ziekenhuis blijven, en al die tijd hield Matt Pip thuis gezelschap. Een week nadat haar moeder was opgenomen, was zij weer naar school gegaan. Matt bracht de ochtenden door bij Ophélie in het San Francisco General, haalde Pip daarna van school en nam haar mee om haar moeder te bezoeken. Toen Ophélie naar huis mocht, droeg Matt haar de trap op naar haar kamer, omdat ze het nog zes weken heel rustig aan moest doen.

Ze hadden de long kunnen redden, haar maag kunnen repareren, en gezegd dat de ingewanden niet voor problemen zouden zorgen. Ze zou zich best kunnen redden met één eierstok en zelfs nog kinderen kunnen krijgen als ze dat wilde. De blindedarm was verwijderd. Ze had ongelooflijk veel geluk gehad, en Louise Anderson van het Centrum was haar excuses komen aanbieden omdat ze het haar had toegestaan zichzelf aan risico's bloot te stellen. Ophélie bracht haar herhaaldelijk in herinnering dat ze dit zelf graag had willen doen. Het was haar keuze geweest. Vrijwilligers zouden echter niet meer met het buitenteam mogen meegaan, en dat was maar goed ook, hoe heerlijk Ophélie dat werk ook had gevonden. Ze beloofde over een paar maanden weer in het Centrum te komen werken, mits Matt daarmee akkoord ging. Hij had nu ook een stem in het kapittel, en hij wist nog niet of hij er wel toestemming voor wilde geven. Hij meende dat ze thuis moest blijven. Bij Pip, en bij hem.

Toen Ophélie weer thuis was, sliep hij in de studeerkamer die eens van Ted was geweest. Hij wilde in de buurt zijn voor het geval ze hem nodig had, en zij was blij dat hij er was. Ze had nog altijd hulp nodig, en zijn nabijheid gaf haar zo'n veilig gevoel. Pip vond het natuurlijk allemaal prachtig.

De voorbereidingen voor hun huwelijk vorderden gestaag. Ze waren overeengekomen in juni te trouwen, omdat Vanessa er dan bij zou kunnen zijn. Matt had naar Auckland gebeld om haar het nieuws te vertellen, en zij was gelukkig voor hem. Aan Robert hadden ze het verteld toen hij Ophélie in het ziekenhuis was komen bezoeken.
'We worden weer een gezinnetje,' had Pip met een brede grijns tegen haar moeder gezegd toen zij net thuis was gekomen. Het was duidelijk dat Pip het prachtig vond, en Ophélie dacht er net zo over. Het had veel gekost voordat ze de knoop had doorgehakt – te veel, waarschijnlijk – maar nu voelde ze zich er prettig bij. Matt en zij speelden met het idee voor hun huwelijksreis naar Frankrijk te gaan, en misschien zelfs de kinderen mee te nemen. Ook dat vond Pip prachtig.
Op een middag was Ophélie op bed gaan liggen om te rusten terwijl Matt Pip van school ging halen. Er waren zes weken verstreken na de schietpartij, en ze voelde zich sterker. Ze was echter nog niet in staat om auto te rijden en was slechts een paar keer het huis uit geweest. Wel vond ze het heerlijk elke avond voor het eten naar beneden te kunnen gaan.
Het buitenteam was al een paar keer bij haar op bezoek gekomen, en ze was aan hen aan het denken toen de telefoon ging. Ze nam op. De stem aan de andere kant van de lijn was bekend maar niet welkom, en klonk heel zwak. Het was Andrea, en Ophélie dacht erover de hoorn meteen weer op de haak te leggen.
Andrea voelde dat aan en smeekte haar dat niet te doen. 'Laat me alsjeblieft even met je praten... Het is belangrijk.' Ze klonk niet alleen zwak. Ook vreemd. Ze zei dat ze van de schietpartij had gehoord, en het afschuwelijk had gevonden. 'Ik wilde je schrijven, maar ik lag ook in het ziekenhuis.' De toon van haar stem zorgde ervoor dat Ophélie naar haar bleef luisteren.
'Heb je een ongeluk gehad?' vroeg ze koeltjes maar desondanks bezorgd, omdat ze zoveel jaren zulke goede vriendinnen waren geweest.
'Nee.' Andrea aarzelde even. 'Ik ben ziek.'
'Ziek? Hoe bedoel je dat?'
Er volgde een eindeloze stilte. Hoewel Andrea Ophélie al maan-

den had willen bellen, had ze dat niet aangedurfd. Toch moest ze het weten. 'Ik heb kanker. Dat is twee maanden geleden geconstateerd, en de artsen denken dat ik het al lange tijd heb. Ik heb ongeveer een jaar last gehad van maagpijn. Ik dacht echter dat dat door de zenuwen kwam. Het schijnt als een ontsteking aan een eierstok te zijn begonnen, maar het heeft zich verspreid naar mijn longen en nu ook naar mijn botten. Het gaat behoorlijk snel.' Ze klonk bijna berustend en tegelijkertijd ook triest.
Ophélie was geschokt. Hoe boos ze ook op Andrea was, dit wenste ze haar niet toe. Het bracht tranen naar haar ogen. 'Heb je een chemokuur gehad?'
'Ja, en daar ben ik nu nog mee bezig. Ik heb twee operaties ondergaan en na de chemo zal ik worden bestraald. Ik... ik denk echter niet dat ik dat nog zal halen,' zei ze eerlijk. 'Het ziet er behoorlijk slecht voor me uit. Ik besef dat je me waarschijnlijk niet wilt zien, maar ik moet iets weten... Zou jij bereid zijn Willie bij je in huis te nemen?' Toen ze dat vroeg, waren ze allebei aan het huilen.
'Nu?' Ophélie klonk stomverbaasd.
'Nee, als ik dood ben,' zei Andrea triest. 'Ik denk niet dat dat nog erg lang zal duren. Misschien een paar maanden.'
Ophélie was nu heel hard aan het huilen. Het leven was zo onvoorspelbaar, zo oneerlijk, zo onterecht. Hoe kon mensen iets als dit overkomen? Ted, Chad... en nu Andrea. Dat alles stemde haar des te dankbaarder jegens Matt. Toch bleef ze van streek. Wat Andrea haar ook had aangedaan, ze verdiende dit niet.
Andrea bleek dat echter niet met haar eens te zijn. 'Misschien is dit Gods straf voor wat ik jou heb aangedaan, Ophélie. Ik weet dat "sorry" zeggen volstrekt ontoereikend is, maar het spijt me wel. Ik heb veel tijd gehad om erover na te denken... Het spijt me echt zo... Ben je bereid Willie bij je in huis te nemen?' vroeg ze opnieuw.
Ophélie kon niets anders doen dan huilen, omdat dit alles zo wreed was. 'Ja,' zei ze toen door haar tranen heen. Het enige waaraan ze kon denken, was wat Matt ten aanzien van Pip voor haar had gedaan, en dat terwijl ze hem pas acht – bijna negen

– maanden kende. Ze wist dat Andrea niemand anders – en dus geen andere keus – had. Ze was de peettante van Willie en zo diende het te gaan, ook al was hij Teds kind. Het was niet de schuld van de baby. 'Waar is hij nu? Helpt iemand je hem te verzorgen?'
'Ik heb een au pair ingehuurd,' zei Andrea, die weer vermoeid klonk. 'Ik wil hem tot mijn dood bij me houden.' Ze zei het alsof haar overlijden absoluut zeker was, en dat was verschrikkelijk. Zo ongelooflijk. Ze was vijfenveertig jaar oud, en haar zoon zou geen van zijn ouders nooit echt leren kennen.
Matt kwam thuis toen Ophélie nog met Andrea aan het praten was, en hij keek verbaasd. Hij kon zien dat Ophélie had gehuild, en hij liep haar kamer weer uit omdat hij zich niet wilde opdringen. Hij ging ervan uit dat ze hem alles later zou vertellen.
'Kan ik nú iets voor je doen?' vroeg Ophélie triest. Ze wilde vrede sluiten, ook al wist ze hoe moeilijk het zou zijn geweest de tussen hen ontstane kloof onder andere omstandigheden te overbruggen.
'Ik zou je graag weer willen zien, maar ik ben het merendeel van de tijd zo misselijk. Die chemokuur is afschuwelijk,' zei Andrea zwakjes.
'Ik kan op dit moment nog niet de deur uit. Zodra dat verandert, kom ik naar je toe.'
'Ik ben van plan een nieuw testament te maken en Willie daarmee aan jou over te dragen, als je daarmee akkoord kunt gaan. Weet je zeker dat je dat aankunt en hem niet zult haten om wat ik heb gedaan?'
'Ik haat je niet,' zei Ophélie kalm. 'Ik ben alleen triest. Ik was gekwetst.' Ze had het Andrea echter al vergeven. Zij was niet de enige schuldige geweest. Ted had er ook zijn steentje aan bijgedragen, en dat was voor haar, Ophélie, het moeilijkst te verwerken geweest. Er was sinds die tijd echter zoveel gebeurd.
'Ik zal contact houden om je te laten weten hoe het met me gaat,' zei Andrea praktisch. 'En ik zal jouw telefoonnummer op de formulieren zetten die ik voor noodsituaties heb ingevuld.' Dat nummer had daar al op gestaan, maar ze had het doorgehaald na alles wat er tussen hen was gebeurd. 'Ik zal het

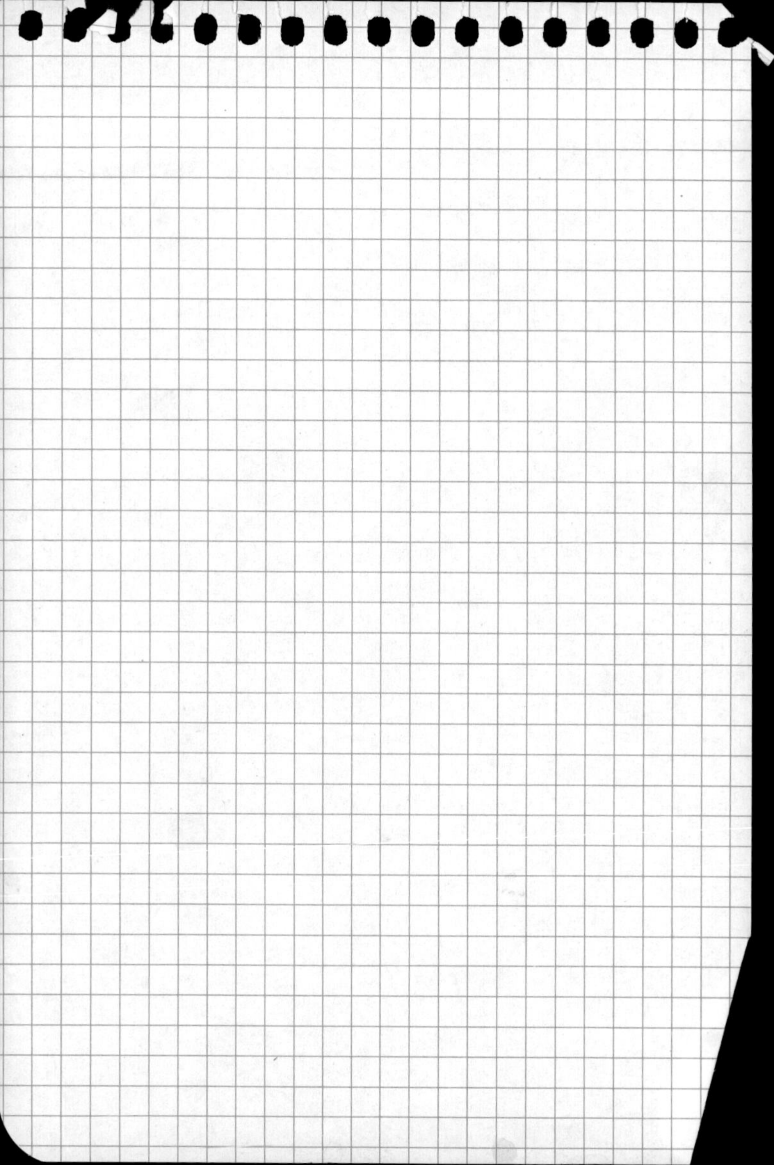

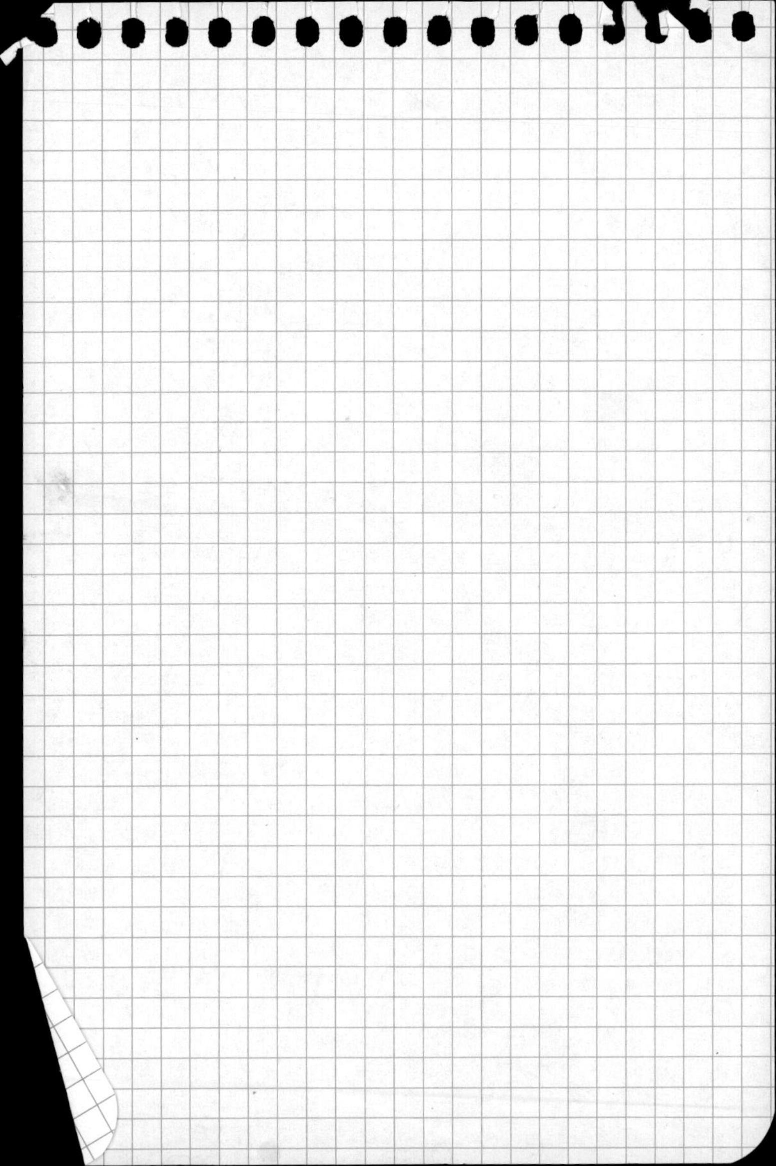

ook aan de au pair geven voor het geval er iets gebeurt en ik de kans niet krijg je te bellen.'

'Andrea, je mag het niet opgeven.' Ophélie voelde zich intens geraakt door alles wat ze had gehoord, en door de toon van de stem van Andrea. Het speet haar dat ze de deur niet uit kon. Maar een weerzien met Andrea zou hoe dan ook met stress gepaard gaan, en er was nog te weinig tijd verstreken na wat haar zelf was overkomen. 'Ik zal je bellen. Laat me weten hoe het met je gaat.'

'Dat zal ik doen,' reageerde Andrea huilend. 'Dank je. Ik weet dat jij goed voor hem zult zorgen.'

'Dat beloof ik je.' Toen besloot Ophélie haar te vertellen over Matt, omdat ze vond dat ze er recht op had dat te weten. 'In juni ga ik trouwen. Met Matt.'

Er volgden een lange stilte en een diepe zucht, alsof haar op de een of andere manier vergiffenis was geschonken en ze het leven van Ophélie niet volledig had verwoest. Dat laatste was ook niet het geval. 'Ik ben zo blij voor je. Hij is een aardige man. Ik hoop dat jullie allebei gelukkig zullen worden,' zei ze vredig.

'Dat hoop ik ook. Ik bel je snel. Pas goed op jezelf, Andrea.'

'Ik hou van je... en het spijt me heel erg,' fluisterde Andrea. Toen verbrak ze de verbinding.

Ophélie legde net de hoorn op de haak toen Matt de kamer weer in liep.

'Waar ging dat over?' vroeg hij bezorgd omdat Ophélie duidelijk van streek was.

'Andrea,' zei ze, en ze keek hem recht aan.

'Is dit de eerste keer dat je weer iets van haar hebt gehoord?'

Ophélie knikte.

'Heeft ze je om vergeving gesmeekt? Dat zou ze in elk geval behoren te doen.' Hij was nog steeds woedend over wat Andrea en Ted hadden gedaan.

Opeens besefte Ophélie dat ze hem naar zijn mening over de baby had moeten vragen. Maar hoe had ze nee tegen Andrea kunnen zeggen? Daar was ze niet toe in staat geweest, en ze meende dat ze dat ook niet had mógen doen. Hij was uiteindelijk de halfbroer van Pip en het kind van Ted.

'Ze is stervende.'
'Sinds wanneer?' Hij keek stomverbaasd.
'Twee maanden geleden heeft ze het te horen gekregen. Ze heeft kanker aan een eierstok, en nu zijn ook haar longen en haar botten aangetast. Ze denkt nog maar een paar maanden te leven te hebben, en ze wil dat ik de baby in huis neem. Dat wij dat doen...' Ze besloot meteen open kaart te spelen. 'Ik heb er ja op gezegd. Hoe denk jij daarover? Ik heb haar verteld dat wij gaan trouwen, maar als jij dat wilt, kan ik altijd nog tegen haar zeggen dat het niet kan doorgaan. Ze heeft verder echter niemand anders. Nogmaals: hoe denk jij erover?'
Hij ging op het voeteneind van haar bed zitten en dacht een minuutje na. Iets als dit had hij niet verwacht, maar hij begreep wel dat Ophélie het moeilijk vond hier nee op te zeggen, moeilijker misschien nog dan hij, omdat de baby van Ted was. Het was een hoogst eigenaardige situatie.
'Ons gezin lijkt opeens heel sterk te worden uitgebreid, hè,' zei hij. 'Ik zou niet weten hoe je haar verzoek kunt afwijzen. Denk je echt dat ze stervende is?'
'Ze klonk heel ziek.'
'Dan hebben we naar mijn idee niet veel keus. In elk geval is het een leuk jochie,' zei hij. Toen boog hij zich naar haar toe en gaf haar een kus. Hij was een ongelooflijk goeie vent. Ze besloten het voorlopig nog niet aan Pip te vertellen. Het was te deprimerend en het meisje had door de schietpartij op haar moeder de afgelopen zes weken al meer dan genoeg moeten doorstaan. Ze hoefde nog niet te weten dat Andrea stervende was. Dat zou te gortig zijn.
Een paar dagen later kreeg Ophélie een briefje van Andrea, om haar te bedanken, en daarna belde ze niet meer. Ophélie bleef van plan contact met haar op te nemen, maar ze was zelf nog zo moe en zo zwak – en ook van streek – dat ze het telkens weer uitstelde. Twee weken later reed Matt haar samen met Pip en de hond naar het strand. Ze maakten een kleine wandeling en zaten in het zonnetje. Hoewel het pas maart was, leek de zomer voor hun gevoel al te zijn aangebroken. Ze bespraken de plannen voor hun huwelijk. Ze hadden gekozen voor een rustige plechtigheid op het strand, met alleen hun kinderen en een

priester uit Bolinas, die een bekende van Matt was. Daar gaven ze allebei de voorkeur aan, want ze voelden niets voor een groot feest.
Twee dagen later gingen Matt en Ophélie op een stralende dag samen opnieuw naar het strand. Ophélie had gezegd dat ze meende dat de zeelucht haar goed deed en daar was Matt het mee eens. Hij had echter iets anders in gedachten. Ze maakten een picknickmand klaar voor de lunch, omdat hij in zijn strandhuis niets te eten had. Zodra ze in Safe Harbour waren gearriveerd, deponeerde hij de mand op de tafel en zette muziek op. Ophélie meende wel te weten wat hij in gedachten had, en deze keer was ze er klaar voor. Ze hadden hier lange, lange tijd op gewacht, en het had eigenlijk al in Tahoe moeten gebeuren...
Hij sloeg zijn armen om haar heen en kuste haar. Toen keek ze naar hem op. Lang voordat hij haar voor het eerst had aangeraakt was ze de zijne al geweest, en nu wilde ze dat ook lichamelijk bevestigd zien. Achter hem aan liep ze naar zijn slaapkamer. Hij kleedde haar voorzichtig uit en legde haar op zijn bed. Toen ging hij naast haar liggen en knuffelden ze elkaar tot hartstocht de overhand kreeg en hen meenam over een kalme zee. Twee levens, twee mensen, twee harten en twee werelden werden één. Dit was iets waarop ze allebei hadden gehoopt en waarover ze alleen hadden gedroomd. In elkaars armen, in Safe Harbour, werd die droom eindelijk werkelijkheid.

28

Vanaf het moment dat Andrea twee weken eerder had gebeld, was Ophélie aldoor van plan geweest haar te bellen. Ze voelde zich echter overweldigd en had het druk met het doen van dingen die waren blijven liggen terwijl ze zo ziek was. Ze moest naar een hoorzitting, omdat de advocaat van de man die haar had aangevallen wilde voorkomen dat zij tijdens het proces zou getuigen. Na een uitputtende ochtend in het gerechtsgebouw, in het gezelschap van Matt, werd het verzoek van de verdediging afgewezen. Ophélie was nog steeds moe. Wanneer ze Andrea wilde bellen, leek iets haar daar telkens weer van te moeten weerhouden. Uiteindelijk nam ze zich op een dag plechtig voor Andrea die middag te bellen, voordat Pip thuiskwam. Net toen ze het nummer wilde intoetsen, belde de au pair van Andrea.

'Ik stond op het punt haar te bellen,' zei Ophélie vriendelijk. 'Hoe is het met haar? Ik ben blij dat u belt.'

Vanaf de andere kant van de lijn kwam slecht nieuws. 'Ze is vanmorgen, even voor twaalf uur, overleden.'

Ophélie had het gevoel dat er een stoomwals over haar heen was gereden. 'O, mijn hemel... Wat triest... Ik wist niet... Ik dacht... Ze had tegen me gezegd dat ze nog een paar maanden te leven had... Ik had er geen idee van dat het al zo snel zou gebeuren.' De dood hield zich niet altijd aan een tijdschema. Nooit, in feite. Het enige waaraan Ophélie op dat moment kon denken was dat ze nog geen jaar geleden bij de bevalling van Andrea aanwezig was geweest. Het was een heel opwindende en vreugdevolle gebeurtenis geweest, en zo ontroerend. Op dat moment besefte ze dat ze zich Andrea zó zou herinneren, en was ze blij dat ze haar niet meer had gezien toen ze ziek was.

Na een vriendschap van bijna twintig jaar hadden hun wegen zich gescheiden, maar misschien was dat wel voorbestemd geweest. Andrea was een levenspad gaan bewandelen waarop Ophélie niet meer thuishoorde. Ze had een afschuwelijke vergissing begaan die Ophélie tot in het diepst van haar ziel had gekwetst. Daar was echter wel een kind uit voortgekomen, en die kleine zou nu bij haar komen wonen. Het leven kon telkens weer een volstrekt onverwachte wending nemen! Je kon niet eens raden naar je lot.
'Wordt ze begraven?' vroeg Ophélie. Zou zij worden geacht dat te regelen? Ze hadden het altijd gehad over huwelijken en verhoudingen, en Ophélie had als peettante een doopfeest gegeven voor Willie. Nu zouden ze zijn moeder moeten begraven.
De au pair zei echter dat Andrea dat niet had gewild. Ze hadden haar al meegenomen, en ze zou worden gecremeerd, waarna haar as op zee zou worden uitgestrooid. Geen herdenkingsdienst, geen rouwstoet, geen grafsteen. Alleen de herinneringen van degenen die haar hadden gekend. Dat had ze zuiverder gevonden, en deze keer was Ophélie het met haar eens. Gegeven de omstandigheden zou het op deze manier voor iedereen minder pijnlijk zijn.
Ze had zelf de verkoop van haar appartement en al haar spullen geregeld. Willie was het enige wat restte. De au pair bood aan hem later die dag naar Ophélie toe te brengen, en dat betekende dat Ophélie het nu aan Pip zou moeten vertellen.
Toen Pip met Matt uit school naar huis was gekomen, zat Ophélie in de keuken op haar te wachten. Pip reageerde meteen op de gezichtsuitdrukking van haar moeder. Matt wist het al, want ze had hem gebeld toen hij met de auto onderweg was naar Pips school. Hij had gezegd alles te zullen doen wat hij kon om haar en Pip te steunen.
'Is er iets mis?' Pip herinnerde zich nog de laatste keer dat haar moeder er zo had uitgezien. Toen was ze er weliswaar nog veel beroerder aan toe geweest, maar toch werd het meisje bang. Ze vreesde te horen te krijgen dat Ophélie en Matt hadden besloten toch maar niet te gaan trouwen.
In dat opzicht stelde haar moeder haar meteen gerust, en voeg-

de er vervolgens aan toe dat ze wel een trieste mededeling had.
'Gaat het over Mousse?' Hij was in de tuin, en ze had hem niet gezien.
'Nee, over Andrea. Ze is vandaag gestorven.'
Pip keek eerst geschokt en toen verdrietig.
'Ze was heel erg ziek,' ging Ophélie door. 'Ze heeft me iets meer dan twee weken geleden gebeld, maar ik wilde het nog een tijdje voor jou geheim houden.'
'Was je nog altijd boos op haar?' vroeg Pip, die oplettend naar het gezicht van haar moeder keek.
'Niet echt. We hebben het zo'n beetje goedgemaakt toen ze me belde om te vertellen dat ze ziek was.'
'Wat had ze jou aangedaan?'
Ophélie en Matt keken elkaar even aan en hij vroeg zich af wat ze zou zeggen. Toen hij haar antwoord hoorde, keurde hij dat goed.
'Dat zal ik je ooit, als je volwassen bent, vertellen, maar niet nu,' zei Ophélie.
'Het moet iets heel ergs zijn geweest,' zei Pip plechtig. Ze kende haar moeder goed genoeg om te weten dat zij het Andrea anders eerder zou hebben vergeven en haar weer zou hebben gezien.
'Dat dacht ik inderdaad.' Toch zou Pip op een dag te horen moeten krijgen dat Willie haar halfbroer was, besefte Ophélie.
'Wat gaat er met Willie gebeuren?' vroeg Pip triest. Hij was nu een wees en dat was een verschrikkelijk idee.
'Hij komt bij ons wonen,' zei Ophélie rustig.
Pips ogen werden groot. 'Echt waar? Nu?'
'Vandaag.'
Pip keek blij en Matt glimlachte. Het was beslist een vreemde wending van de gebeurtenissen, maar ook dat moest zijn voorbestemd. Het deed hem opnieuw beseffen hoe eigenaardig het leven was. Als het anders was gelopen, had Ophélie kunnen overlijden aan de gevolgen van de schotwonden. In plaats daarvan gingen ze trouwen en zou de baby van een andere vrouw – en van Ted – bij hen komen wonen. Het leven was buitengewoon en de wendingen die gebeurtenissen konden nemen, waren vaak ingewikkeld en onverwacht.

Laat die middag kwam de au pair Willie en al zijn spulletjes brengen. Het was een emotioneel moment voor Ophélie, omdat de baby niet alleen van Ted was maar ook van Andrea, met wie ze achttien jaar lang bevriend was geweest. Ze hadden Willie vier maanden lang niet gezien, en hij was flink gegroeid. Ophélie, die nog niet voldoende was hersteld om zelf voor de jongen te kunnen zorgen en bovendien tijd wilde overhouden voor Pip en Matt, vroeg de vrouw of ze als au pair voor hen wilde komen werken, en daar zei ze ja op.
Ophélie dacht snel na en pleegde toen even overleg met Matt. Hij ging akkoord met haar plan, mits ze dacht dat Pip er geen bezwaar tegen had. Ophélie was er zeker van dat Pip het prachtig zou vinden. Hij zou haar slaapkamer met haar delen – ze gingen immers toch trouwen. De studeerkamer van Ted, waarin Matt tot dan toe had geslapen, werd toegewezen aan de au pair en de baby. Chads kamer werd nog steeds beschouwd als heilige grond en mocht dus door niemand anders worden gebruikt. Ophélie was het echter wel met Matt eens toen hij stelde dat ze binnenkort een ander huis moesten gaan zoeken, want zij wilde ook logeerkamers hebben voor Robert en Vanessa. Tot die tijd zou Vanessa echter bij Pip moeten slapen als ze op bezoek kwam. Ook dat vond Pip geweldig. Maar ze zouden op de huizenjacht moeten gaan. Het huis in Safe Harbour, met zijn ene slaapkamer en gezellige huiskamer, zou voor Matt en Ophélie samen kunnen dienen als een liefdesnestje, en dat idee was voor hen aantrekkelijk.
Toen de baby en de au pair in de studeerkamer waren geïnstalleerd en Pip met Mousse aan haar voeten onder zeil was gegaan, lag Matt laat die avond naast Ophélie in bed. Met een brede grijns draaide hij zich naar haar toe.
'Alles is hier in een moordend tempo aan het veranderen, nietwaar, lieveling?'
'Zeg dat wel! En stel je eens voor dat ik ook nog eens zwanger raak!' Ze was hem alleen aan het plagen, want door de komst van Willie leek hun gezin groot genoeg. Ze was niet van plan daar nu of later nog een kleintje aan toe te voegen. Voordat ze in slaap vielen, bedankte ze Matt voor het feit dat hij alles zo sportief had opgevat en afgehandeld.

'Hier weet je de ene dag nooit wat er de volgende zal gebeuren,' zei hij gelukkig. 'Ik begin daarvan te genieten.'
'Ik ook,' zei ze, en ze kroop heel dicht tegen hem aan. Een paar minuten later waren alle bewoners van het huis aan de Clay Street diep in slaap.

29

De trouwdag in juni begon met een stralende zon aan de hemel en een zacht briesje. Aan de horizon waren kleine vissersboten te zien, en het leek alsof het strand was schoongeveegd. Safe Harbour had er nooit mooier uitgezien.

De priester was om halftwaalf gearriveerd, en om twaalf uur zou het huwelijk worden voltrokken. Ophélie droeg een eenvoudige, tot haar enkels reikende jurk van witte kant, en haar boeket was gemaakt van Afrikaanse lelies. Vanessa en Pip hadden wit linnen jurken aan. Matt en Robert gingen gekleed in een pantalon en een blazer, en Willie, die door het kindermeisje werd gedragen, had een blauw-wit matrozenpakje aan. Hij was net gaan lopen en had zijn eerste paar schoentjes aan zijn voeten. Het viel Ophélie op hoeveel hij op zijn moeder leek, en dat werd door haar als een soort van opluchting ervaren. Het alternatief zou moeilijker uit te leggen zijn geweest, al moest ze constateren dat hij wel een beetje op Pip leek. Bepaalde familietrekjes lieten zich niet ontkennen. Wanneer mensen daar een opmerking over maakten, keek Pip blij. Ze had er geen idee van – en haar moeder hoopte dat dat nog lange tijd zo zou blijven – dat Willie inderdaad familie van haar was, zij het dan niet door toedoen van haar, Ophélie.

Iedereen was in een uitstekend humeur, en de volgende dag zouden ze naar Frankrijk vertrekken. Ze waren van plan een week in Parijs door te brengen, en daarna nog eens twee weken in Cap d'Antibes, bij de Eden Roc. Het was een extravagante huwelijksreis waarop Matt iedereen per se had willen trakteren, maar hij verklaarde dat met de mededeling dat hij in jaren vrijwel geen cent had uitgegeven. Ze verheugden zich er allemaal op. Matt en Ophélie hadden afgesproken zodra ze terug waren

op zoek te gaan naar een nieuw huis, omdat het pand aan de Clay Street uit zijn voegen dreigde te barsten.
Robert was de getuige voor zijn vader en Vanessa en Pip waren de bruidsmeisjes. Ze hadden erover gedacht de ringen door Willie te laten dragen, maar hij was weer tanden aan het krijgen en ze waren bang dat hij ze zou doorslikken.
De priester sprak kort en ontroerend over het samenbrengen van levens en families, de wederopstanding van de geest en het verdriet om verloren levens, dat kon genezen. Hij sprak over hoop, vreugde, delen, familie, en over de liefde en zegeningen die families bij elkaar brachten en hielden. Terwijl Ophélie naar hem luisterde, keek ze naar het strand, naar de plaats waar Matt bijna exact een jaar geleden aan het schilderen was geweest en waar Pip hem had leren kennen. Het was onmogelijk niet te denken aan het toeval, de geluksfactor en de pure mazzel die hen samen had gebracht. Dat alles omdat een klein meisje met haar hond over het strand was gaan wandelen.
Matt zag Ophélie naar het strand kijken en dacht aan precies hetzelfde. Toen kruisten hun blikken elkaar en hielden elkaar vast. Ze mochten zichzelf ontzettend gelukkig prijzen met het feit dat ze elkaar hadden leren kennen. Er was echter meer aan te pas gekomen dan gelukkig toeval, mazzel of zelfs liefde. Er waren wijsheid en moed voor nodig geweest om hun levens weer op de rails te krijgen, en lef om zich open te stellen en wat ze hadden gevonden stevig vast te houden. Het zou zoveel gemakkelijker zijn geweest het nooit te proberen, weg te lopen en zich te verstoppen om oude wonden te beschermen. In plaats daarvan hadden ze moed betoond. Ze hadden gedanst. Ze waren moeizaam doorgelopen door de duisternis en de kou, hadden de demomen getart, verschrikkingen onder ogen gezien en geweigerd het op een rennen te zetten. Die dag vierden ze veel meer dan een daad van liefde. Ze vierden ook een daad van moed, van geloof en van hoop. Alle stukjes van de legpuzzel waren op hun plaats komen te liggen. De dunne draden die aanvankelijk heel losjes met elkaar verbonden waren geweest, waren zorgvuldig verweven tot het materiaal van hun nieuwe leven. Het was echter vooral een keus die ze hadden gemaakt: de keus niet toe te geven aan de dood, maar het leven te omar-

men. En dat was niet zo gemakkelijk geweest. Ophélie en Matt hadden delicaat over een slap koord gebalanceerd om aan de andere kant de veiligheid te bereiken. Ze hadden gevonden wat ze wilden hebben, en daarvoor gevochten. Tot ze de veilige haven hadden bereikt en eindelijk aan de stormen waren ontsnapt. Toen de priester Ophélie vroeg of ze de rest van haar leven met deze man wilde delen, zei Pip zacht en tegelijkertijd met haar moeder: 'Ja.'